JN113972

スバラシク実力がつくと評判の

演習 電磁気学

キャンパス・ゼミ

改訂4 revision

マセマ出版社

はじめに

みなさん，こんにちは。マセマの**馬場敬之(けいし)**，**高杉豊**です。
既刊の『**電磁気学キャンパス・ゼミ**』は多くの読者の皆様のご支持を頂いて，**物理学教育の新たなスタンダードな参考書**として定着してきているようです。そして，マセマには連日のようにこの『電磁気学キャンパス・ゼミ』で養った実力をより確実なものとするための『**演習書(問題集)**』が欲しいとのご意見が寄せられてきました。このご要望にお応えするため，新たにこの『**演習 電磁気学キャンパス・ゼミ 改訂4**』を上梓することができて，心より嬉しく思っています。

電磁気学を単に理解するだけでなく，自分のものとして使いこなせるようになるために**問題練習は欠かせません**。
この『**演習 電磁気学キャンパス・ゼミ 改訂4**』は，そのための**最適な演習書**と言えます。

ここで，まず本書の特徴を紹介しておきましょう。

● 『電磁気学キャンパス・ゼミ』に準拠して全体を**5**章に分け，各章のはじめには，解法のパターンが一目で分かるように，
methods & formulae(要項)を設けている。
●マセマオリジナルの頻出典型の演習問題を，各章毎に**分かりやすく体系立てて配置**している。
●各演習問題には(ヒント)を設けて解法の糸口を示し，また(解答 & 解説)では，定評あるマセマ流の読者の目線に立った**親切で分かりやすい解説**で明快に解き明かしている。
●演習問題の中には，類似問題を**2**題併記して，**2題目は穴あき形式**にして自分で穴を埋めながら実践的な練習ができるようにしている箇所も多数設けた。
● **2色刷り**の美しい構成で，読者の理解を助けるため**図解も豊富**に掲載している。

さらに，本書の具体的な利用法についても紹介しておきましょう。

●まず，各章毎に，*methods & formulae*(要項)と演習問題を一度**流し読み**して，学ぶべき内容の全体像を押さえる。

●次に，(***methods & formulae***)(要項)を**精読**して，公式や定理それに解法パターンを頭に入れる。そして，各演習問題の(解答 & 解説)を見ずに，問題文と(ヒント)のみ読んで，**自分なりの解答**を考える。
●その後，(解答 & 解説)をよく読んで，自分の解答と比較してみる。そして，間違っている場合は，**どこにミスがあったかをよく検討**する。
●後日，また(解答 & 解説)を見ずに**再チャレンジ**する。
●そして，問題がスラスラ解けるようになるまで，何度でも納得がいくまで**反復練習**する。

以上の流れに従って練習していけば，電磁気学も確実にマスターできますので，**大学や大学院の試験でも高得点で乗り切れる**はずです。この電磁気学は大学で様々な自然科学を学習していく上での基礎となる分野です。ですから，これをマスターすることにより，さらに相対性理論や量子力学などの分野にも進むことができるのです。頑張りましょう。

また，この『**演習 電磁気学キャンパス・ゼミ 改訂 4**』では『電磁気学キャンパス・ゼミ』では扱えなかった，**ラプラシアン∇^2の球座標表示の導出と，その電位，球面電磁波への応用，ベクトル・ポテンシャルの直接的な導出と，ベクトル・ポテンシャルを用いた磁場の解法**なども詳しく解説しています。ですから，『電磁気学キャンパス・ゼミ』を完璧にマスターできるだけでなく，さらに**ワンランク上の勉強**もできます。

この『**演習 電磁気学キャンパス・ゼミ 改訂 4**』は皆さんの物理学の学習の**良きパートナーとなるべき演習書**です。本書によって，多くの方々が電磁気学に開眼され，電磁気学の面白さを堪能されることを願ってやみません。
皆様のさらなる成長を心より楽しみにしております。

マセマ代表　馬場 敬之(けいし)
高杉　豊

この改訂 **4** では，ストークスの定理の演習問題をより教育的な問題にさしかえました。

◆ 目 次 ◆

講義1 電磁気学のプロローグ

講義2 静電場

講義3 定常電流と磁場

講義4 時間変化する電磁場

講義5 マクスウェルの方程式と電磁波

§1. 電磁気学のプロローグ

クーロンの法則によれば，r(m) だけ離れた電気量 q_1(C)，q_2(C) の 2 つの点電荷が互いに及ぼしあう力 f は，

$$f = k \cdot \frac{q_1 q_2}{r^2} \quad \cdots\cdots ①$$ ←**クーロン力**と呼ぶ。

$(k \fallingdotseq 8.988 \times 10^9 (\mathrm{Nm^2/C^2}))$

となる。

(i) q_1 と q_2 が同符号のときは，斥力が働き，

(ii) q_1 と q_2 が異符号のときは，引力が働く。

図 1　クーロン力

(i) $q_1 q_2 > 0$ のとき斥力

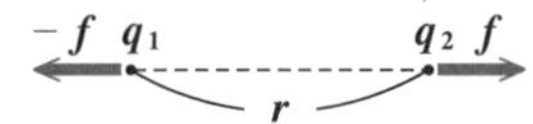

(ii) $q_1 q_2 < 0$ のとき引力

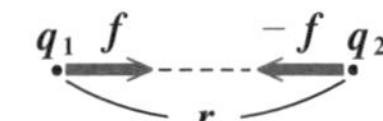

クーロンの法則①を変形して，$f = k\dfrac{q_1}{r^2} \cdot q_2$ とし，さらに $E = k\dfrac{q_1}{r^2}$ とおくと，

$f = q_2 E$ ……①′ となる。この E (N/C) のことを，**電場**と呼ぶ。一般に力は，2 つの物体が接触した状態で作用するので，これを**近接力**という。これに対して，万有引力は離れた状態でも 2 つの物体が力を及ぼし合うので，これを**遠隔力**と呼ぶ。これについて，ファラデーは**電気力線**を考案して，クーロン力を近接力として扱うことを提案した。図 2(i) に示すように，まず，電荷 q_1 が存在することによって，q_1 を中心に放射状に電気力線が出て，q_1 の周りの空間に電場 E が形成されるものとする。そして，図 2(ii) に示すように，この電場 E の中に置かれた点電荷 q_2 が電場 E により，$f = q_2 E$……①′ の力を受ける。つまり，q_2 は E と接することによって，①′ の近接力を受けると考えた。現在，この電場 E は，**磁場** H と共に確かな存在として認められている。

図 2　電気力線と電場

(i) 電荷 q_1 のまわりにできる電場 E

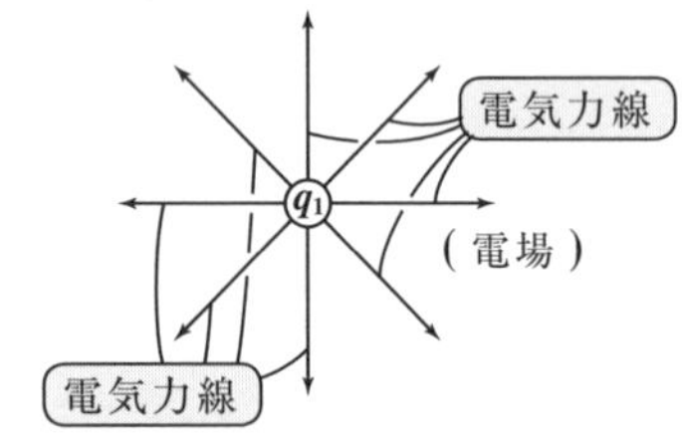

(ii) 電場 E から力を受ける電荷 q_2

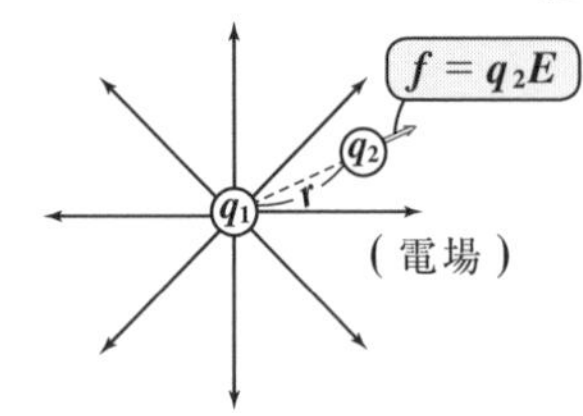

物質を構成する原子は，すべて陽子（⊕の電荷をもつ）と中性子（電荷をもたない）から成る原子核の周りに，陽子と同数の電子（⊖の電荷をもつ）が雲のように広がった状態で存在する。このように，⊕の電荷と⊖の電荷の正体が陽子と電子のため，**正の点電荷**や**負の点電荷**が存在する。

図 3　原子の構造のイメージ（電子と原子核）

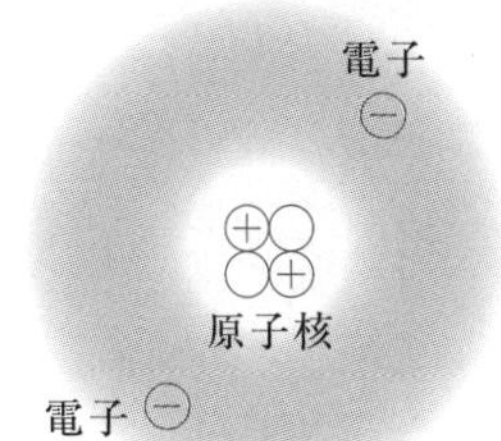

これに対して，磁石の場合，N 極と S 極があり，N と N，S と S の間には斥力が働き，N と S の間には引力が働くので，電場と同じ取扱いができそうにみえる。しかし，図 5 に示すように，N 極に $+q_m$ (Wb)，S 極に $-q_m$ (Wb) の磁荷をもつ棒磁石を 2 つ，4 つ，……と切断しても，N 極と S 極を共にもった小さな棒磁石が次々と出来るだけで，N 極のみ，S 極のみの「単磁荷が存在することはない。」

図 4　単電荷は存在する

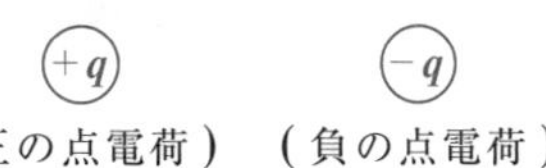

（正の点電荷）　（負の点電荷）

図 5　単磁荷は存在しない

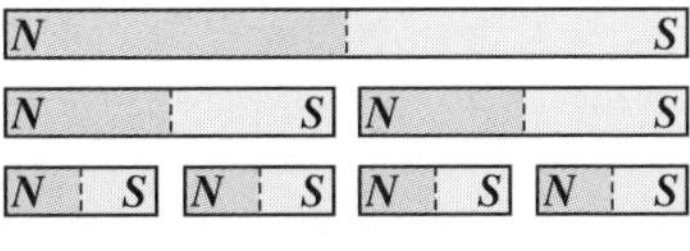

電場 $\boldsymbol{E}$ と同様に，磁石の周りの空間の変化を**磁場**といい，H(A/m) で表す。単磁荷は存在しないので，この磁場は，電場とは違って，単磁荷の周りに生じるのではない。これは，**アンペールの法則**「I (A) の直線電流の周りに発生する磁場 H は，I に比例し，直線電流からの垂直距離 a に反比例し，

$$H = \frac{I}{2\pi a} \ (\mathrm{A/m})$$ と表される」

図 6　アンペールの法則

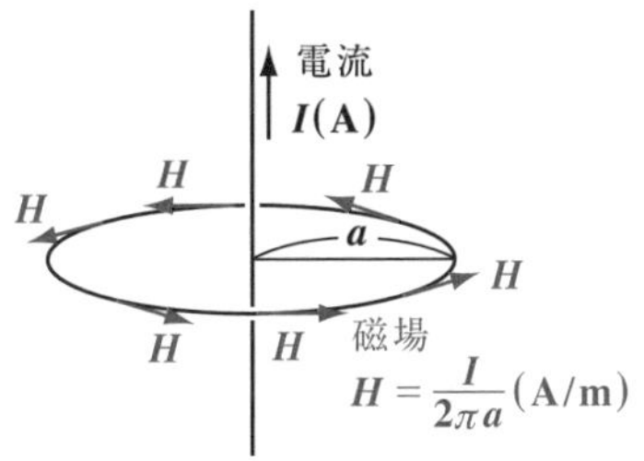

に示されているように，電流によって回転する磁場が発生するのである。このアンペールの法則は，後に示す**マクスウェルの方程式**と密接に関係している。

アンペールの法則により，電流 I から磁場 H が生ずるのであれば，逆に磁場から電流が取り出せるのではないかと考え，ファラデーは実験を重ねた結果，次の**電磁誘導の法則**を発見した。

$$V = -\frac{d\Phi}{dt}\ (\mathrm{V})\ \cdots\cdots ②$$

"ボルト"

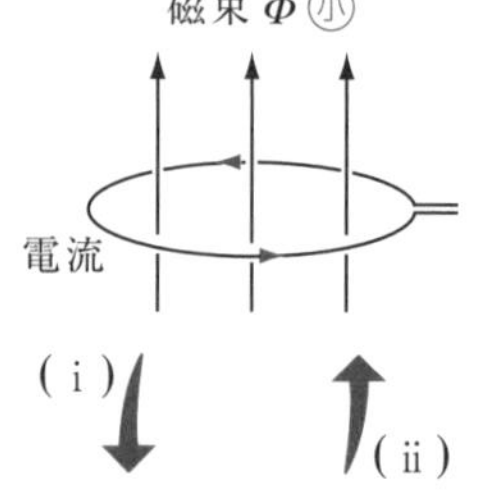

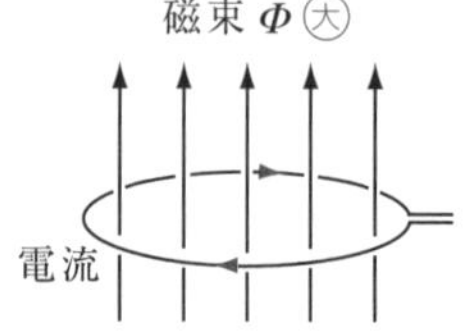

静止した磁場の中に導線を置いても電流は流れないが，磁場を変化させて図 7 に示すように，円形の導線内の**磁束** Φ**(Wb)** を (i) ㊏ → ㊐ や，

"ウェーバー"

(ii) ㊐ → ㊏ に時間的に変化させると，その磁束の変化を妨げる向きに電流が流れる。この電流を起こす元となる起電力，すなわち，**誘導起電力** V**(V)** と磁束 Φ**(Wb)** の変化率の関係式として②が導かれた。これもマクスウェルの方程式の基となる重要公式だ。

§2. スカラー場とベクトル場

3 次元ベクトル $\boldsymbol{a} = [a_1,\ a_2,\ a_3]$ と $\boldsymbol{b} = [b_1,\ b_2,\ b_3]$ の**外積** $\boldsymbol{a} \times \boldsymbol{b}$ は，次のように定義される。

$$\boldsymbol{a} \times \boldsymbol{b} = [a_2b_3 - a_3b_2,\ a_3b_1 - a_1b_3,\ a_1b_2 - a_2b_1]$$

$$\boldsymbol{a} \times \boldsymbol{b} = \boldsymbol{c}$$ ← これが外積を表すベクトル

とおくと，外積 $\boldsymbol{c}$ は右図のように，

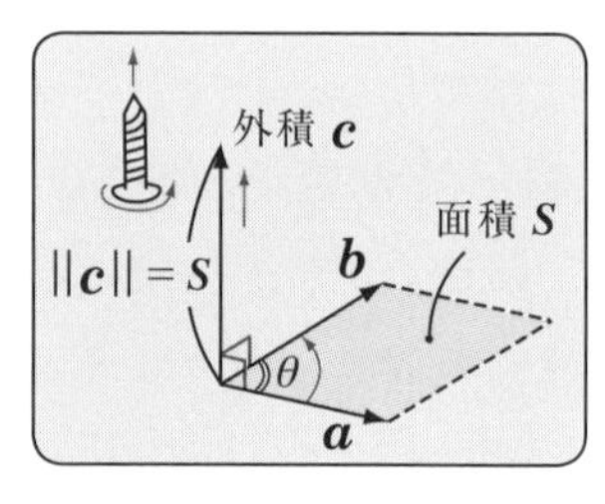

(i) $\boldsymbol{a}$ と $\boldsymbol{b}$ の両方に直交し，その向きは，
$\boldsymbol{a}$ から $\boldsymbol{b}$ に向かうように回転するとき，右ネジが進む向きと一致する。

(ii) また，その大きさ $\|\boldsymbol{c}\|$ は，$\boldsymbol{a}$ と $\boldsymbol{b}$ を 2 辺にもつ平行四辺形の面積 S に等しい。よって，$\|\boldsymbol{c}\| = S = \|\boldsymbol{a}\|\|\boldsymbol{b}\|\sin\theta$ となる。

(ただし，$\|\boldsymbol{a}\| = \sqrt{a_1^2 + a_2^2 + a_3^2}$，$\|\boldsymbol{b}\| = \sqrt{b_1^2 + b_2^2 + b_3^2}$，$\theta$: $\boldsymbol{a}$ と $\boldsymbol{b}$ のなす角)

$\boldsymbol{a}$ と $\boldsymbol{b}$ の外積 $\boldsymbol{a}\times\boldsymbol{b}$ の求め方は右の模式図の通りである。まず，$\boldsymbol{a}$ と $\boldsymbol{b}$ の成分を上下に並べ，さらに右端に a_1 と b_1 を付け加える。次に真中，右，左の順に 2 次の正方行列の行列式を計算する要領で，外積 $\boldsymbol{a}\times\boldsymbol{b}$ の x 成分，y 成分，z 成分を求めればいい。

（真中 → x 成分，右 → y 成分，左 → z 成分）

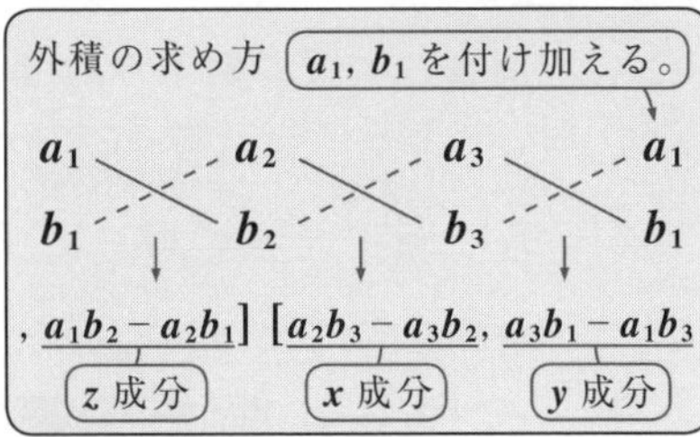

電磁気学では**場**の考え方が重要となるが，この場には，(Ⅰ) **スカラー場**と，(Ⅱ) **ベクトル場**の 2 種類がある。

(Ⅰ) スカラー場は，(ⅰ) **平面スカラー場**と (ⅱ) **空間スカラー場**に分類される。

(ⅰ) 平面スカラー場について，

平面領域 D 内の各点 $\boldsymbol{r}=[x,\ y]$ に**スカラー値関数** $f(\boldsymbol{r})=f(x,\ y)$ が対応づけられているとき，この D を平面スカラー場という。

(ⅱ) 空間スカラー場 $f(\boldsymbol{r})=f(x,\ y,\ z)$ についても，同様である。

(Ⅱ) ベクトル場にも (ⅰ) **平面ベクトル場**と (ⅱ) **空間ベクトル場**がある。

(ⅰ) 平面ベクトル場について，

平面領域 D 内の各点 $\boldsymbol{r}=[x,\ y]$ に**ベクトル値関数** $\boldsymbol{f}(\boldsymbol{r})=\boldsymbol{f}(x,\ y)=[f_1(x,\ y),\ f_2(x,\ y)]$ が対応づけられているとき，この D を平面ベクトル場という。

(ⅱ) 空間ベクトル場 $\boldsymbol{f}(\boldsymbol{r})=\boldsymbol{f}(x,\ y,\ z)=[f_1(x,\ y,\ z),\ f_2(x,\ y,\ z),\ f_3(x,\ y,\ z)]$ についても同様である。

平面と空間のスカラー値関数は，いずれの場合も，**多変数関数**になるので，多変数関数の微分，すなわち**偏微分**もマスターする必要がある。

(ex) 2 変数スカラー値関数 $f(x,\ y)=x^3y$ について，

・x での偏微分は，f_x または $\dfrac{\partial f}{\partial x}$ と表し，この $f(x,\ y)$ を x^3 に着目して，y は定数と考えて x で微分する。

（1 変数関数 $f(x)$ の常微分 $\dfrac{df}{dx}$ と区別するため，$\dfrac{\partial f}{\partial x}$ と表す。）

$$\therefore f_x=\frac{\partial f}{\partial x}=\frac{\partial}{\partial x}(x^3\boxed{y})=y\cdot 3x^2=3x^2y \text{ となる。}$$

（y：定数扱い）

・同様に y での偏微分 f_y または $\frac{\partial f}{\partial y}$ は，

$$f_y = \frac{\partial f}{\partial y} = \frac{\partial}{\partial y}(\underbrace{x^3}_{\text{定数扱い}} y) = x^3 \cdot 1 = x^3$$ となる。

§3. ベクトル解析の基本(Ⅰ)

・空間スカラー場 $f(x, y, z)$ の**勾配ベクトル grad** f の定義を下に示す。

$$\mathrm{grad}\, f = \left[\frac{\partial f}{\partial x}, \frac{\partial f}{\partial y}, \frac{\partial f}{\partial z}\right] = [f_x, f_y, f_z]$$

ナブラ $\nabla = \left[\frac{\partial}{\partial x}, \frac{\partial}{\partial y}, \frac{\partial}{\partial z}\right]$ を用いると，これは，

$$\nabla f = \left[\frac{\partial}{\partial x}, \frac{\partial}{\partial y}, \frac{\partial}{\partial z}\right] f = \left[\frac{\partial f}{\partial x}, \frac{\partial f}{\partial y}, \frac{\partial f}{\partial z}\right]$$ と表せる。

・空間ベクトル場 $\boldsymbol{f}(x, y, z) = [f_1(x, y, z), f_2(x, y, z), f_3(x, y, z)]$ の**発散** $\mathrm{div}\boldsymbol{f}$ の定義を下に示す。

$$\mathrm{div}\boldsymbol{f} = \frac{\partial f_1}{\partial x} + \frac{\partial f_2}{\partial y} + \frac{\partial f_3}{\partial z}$$ ← $\mathrm{div}\boldsymbol{f} = \nabla \cdot \boldsymbol{f}$ と表される。

ベクトル場 $\boldsymbol{f}$ を水の流れ場とすると，$\mathrm{div}\boldsymbol{f}$ は「単位体積当たりの正味の水の流出量」を表す。

・空間ベクトル場 $\boldsymbol{f}(x, y, z) = [f_1(x, y, z), f_2(x, y, z), f_3(x, y, z)]$ の**回転** $\mathrm{rot}\boldsymbol{f}$ の定義を下に示す。

$$\mathrm{rot}\boldsymbol{f} = \left[\frac{\partial f_3}{\partial y} - \frac{\partial f_2}{\partial z}, \frac{\partial f_1}{\partial z} - \frac{\partial f_3}{\partial x}, \frac{\partial f_2}{\partial x} - \frac{\partial f_1}{\partial y}\right]$$ ← $\mathrm{rot}\boldsymbol{f} = \nabla \times \boldsymbol{f}$ と表される。

$\mathrm{rot}\boldsymbol{f}$ は「空間ベクトル場の中の任意の点 $\mathrm{P}(x, y, z)$ にベクトル場 $\boldsymbol{f}$ が及ぼす回転作用」を表す。

ここで，§1 で高校で学ぶ電磁気学の基本公式を概観したが，実はこれらが大学で学ぶ電磁気学のメインテーマである 4 つの**マクスウェルの方程式**と密接に関わっている。その対応も含めて 4 つのマクスウェルの方程式を次に示そう。

マクスウェルの方程式

(Ⅰ) $\mathrm{div}\,\boldsymbol{D} = \rho$ ……………(＊1)　(Ⅱ) $\mathrm{div}\,\boldsymbol{B} = 0$ …………(＊2)

クーロンの法則 $f = k\dfrac{q_1q_2}{r^2}$　　単磁荷は存在しない。

(Ⅲ) $\mathrm{rot}\,\boldsymbol{H} = \boldsymbol{i} + \dfrac{\partial \boldsymbol{D}}{\partial t}$ ……(＊3)　(Ⅳ) $\mathrm{rot}\,\boldsymbol{E} = -\dfrac{\partial \boldsymbol{B}}{\partial t}$ ……(＊4)

アンペールの法則 $H = \dfrac{I}{2\pi a}$　　ファラデーの電磁誘導の法則 $V = -\dfrac{d\Phi}{dt}$

($\boldsymbol{D}$: 電束密度 $(\mathrm{C/m^2})$, ρ: 電荷密度 $(\mathrm{C/m^3})$, $\boldsymbol{B}$: 磁束密度 $(\mathrm{Wb/m^2})$
$\boldsymbol{H}$: 磁場 $(\mathrm{A/m})$, $\boldsymbol{i}$: 電流密度 $(\mathrm{A/m^2})$, $\boldsymbol{E}$: 電場 $(\mathrm{N/C})$)

§4. ベクトル解析の基本 (Ⅱ)

ガウスの発散定理を下に示そう。

ガウスの発散定理

右図に示すようにベクトル場 $\boldsymbol{f} = [f_1, f_2, f_3]$ の中に，閉曲面 S で囲まれた領域 V があるとき，次式が成り立つ。

$$\iiint_V \mathrm{div}\,\boldsymbol{f}\,dV = \iint_S \boldsymbol{f}\cdot\boldsymbol{n}\,dS$$

(ただし，単位法線ベクトル $\boldsymbol{n}$ は，閉曲面 S の内部から外部に向かう向きにとる。)

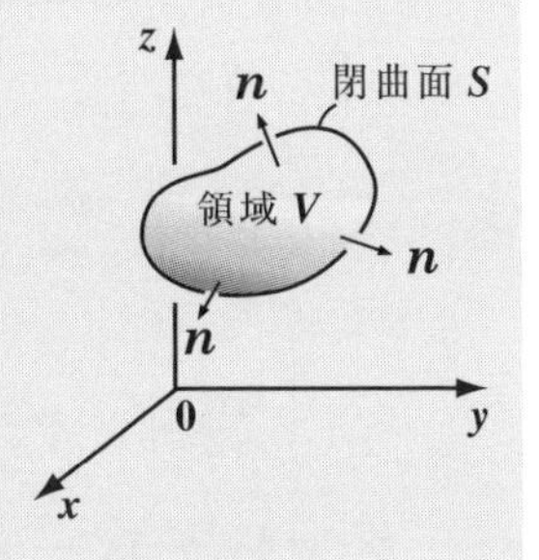

次に，**ストークスの定理**を下に示す。

ストークスの定理

右図に示すように，ベクトル場 $\boldsymbol{f} = [f_1, f_2, f_3]$ の中に，閉曲線 C で囲まれた曲面 S があるとき，次式が成り立つ。

$$\iint_S \mathrm{rot}\,\boldsymbol{f}\cdot\boldsymbol{n}\,dS = \oint_C \boldsymbol{f}\cdot d\boldsymbol{r}$$

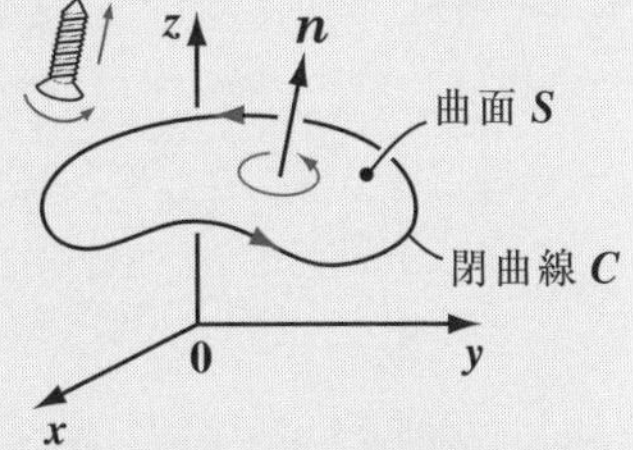

(ただし，単位法線ベクトル $\boldsymbol{n}$ を S の正の向きとし，周回積分路 C は右上図に示すような向きに回るものとする。)

演習問題 1 ● 空間スカラー場の勾配ベクトル(I) ●

(1) $f(x, y, z) = x + 3y^2 + z^2$ の **grad** f を求めよ。

(2) $g(x, y, z) = 4x^3y^2z$ の $-$ **grad** g を求めよ。

(3) $h(x, y, z) = xy + 2yz^3$ の $-$ **grad** h を求めよ。

ヒント！ 空間スカラー場 $f(x, y, z)$ の勾配ベクトル(またはグラディエント) **grad** f は，**grad** $f = \left[\frac{\partial f}{\partial x}, \frac{\partial f}{\partial y}, \frac{\partial f}{\partial z}\right] = [f_x, f_y, f_z]$ となる。

解答＆解説

(1) $\mathbf{grad}\, f = \left[\frac{\partial f}{\partial x}, \frac{\partial f}{\partial y}, \frac{\partial f}{\partial z}\right]$

$$= \left[\frac{\partial}{\partial x}(x + \underbrace{3y^2 + z^2}_{\text{定数扱い}}), \frac{\partial}{\partial y}(\underbrace{x +}_{\text{定数扱い}} 3y^2 + \underbrace{z^2}_{\text{定数扱い}}), \frac{\partial}{\partial z}(\underbrace{x + 3y^2}_{\text{定数扱い}} + z^2)\right]$$

$= [1, 6y, 2z]$ となる。……………………………………(答)

(2) $-\mathbf{grad}\, g = -\left[\frac{\partial g}{\partial x}, \frac{\partial g}{\partial y}, \frac{\partial g}{\partial z}\right]$

$$= -\left[\frac{\partial}{\partial x}(\underbrace{4}_{\text{定数扱い}}x^3\underbrace{y^2z}_{\text{定数扱い}}), \frac{\partial}{\partial y}(\underbrace{4x^3}_{\text{定数扱い}}y^2\underbrace{z}_{\text{定数扱い}}), \frac{\partial}{\partial z}(\underbrace{4x^3y^2}_{\text{定数扱い}}z)\right]$$

$= -[4y^2z \cdot 3x^2, 4x^3z \cdot 2y, 4x^3y^2 \cdot 1]$

$= -[12x^2y^2z, 8x^3yz, 4x^3y^2]$ となる。……………………………(答)

(3) $-\mathbf{grad}\, h = -\left[\frac{\partial h}{\partial x}, \frac{\partial h}{\partial y}, \frac{\partial h}{\partial z}\right]$

$$= -\left[\frac{\partial}{\partial x}(x\underbrace{y}_{\text{定数扱い}} + \underbrace{2yz^3}_{\text{定数扱い}}), \frac{\partial}{\partial y}(\underbrace{x}_{\text{定数扱い}}y + \underbrace{2}_{\text{定数扱い}}y\underbrace{z^3}_{\text{定数扱い}}), \frac{\partial}{\partial z}(\underbrace{xy}_{\text{定数扱い}} + \underbrace{2y}_{\text{定数扱い}}z^3)\right]$$

$= -[y, x \cdot 1 + 2z^3 \cdot 1, 2y \cdot 3z^2]$

$= -[y, x + 2z^3, 6yz^2]$ となる。……………………………(答)

演習問題 2　● 空間スカラー場の勾配ベクトル(Ⅱ) ●

(1) $f(x, y, z) = 2x^2 + y^2 + xz$ の **grad** f を求めよ。

(2) $g(x, y, z) = x \cdot \sin y + e^y \cdot z^3$ の $-$**grad** g を求めよ。

(3) $h(x, y, z) = x^2 \cdot \log y + x\cos z$ の $-$**grad** h を求めよ。

ヒント! $\mathrm{grad}\, f = \left[\dfrac{\partial f}{\partial x},\ \dfrac{\partial f}{\partial y},\ \dfrac{\partial f}{\partial z}\right] = [f_x,\ f_y,\ f_z]$ の公式を使う。

解答&解説

(1) $\mathrm{grad}\, f = \left[\dfrac{\partial f}{\partial x},\ \dfrac{\partial f}{\partial y},\ \dfrac{\partial f}{\partial z}\right]$

$$= \left[\frac{\partial}{\partial x}(2x^2 + y^2 + xz),\ \frac{\partial}{\partial y}(2x^2 + y^2 + xz),\ \frac{\partial}{\partial z}(2x^2 + y^2 + xz)\right]$$

$= [4x + 1 \cdot z,$ (ア) $,\ x \cdot 1] = [4x + z,$ (ア) $,\ x]$ となる。……(答)

(2) $-\mathrm{grad}\, g = -\left[\dfrac{\partial g}{\partial x},\ \dfrac{\partial g}{\partial y},\ \dfrac{\partial g}{\partial z}\right]$

$$= -\left[\frac{\partial}{\partial x}(x \cdot \sin y + e^y \cdot z^3),\ \frac{\partial}{\partial y}(x \cdot \sin y + e^y \cdot z^3),\ \frac{\partial}{\partial z}(x \cdot \sin y + e^y \cdot z^3)\right]$$

$= -[1 \cdot \sin y,\ x \cdot$ (イ) $+ z^3 \cdot$ (ウ) $,\ e^y \cdot 3z^2]$

$= -[\sin y,\ x \cdot$ (イ) $+$ (ウ) $\cdot z^3,\ 3e^y \cdot z^2]$ となる。…………(答)

(3) $-\mathrm{grad}\, h = -\left[\dfrac{\partial h}{\partial x},\ \dfrac{\partial h}{\partial y},\ \dfrac{\partial h}{\partial z}\right]$

$$= -\left[\frac{\partial}{\partial x}(x^2 \cdot \log y + x\cos z),\ \frac{\partial}{\partial y}(x^2 \cdot \log y + x\cos z),\ \frac{\partial}{\partial z}(x^2 \cdot \log y + x\cos z)\right]$$

$= -[\log y \cdot 2x + 1 \cdot \cos z,\ x^2 \cdot$ (エ) $,\ x \cdot ($ (オ) $)]$

$= -[2x \cdot \log y + \cos z,$ (カ) $,$ (キ) $]$ となる。…………(答)

解答　(ア) $2y$　(イ) $\cos y$　(ウ) e^y　(エ) $\dfrac{1}{y}$　(オ) $-\sin z$　(カ) $\dfrac{x^2}{y}$　(キ) $-x\sin z$

演習問題 3　● 空間ベクトル場の発散と回転 (I) ●

(1) $\boldsymbol{f}(x, y, z) = [2,\ 1,\ 0]$ の $\mathrm{div}\boldsymbol{f}$ と $\mathrm{rot}\boldsymbol{f}$ を求めよ。

(2) $\boldsymbol{g}(x, y, z) = [-x,\ -y,\ 0]$ の $\mathrm{div}\boldsymbol{g}$ と $\mathrm{rot}\boldsymbol{g}$ を求めよ。

(3) $\boldsymbol{h}(x, y, z) = [x,\ -y^2,\ x+y^2z]$ の $\mathrm{div}\boldsymbol{h}$ と $\mathrm{rot}\boldsymbol{h}$ を求めよ。

ヒント！ 空間ベクトル場 $\boldsymbol{f}(x,\ y,\ z) = [f_1(x,\ y,\ z),\ f_2(x,\ y,\ z),\ f_3(x,\ y,\ z)]$ の発散 $\mathrm{div}\boldsymbol{f}$ は, $\mathrm{div}\boldsymbol{f} = \dfrac{\partial f_1}{\partial x} + \dfrac{\partial f_2}{\partial y} + \dfrac{\partial f_3}{\partial z}$ となる。そして, $\boldsymbol{f}$ の回転 $\mathrm{rot}\boldsymbol{f}$ は, $\mathrm{rot}\boldsymbol{f} = \left[\dfrac{\partial f_3}{\partial y} - \dfrac{\partial f_2}{\partial z},\ \dfrac{\partial f_1}{\partial z} - \dfrac{\partial f_3}{\partial x},\ \dfrac{\partial f_2}{\partial x} - \dfrac{\partial f_1}{\partial y}\right]$ となる。

解答＆解説

(1) $\mathrm{div}\boldsymbol{f} = \dfrac{\partial 2}{\partial x} + \dfrac{\partial 1}{\partial y} + \dfrac{\partial 0}{\partial z} = 0 + 0 + 0 = 0$ となる。……………………………(答)

$\mathrm{rot}\boldsymbol{f} = [0,\ 0,\ 0]$
となる。……(答)

$\dfrac{\partial}{\partial x}$　$\dfrac{\partial}{\partial y}$　$\dfrac{\partial}{\partial z}$　$\dfrac{\partial}{\partial x}$

2　1　0　2

$,\ 0-0\,]\,[\,0-0,\ \ 0-0$

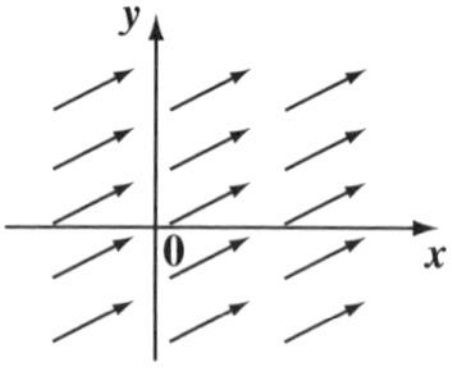

(2) $\mathrm{div}\boldsymbol{g} = \dfrac{\partial}{\partial x}(-x) + \dfrac{\partial}{\partial y}(-y) + \dfrac{\partial 0}{\partial z} = -1 + (-1) + 0 = -2$ となる。…(答)

$\mathrm{rot}\boldsymbol{g} = [0,\ 0,\ 0]$
となる。……(答)

$\dfrac{\partial}{\partial x}$　$\dfrac{\partial}{\partial y}$　$\dfrac{\partial}{\partial z}$　$\dfrac{\partial}{\partial x}$

$-x$　$-y$　0　$-x$

$,\ 0-0\,]\,[\,0-0,\ \ 0-0$

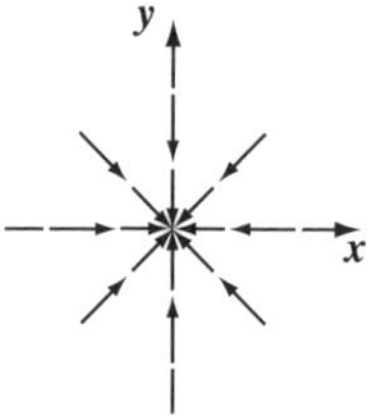

(3) $\mathrm{div}\boldsymbol{h} = \dfrac{\partial x}{\partial x} + \dfrac{\partial}{\partial y}(-y^2) + \dfrac{\partial}{\partial z}(x + y^2 z)$　（x, y^2：定数扱い）

$= 1 - 2y + y^2 = y^2 - 2y + 1$ となる。…………………………………(答)

$\mathrm{rot}\boldsymbol{h} = [2yz,\ -1,\ 0]$ となる。
……(答)

$\dfrac{\partial}{\partial x}$　$\dfrac{\partial}{\partial y}$　$\dfrac{\partial}{\partial z}$　$\dfrac{\partial}{\partial x}$

x　$-y^2$　$x+y^2z$　x

$,\ 0-0\,]\,[\,2yz-0,\ \ 0-1$

演習問題 4　● 空間ベクトル場の発散と回転(Ⅱ) ●

(1) $\boldsymbol{f}(x, y, z) = [x,\ y,\ 0]$ の $\mathrm{div}\boldsymbol{f}$ と $\mathrm{rot}\boldsymbol{f}$ を求めよ。

(2) $\boldsymbol{g}(x, y, z) = [-y,\ x,\ 0]$ の $\mathrm{div}\boldsymbol{g}$ と $\mathrm{rot}\boldsymbol{g}$ を求めよ。

(3) $\boldsymbol{h}(x, y, z) = [x^2z,\ y^2,\ x]$ の $\mathrm{div}\boldsymbol{h}$ と $\mathrm{rot}\boldsymbol{h}$ を求めよ。

ヒント！ 発散 $\mathrm{div}\boldsymbol{f} = \frac{\partial f_1}{\partial x} + \frac{\partial f_2}{\partial y} + \frac{\partial f_3}{\partial z}$,
回転 $\mathrm{rot}\boldsymbol{f} = \left[\frac{\partial f_3}{\partial y} - \frac{\partial f_2}{\partial z},\ \frac{\partial f_1}{\partial z} - \frac{\partial f_3}{\partial x},\ \frac{\partial f_2}{\partial x} - \frac{\partial f_1}{\partial y}\right]$ の公式を使う。

解答＆解説

(1) $\mathrm{div}\boldsymbol{f} = \frac{\partial x}{\partial x} + \frac{\partial y}{\partial y} + \frac{\partial 0}{\partial z} =$ (ア) $= 2$ となる。…………………(答)

$\mathrm{rot}\boldsymbol{f} =$ (イ)

となる。…………(答)

$\frac{\partial}{\partial x}$　$\frac{\partial}{\partial y}$　$\frac{\partial}{\partial z}$　$\frac{\partial}{\partial x}$

x　y　0　x

$, 0-0][\ 0-0,\ \ 0-0$

(2) $\mathrm{div}\boldsymbol{g} = \frac{\partial}{\partial x}(-y) + \frac{\partial x}{\partial y} + \frac{\partial 0}{\partial z} =$ (ウ) $= 0$ となる。…………(答)

$\mathrm{rot}\boldsymbol{g} =$ (エ)

となる。…………(答)

$\frac{\partial}{\partial x}$　$\frac{\partial}{\partial y}$　$\frac{\partial}{\partial z}$　$\frac{\partial}{\partial x}$

$-y$　x　0　$-y$

$, 1-(-1)][\ 0-0,\ \ 0-0$

(3) $\mathrm{div}\boldsymbol{h} = \frac{\partial}{\partial x}(x^2z) + \frac{\partial}{\partial y}(y^2) + \frac{\partial x}{\partial z} =$ (オ) $= 2(xz + y)$ ……(答)

$\mathrm{rot}\boldsymbol{h} =$ (カ)

となる。…………………(答)

$\frac{\partial}{\partial x}$　$\frac{\partial}{\partial y}$　$\frac{\partial}{\partial z}$　$\frac{\partial}{\partial x}$

x^2z　y^2　x　x^2z

$, 0-0][\ 0-0,\ \ x^2-1$

解答　(ア) $1+1+0$　(イ) $[0,\ 0,\ 0]$　(ウ) $0+0+0$
(エ) $[0,\ 0,\ 2]$　(オ) $2xz+2y+0$　(カ) $[0,\ x^2-1,\ 0]$

演習問題 5　●勾配，発散，回転の応用公式（Ｉ）●

空間ベクトル場 $\boldsymbol{f}=[x,\ xy,\ y^2z]$，空間スカラー場 $f(x,\ y,\ z)=2x^2+y^2+z^2$ について，次の各式が成り立つことを確認せよ。

(1) $\mathrm{div}(\mathrm{rot}\boldsymbol{f})=0$ ……$(*1)$　　(2) $\mathrm{rot}(\mathrm{grad}f)=\boldsymbol{0}$ ……$(*2)$

(3) $\mathrm{rot}(\mathrm{rot}\boldsymbol{f})=\mathrm{grad}(\mathrm{div}\boldsymbol{f})-\Delta\boldsymbol{f}$ ……$(*3)$

ヒント！ スカラー値関数 $f(x,\ y,\ z)$ の勾配ベクトル $\mathrm{grad}f=\nabla f=\left[\frac{\partial}{\partial x},\ \frac{\partial}{\partial y},\ \frac{\partial}{\partial z}\right]f=\left[\frac{\partial f}{\partial x},\ \frac{\partial f}{\partial y},\ \frac{\partial f}{\partial z}\right]$，ベクトル値関数 $\boldsymbol{f}=[f_1,\ f_2,\ f_3]$ の発散 $\mathrm{div}\boldsymbol{f}=\nabla\cdot\boldsymbol{f}=\left[\frac{\partial}{\partial x},\ \frac{\partial}{\partial y},\ \frac{\partial}{\partial z}\right]\cdot[f_1,\ f_2,\ f_3]=\frac{\partial f_1}{\partial x}+\frac{\partial f_2}{\partial y}+\frac{\partial f_3}{\partial z}$，そして，$\boldsymbol{f}$ の回転

$$\mathrm{rot}\boldsymbol{f}=\nabla\times\boldsymbol{f}=\left[\frac{\partial}{\partial x},\ \frac{\partial}{\partial y},\ \frac{\partial}{\partial z}\right]\times[f_1,\ f_2,\ f_3]$$

$$=\left[\frac{\partial f_3}{\partial y}-\frac{\partial f_2}{\partial z},\ \frac{\partial f_1}{\partial z}-\frac{\partial f_3}{\partial x},\ \frac{\partial f_2}{\partial x}-\frac{\partial f_1}{\partial y}\right]$$

の各定義に従って計算する。$(*1)$，$(*2)$，$(*3)$ の公式は電磁気学でよく使われるので覚えておこう。

解答＆解説

(1) $\boldsymbol{f}=[x,\ xy,\ y^2z]$ の回転は，

$$\mathrm{rot}\boldsymbol{f}=\nabla\times\boldsymbol{f}$$

$$=[2yz-0,\ 0-0,\ y-0]$$

$$=[2yz,\ 0,\ y]\ \cdots\cdots①$$

$$\frac{\partial}{\partial x}\quad\frac{\partial}{\partial y}\quad\frac{\partial}{\partial z}\quad\frac{\partial}{\partial x}$$
$$x\quad xy\quad y^2z\quad x$$
$$\left[\frac{\partial(y^2z)}{\partial y}-\frac{\partial(xy)}{\partial z},\ \frac{\partial x}{\partial z}-\frac{\partial(y^2z)}{\partial x},\ \frac{\partial(xy)}{\partial x}-\frac{\partial x}{\partial y}\right]$$

よって，この発散は，

$$\mathrm{div}(\mathrm{rot}\boldsymbol{f})=\nabla\cdot(\mathrm{rot}\boldsymbol{f})=\left[\frac{\partial}{\partial x},\ \frac{\partial}{\partial y},\ \frac{\partial}{\partial z}\right]\cdot[2yz,\ 0,\ y]$$

$$=\underbrace{\frac{\partial(2yz)}{\partial x}}_{0}+\underbrace{\frac{\partial 0}{\partial y}}_{0}+\underbrace{\frac{\partial y}{\partial z}}_{0}=0$$

$\therefore\ \mathrm{div}(\mathrm{rot}\boldsymbol{f})=0$ ……$(*1)$ は成り立つ。…………………………(終)

(2) $f(x,\ y,\ z)=2x^2+y^2+z^2$ の勾配ベクトルは，

$$\mathrm{grad}f=\nabla f=\left[\frac{\partial}{\partial x},\ \frac{\partial}{\partial y},\ \frac{\partial}{\partial z}\right]f=\left[\frac{\partial f}{\partial x},\ \frac{\partial f}{\partial y},\ \frac{\partial f}{\partial z}\right]$$

$$=\left[\frac{\partial}{\partial x}(2x^2+y^2+z^2),\ \frac{\partial}{\partial y}(2x^2+y^2+z^2),\ \frac{\partial}{\partial z}(2x^2+y^2+z^2)\right]$$

$$=[4x,\ 2y,\ 2z]$$

$$\therefore\ \mathrm{rot}(\mathrm{grad}f)=\nabla\times(\mathrm{grad}f)$$

$$=[0-0,\ 0-0,\ 0-0]$$

$$=[0,\ 0,\ 0]=\mathbf{0}$$

$$\begin{array}{cccc}\frac{\partial}{\partial x} & \frac{\partial}{\partial y} & \frac{\partial}{\partial z} & \frac{\partial}{\partial x}\\ 4x & 2y & 2z & 4x\end{array}$$

$$\left[\frac{\partial(2z)}{\partial y}-\frac{\partial(2y)}{\partial z},\ \frac{\partial(4x)}{\partial z}-\frac{\partial(2z)}{\partial x},\ \frac{\partial(2y)}{\partial x}-\frac{\partial(4x)}{\partial y}\right]$$

となって，$\mathrm{rot}(\mathrm{grad}f)=\mathbf{0}$ ……(＊2) は成り立つ。……………………(終)

(3) ・$\mathrm{rot}\boldsymbol{f}=[2yz,\ 0,\ y]$ ……① の回転は，

$$\mathrm{rot}(\mathrm{rot}\boldsymbol{f})=\nabla\times(\mathrm{rot}\boldsymbol{f})$$

$$=[1-0,\ 2y-0,\ 0-2z]$$

$$=[1,\ 2y,\ -2z]\ \cdots\cdots②$$

$$\begin{array}{cccc}\frac{\partial}{\partial x} & \frac{\partial}{\partial y} & \frac{\partial}{\partial z} & \frac{\partial}{\partial x}\\ 2yz & 0 & y & 2yz\end{array}$$

$$\left[\frac{\partial y}{\partial y}-\frac{\partial 0}{\partial z},\ \frac{\partial(2yz)}{\partial z}-\frac{\partial y}{\partial x},\ \frac{\partial 0}{\partial x}-\frac{\partial(2yz)}{\partial y}\right]$$

・$\boldsymbol{f}=[x,\ xy,\ y^2z]$ の発散は，

$$\mathrm{div}\boldsymbol{f}=\nabla\cdot\boldsymbol{f}=\left[\frac{\partial}{\partial x},\ \frac{\partial}{\partial y},\ \frac{\partial}{\partial z}\right]\cdot[x,\ xy,\ y^2z]$$

$$=\frac{\partial x}{\partial x}+\frac{\partial(xy)}{\partial y}+\frac{\partial(y^2z)}{\partial z}=1+x+y^2$$

$$\therefore\ \mathrm{grad}(\mathrm{div}\boldsymbol{f})=\nabla(\mathrm{div}\boldsymbol{f})=\left[\frac{\partial}{\partial x},\ \frac{\partial}{\partial y},\ \frac{\partial}{\partial z}\right](1+x+y^2)$$

$$=\left[\frac{\partial}{\partial x}(1+x+y^2),\ \frac{\partial}{\partial y}(1+x+y^2),\ \frac{\partial}{\partial z}(1+x+y^2)\right]$$

$$=[1,\ 2y,\ 0]\ \cdots\cdots③$$

$$\cdot\ \Delta\boldsymbol{f}=(\nabla\cdot\nabla)\boldsymbol{f}=\left(\frac{\partial^2}{\partial x^2}+\frac{\partial^2}{\partial y^2}+\frac{\partial^2}{\partial z^2}\right)[x,\ xy,\ y^2z]$$

$$=\left[\frac{\partial^2x}{\partial x^2}+\frac{\partial^2x}{\partial y^2}+\frac{\partial^2x}{\partial z^2},\ \frac{\partial^2(xy)}{\partial x^2}+\frac{\partial^2(xy)}{\partial y^2}+\frac{\partial^2(xy)}{\partial z^2},\ \frac{\partial^2(y^2z)}{\partial x^2}+\frac{\partial^2(y^2z)}{\partial y^2}+\frac{\partial^2(y^2z)}{\partial z^2}\right]$$

$\frac{\partial}{\partial x}\left(\frac{\partial x}{\partial x}\right)=\frac{\partial 1}{\partial x}=0$　$\frac{\partial}{\partial y}\left(\frac{\partial x}{\partial y}\right)=\frac{\partial 0}{\partial y}=0$ など　$\frac{\partial}{\partial y}\left(\frac{\partial(y^2z)}{\partial y}\right)=\frac{\partial(2yz)}{\partial y}=2z$

$$=[0+0+0,\ 0+0+0,\ 0+2z+0]=[0,\ 0,\ 2z]\cdots\cdots④$$

③－④より，$\mathrm{grad}(\mathrm{div}\boldsymbol{f})-\Delta\boldsymbol{f}=[1,2y,0]-[0,0,2z]=[1,\ 2y,\ -2z]$ …⑤

⑤は②と一致するので，$\mathrm{rot}(\mathrm{rot}\boldsymbol{f})=\mathrm{grad}(\mathrm{div}\boldsymbol{f})-\Delta\boldsymbol{f}$ …(＊3) は成り立つ。……………………………………………………………………(終)

演習問題 6　● 勾配，発散，回転の応用公式(Ⅱ) ●

空間ベクトル場 $\boldsymbol{E}=[-6x,\ 2y,\ 3z^2]$，空間スカラー場 $\phi(x,\ y,\ z)=3x^2-y^2-z^3$ について，次の各式が成り立つことを確認せよ。

(1) $\mathrm{div}(\mathrm{rot}\boldsymbol{E})=0$ ……(＊1)　　(2) $\mathrm{rot}(\mathrm{grad}\phi)=\boldsymbol{0}$ ……(＊2)

(3) $\mathrm{rot}(\mathrm{rot}\boldsymbol{E})=\mathrm{grad}(\mathrm{div}\boldsymbol{E})-\Delta\boldsymbol{E}$ ……(＊3)

ヒント！ スカラー値関数 $f(x,\ y,\ z)$ の勾配ベクトル $\mathrm{grad}f$ は存在するが，f の発散 $\mathrm{div}f$ や回転 $\mathrm{rot}f$ は定義できない。また，ベクトル値関数 $\boldsymbol{f}=[f_1,\ f_2,\ f_3]$ の発散 $\mathrm{div}\boldsymbol{f}$ や回転 $\mathrm{rot}\boldsymbol{f}$ は存在するが，勾配 $\mathrm{grad}\boldsymbol{f}$ は定義できないことに注意しよう。勾配 (grad)，発散 (div)，回転 (rot) の定義に従って計算する。

解答＆解説

(1) $\boldsymbol{E}=[-6x,\ 2y,\ 3z^2]$ の回転は，

$$\mathrm{rot}\boldsymbol{E}=\nabla\times\boldsymbol{E}$$
$$=[0-0,\ 0-0,\ 0-0]$$
$$=[0,\ 0,\ 0]\ \cdots\cdots①$$

$\frac{\partial}{\partial x}$　$\frac{\partial}{\partial y}$　$\frac{\partial}{\partial z}$　$\frac{\partial}{\partial x}$

$-6x$　$2y$　$3z^2$　$-6x$

$$\left[\frac{\partial(3z^2)}{\partial y}-\frac{\partial(2y)}{\partial z},\ \frac{\partial(-6x)}{\partial z}-\frac{\partial(3z^2)}{\partial x},\ \frac{\partial(2y)}{\partial x}-\frac{\partial(-6x)}{\partial y}\right]$$

よって，この発散は，

$$\mathrm{div}(\mathrm{rot}\boldsymbol{E})=\nabla\cdot(\mathrm{rot}\boldsymbol{E})=\left[\frac{\partial}{\partial x},\ \frac{\partial}{\partial y},\ \frac{\partial}{\partial z}\right]\cdot\boxed{(ア)\qquad}$$

$$=\underbrace{\frac{\partial 0}{\partial x}}_{0}+\underbrace{\frac{\partial 0}{\partial y}}_{0}+\underbrace{\frac{\partial 0}{\partial z}}_{0}=0$$

$\therefore\ \mathrm{div}(\mathrm{rot}\boldsymbol{E})=0$ ……(＊1) は成り立つ。……………………………(終)

(2) $\phi(x,\ y,\ z)=3x^2-y^2-z^3$ の勾配ベクトルは，

$$\mathrm{grad}\phi=\nabla\phi=\boxed{(イ)\qquad}\phi=\left[\frac{\partial\phi}{\partial x},\ \frac{\partial\phi}{\partial y},\ \frac{\partial\phi}{\partial z}\right]$$

$$=\left[\frac{\partial}{\partial x}(3x^2-y^2-z^3),\ \frac{\partial}{\partial y}(3x^2-y^2-z^3),\ \frac{\partial}{\partial z}(3x^2-y^2-z^3)\right]$$

$$=[6x,\ -2y,\ -3z^2]\ \ (=-\boldsymbol{E})$$

$\boldsymbol{E}=-[6x,\ -2y,\ -3z^2]=-\mathrm{grad}\phi$　$\therefore\ \boldsymbol{E}=-\mathrm{grad}\phi$ の場合だね。

よって，この回転は，

$$\mathrm{rot}(\mathrm{grad}\phi) = \nabla \times (\mathrm{grad}\phi)$$
$$= [0-0,\ 0-0,\ 0-0]$$
$$= [0,\ 0,\ 0] = \mathbf{0}$$

$$\left[\frac{\partial}{\partial x}\ \ \frac{\partial}{\partial y}\ \ \frac{\partial}{\partial z}\ \ \frac{\partial}{\partial x};\ 6x\ \ -2y\ \ -3z^2\ \ 6x\right]$$
$$\left[\frac{\partial(-3z^2)}{\partial y}-\frac{\partial(-2y)}{\partial z},\ \frac{\partial(6x)}{\partial z}-\frac{\partial(-3z^2)}{\partial x},\ \frac{\partial(-2y)}{\partial x}-\frac{\partial(6x)}{\partial y}\right]$$

となって，$\mathrm{rot}(\mathrm{grad}\phi) = \mathbf{0}$ ……$(*2)$ は成り立つ。…………………(終)

(3) ・$\mathrm{rot}\boldsymbol{E} = [0,\ 0,\ 0]$ ……① は定ベクトルだから，この回転は当然 (ウ)［　　］ となる。

∴ $\mathrm{rot}(\mathrm{rot}\boldsymbol{E}) = \mathbf{0}$ ……②

・$\boldsymbol{E} = [-6x,\ 2y,\ 3z^2]$ の発散は，

$$\mathrm{div}\boldsymbol{E} = \nabla\cdot\boldsymbol{E} = \left[\frac{\partial}{\partial x},\ \frac{\partial}{\partial y},\ \frac{\partial}{\partial z}\right]\cdot[-6x,\ 2y,\ 3z^2]$$
$$= \frac{\partial(-6x)}{\partial x} + \frac{\partial(2y)}{\partial y} + \frac{\partial(3z^2)}{\partial z}$$
$$= -6+2+6z = 6z-4$$

$$\therefore\ \mathrm{grad}(\mathrm{div}\boldsymbol{E}) = \nabla(\mathrm{div}\boldsymbol{E}) = \left[\frac{\partial}{\partial x},\ \frac{\partial}{\partial y},\ \frac{\partial}{\partial z}\right](6z-4)$$
$$= \left[\frac{\partial}{\partial x}(6z-4),\ \frac{\partial}{\partial y}(6z-4),\ \frac{\partial}{\partial z}(6z-4)\right] = \text{(エ)}\boxed{} \cdots③$$

$$\cdot\ \Delta\boldsymbol{E} = (\nabla\cdot\nabla)\boldsymbol{E} = \left(\frac{\partial^2}{\partial x^2}+\frac{\partial^2}{\partial y^2}+\frac{\partial^2}{\partial z^2}\right)[-6x,\ 2y,\ 3z^2]$$
$$= \left[\frac{\partial^2(-6x)}{\partial x^2}+\frac{\partial^2(-6x)}{\partial y^2}+\frac{\partial^2(-6x)}{\partial z^2},\ \frac{\partial^2(2y)}{\partial x^2}+\frac{\partial^2(2y)}{\partial y^2}+\frac{\partial^2(2y)}{\partial z^2},\ \frac{\partial^2(3z^2)}{\partial x^2}+\frac{\partial^2(3z^2)}{\partial y^2}+\frac{\partial^2(3z^2)}{\partial z^2}\right]$$

$\dfrac{\partial}{\partial x}\left(\dfrac{\partial(-6x)}{\partial x}\right) = \dfrac{\partial(-6)}{\partial x} = 0$ など

$\dfrac{\partial}{\partial z}\left(\dfrac{\partial(3z^2)}{\partial z}\right) = \dfrac{\partial(6z)}{\partial z}$

$$= [0+0+0,\ 0+0+0,\ 0+0+6] = [0,\ 0,\ 6] \cdots\cdots④$$

③ − ④より，$\mathrm{grad}(\mathrm{div}\boldsymbol{E}) - \Delta\boldsymbol{E} =$ (エ)［　　］ $-[0,\ 0,\ 6] = \mathbf{0}\cdots⑤$

⑤は②と一致するので，$\mathrm{rot}(\mathrm{rot}\boldsymbol{E}) = \mathrm{grad}(\mathrm{div}\boldsymbol{E}) - \Delta\boldsymbol{E}$ …$(*3)$ は成り立つ。……………………………………………………(終)

解答 (ア) $[0, 0, 0]$　(イ) $\left[\frac{\partial}{\partial x},\ \frac{\partial}{\partial y},\ \frac{\partial}{\partial z}\right]$　(ウ) $\mathbf{0}$ (または，$[0, 0, 0]$)　(エ) $[0, 0, 6]$

演習問題 7　● ガウスの発散定理（Ⅰ）●

空間ベクトル場 $\boldsymbol{f}=[0,0,z]$ において，立方体 V: $-1 \leqq x \leqq 1$，$-1 \leqq y \leqq 1$，$-1 \leqq z \leqq 1$ の表面積を S とおく。この領域 V についてガウスの発散定理 $\iiint_V \mathrm{div}\boldsymbol{f}dV = \iint_S \boldsymbol{f}\cdot\boldsymbol{n}dS$ ……$(*)$ が成り立つことを確めよ。
（ただし，$\boldsymbol{n}$ は S の内部から外部に向かう単位法線ベクトルとする。）

ヒント！ $\boldsymbol{f}$ は，2 平面 $z=\pm 1$ と直交するので，この 2 平面上では，$\boldsymbol{f}/\!/\boldsymbol{n}$ となる。

解答＆解説

(i) $(*)$ の左辺について，まず $\boldsymbol{f}=[0,\ 0,\ z]$ の発散 $\mathrm{div}\boldsymbol{f}$ を求めると，

$$\mathrm{div}\boldsymbol{f}=\nabla\cdot\boldsymbol{f}=\underbrace{\frac{\partial 0}{\partial x}}_{0}+\underbrace{\frac{\partial 0}{\partial y}}_{0}+\underbrace{\frac{\partial z}{\partial z}}_{1}=1$$

よって，

$$((*)\text{の左辺})=\iiint_V \mathrm{div}\boldsymbol{f}dV=1\cdot\underbrace{\iiint_V dV}_{1\text{辺の長さ}2\text{の立方体の体積}}=1\times 2^3=8 \quad \cdots①$$ となる。

(ii) $(*)$ の右辺について，右図に示すように，立方体 V の平面

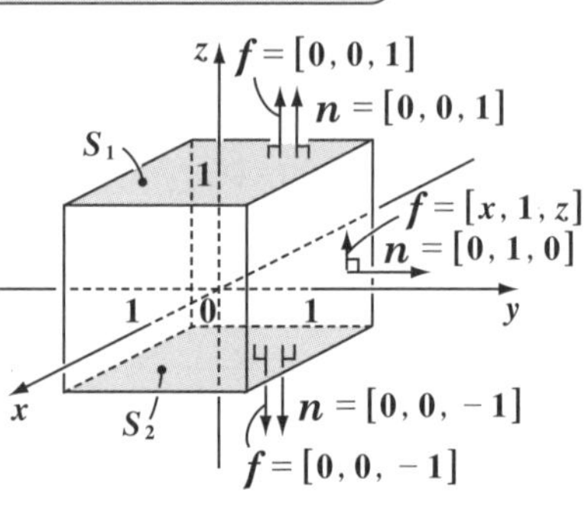

S_1：$z=1(|x|\leqq 1,\ |y|\leqq 1)$ において，

$\boldsymbol{f}=[0,\ 0,\ 1]$，$\boldsymbol{n}=[0,\ 0,\ 1]$

$\therefore\ \boldsymbol{f}\cdot\boldsymbol{n}=0\times 0+0\times 0+1\times 1=1 \quad \cdots②$

表面 S_2：$z=-1(|x|\leqq 1,\ |y|\leqq 1)$

において，$\boldsymbol{f}=[0,\ 0,\ -1]$，

$\boldsymbol{n}=[0,\ 0,\ -1]$　　$\therefore\ \boldsymbol{f}\cdot\boldsymbol{n}=0\times 0+0\times 0+(-1)\times(-1)=1 \quad \cdots③$

$\boldsymbol{f}=[0,\ 0,\ z]$ は z 軸と平行より，2 平面 $x=\pm 1(|y|\leqq 1,\ |z|\leqq 1)$ および，2 平面 $y=\pm 1(|x|\leqq 1, |z|\leqq 1)$ の単位法線ベクトル $\boldsymbol{n}$ と直交する。

$\therefore\ \boldsymbol{f}\cdot\boldsymbol{n}=0$

$$\therefore\ ((*)\text{の右辺})=\iint_{S_1}\underbrace{\boldsymbol{f}\cdot\boldsymbol{n}}_{1(②より)}dS+\iint_{S_2}\underbrace{\boldsymbol{f}\cdot\boldsymbol{n}}_{1(③より)}dS=1\cdot\underbrace{\iint_{S_1}dS}_{2^2}+1\cdot\underbrace{\iint_{S_2}dS}_{2^2}=8 \quad \cdots④$$

よって，①＝④より，ガウスの発散定理 $(*)$ は成り立っている。……(終)

演習問題 8　● ガウスの発散定理(Ⅱ) ●

空間ベクトル場 $\boldsymbol{f}=[-2y,\ 2x,\ 0]$ において，原点 O を中心とする半径 a の球面 (閉曲面) を S とし，S で囲まれる領域を V とおく。このとき，ガウスの発散定理：

$\iiint_V \mathrm{div}\boldsymbol{f}dV=\iint_S \boldsymbol{f}\cdot\boldsymbol{n}dS$ ……(＊)　が成り立つことを確めよ。

(ただし，$\boldsymbol{n}$ は S の内部から外部に向かう単位法線ベクトルとする。)

ヒント！ S 上の点 $\mathrm{P}(x,\ y,\ z)$ におけるベクトル場 $\boldsymbol{f}=[-2y,\ 2x,\ 0]$ は，$\overrightarrow{\mathrm{OP}}$ と直交するので，P における $\boldsymbol{n}$ とも直交する。

解答＆解説

(i) (＊) の左辺について，まず $\boldsymbol{f}=[-2y,\ 2x,\ 0]$ の発散 $\mathrm{div}\boldsymbol{f}$ を求めると，

$$\mathrm{div}\boldsymbol{f}=\nabla\cdot\boldsymbol{f}=\frac{\partial(-2y)}{\partial x}+\frac{\partial(2x)}{\partial y}+\frac{\partial 0}{\partial z}=\boxed{(ア)}$$ 　　よって，

$$((＊)\text{ の左辺})=\iiint_V \mathrm{div}\boldsymbol{f}dV=\iiint_V 0dV=\boxed{(イ)}\ \cdots\cdots ①$$ となる。

(ii) (＊) の右辺について，右図に示すように，球面 S：$x^2+y^2+z^2=a^2$ 上の点 $\mathrm{P}(x,\ y,\ z)$ におけるベクトル場 $\boldsymbol{f}$ が，

$\boldsymbol{f}=[-2y,\ 2x,\ 0]$ であり，これと，

$\overrightarrow{\mathrm{OP}}=[x,\ y,\ z]$ との内積は，

$\boldsymbol{f}\cdot\overrightarrow{\mathrm{OP}}=-2y\cdot x+2x\cdot y+0\cdot z=0$

$\therefore\ \boldsymbol{f}\perp\overrightarrow{\mathrm{OP}}$ より，$\boldsymbol{f}\cdot\boldsymbol{n}=\boxed{(ウ)}$　($\because\ \boldsymbol{n}\,/\!/\,\overrightarrow{\mathrm{OP}}$ より，$\boldsymbol{n}\perp\boldsymbol{f}$)

($\boldsymbol{n}\,/\!/\,\overrightarrow{\mathrm{OP}}$)

よって，$((＊)\text{ の右辺})=\iint_S \boldsymbol{f}\cdot\boldsymbol{n}dS=\iint_S 0dS=\boxed{(エ)}$ ……②

よって，① = ②が成り立つので，ガウスの発散定理 (＊) は成り立っている。

……(終)

解答　(ア) 0　(イ) 0　(ウ) 0　(エ) 0

演習問題 9	●ストークスの定理●

ベクトル場 $\boldsymbol{f}=[-y,\ 4x,\ 0]$ の xy 平面上に円 $C: x^2+y^2=4$ をとる。このCを z 軸正方向から見て反時計まわりに回る積分路とする周回接線線積分：$\oint_C \boldsymbol{f}\cdot d\boldsymbol{r}$ の値を求めよ。また，この値をストークスの定理：$\iint_S \mathrm{rot}\boldsymbol{f}\cdot\boldsymbol{n}\,dS=\oint_C \boldsymbol{f}\cdot d\boldsymbol{r}$ の左辺を使って求めよ。

ヒント！ 円 C の媒介変数表示：$x=2\cos\theta,\ y=2\sin\theta\ (0\leqq\theta<2\pi)$ を使って，$\oint_C \boldsymbol{f}\cdot d\boldsymbol{r}$ を求める。これは，ストークスの定理を使うとアッサリ求まる。

解答&解説

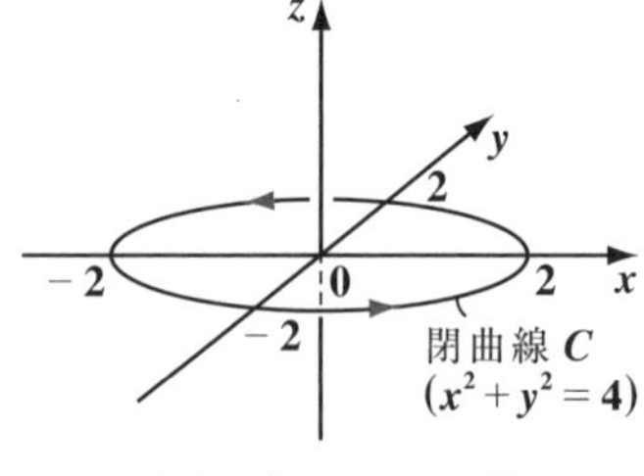

$\boldsymbol{f}(\boldsymbol{r})=[-y,\ 4x,\ 0]$

$\boldsymbol{f}=[-y,\ 4x,\ 0]$，$d\boldsymbol{r}=$ (ア) ［　　　　］

より，$\boldsymbol{f}$ と $d\boldsymbol{r}$ の内積は，

$$\boldsymbol{f}\cdot d\boldsymbol{r}=[-y,\ 4x,\ 0]\cdot[dx,\ dy,\ dz]$$
$$=-y\cdot dx+4x\cdot dy+0\cdot dz$$
$$=-ydx+4xdy$$

よって，求める周回接線線積分は，

$$\oint_C \boldsymbol{f}\cdot d\boldsymbol{r}=\oint_C(-ydx+4xdy)\quad\cdots\cdots①$$ となる。

ここで，円 $C: x^2+y^2=4$ の周上を1周する動点 $\mathrm{P}(x,\ y)$ の座標は，媒介変数 θ を用いて次のように表せる。

$$x=2\cos\theta,\ \ y=2\sin\theta\quad\cdots\cdots②\quad(0\leqq\theta<2\pi)$$

$\therefore\ dx=$ (イ) ［　　　　］，$dy=$ (ウ) ［　　　　］ …③

②と③を①に代入して，θ での積分に変換すると，

$$\oint_C \boldsymbol{f}\cdot d\boldsymbol{r}=\int_0^{2\pi}\{-2\sin\theta\cdot(-2\sin\theta)d\theta+4\cdot 2\cos\theta\cdot 2\cos\theta d\theta\}$$

$$=4\int_0^{2\pi}(\underbrace{\sin^2\theta}_{\frac{1}{2}(1-\cos2\theta)}+4\underbrace{\cos^2\theta}_{\frac{1}{2}(1+\cos2\theta)})d\theta=2\int_0^{2\pi}\{1-\cos2\theta+4(1+\cos2\theta)\}d\theta$$

よって，

$$\oint_C \boldsymbol{f}\cdot d\boldsymbol{r} = 2\int_0^{2\pi}(5+3\cos 2\theta)d\theta = 2\Big[5\theta + \underbrace{\frac{3}{2}\sin 2\theta}_{0\ (\because\ \sin 4\pi = \sin 0 = 0)}\Big]_0^{2\pi}$$

$= 2\times 10\pi = 20\pi$ となる。……………………………………………(答)

次に，$\oint_C \boldsymbol{f}\cdot d\boldsymbol{r}$ をストークスの定理の左辺から求める。

$\boldsymbol{f} = [-y,\ 4x,\ 0]$ の回転は，

$\mathbf{rot}\boldsymbol{f} = \nabla\times\boldsymbol{f} = [0,\ 0,\ 5]$

$\dfrac{\partial}{\partial x}\quad \dfrac{\partial}{\partial y}\quad \dfrac{\partial}{\partial z}\quad \dfrac{\partial}{\partial x}$

$-y\quad 4x\quad 0\quad -y$

$,5\ ][\ 0\ ,\ 0$

閉曲線(円)C：$x^2+y^2=4$ によって囲まれる xy 平面上の領域を S とおくと，S の単位法線ベクトル $\boldsymbol{n}$ は，

$\boldsymbol{n} =$ (エ) となる。

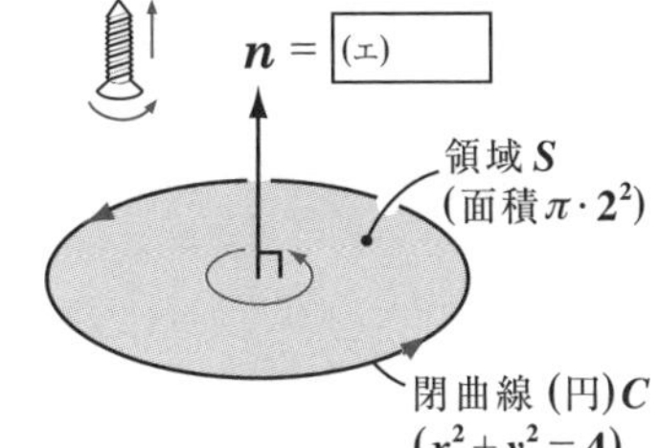

$$\therefore\ \mathbf{rot}\boldsymbol{f}\cdot\boldsymbol{n} = [0,\ 0,\ 5]\cdot[0,\ 0,\ 1]$$
$$= 0\times 0 + 0\times 0 + 5\times 1$$
$$= 5$$

$$\therefore\ \iint_S \underbrace{\mathbf{rot}\boldsymbol{f}\cdot\boldsymbol{n}}_{5}\, dS = \iint_S 5dS = 5\cdot\underbrace{\iint_S dS}_{\pi\cdot 2^2\ (\text{領域(円)}S\text{の面積})}$$

$=$ (オ)

よって，これをストークスの定理：$\iint_S \mathbf{rot}\boldsymbol{f}\cdot\boldsymbol{n}dS = \oint_C \boldsymbol{f}\cdot d\boldsymbol{r}$ の左辺に代入して，$\oint_C \boldsymbol{f}\cdot d\boldsymbol{r} =$ (オ) となる。…………………………………(答)

以上より，今回の問題でストークスの定理が成り立つことが確認できた。

解答　(ア) $[dx,\ dy,\ dz]$　(イ) $-2\sin\theta d\theta$　(ウ) $2\cos\theta d\theta$
(エ) $[0,\ 0,\ 1]$　(オ) 20π

演習問題 10	● 真空の誘電率・電場・電束密度の単位 ●

クーロンの法則 $f=\frac{1}{4\pi\varepsilon_0}\cdot\frac{q_1q_2}{r^2}$，クーロン力 $f=qE$，及び電束密度 $D=\varepsilon_0E$ の各式を用いて，**(1)** 真空の誘電率 ε_0，**(2)** 電場 E，**(3)** 電束密度 D の単位を，**MKSA** 単位系で表せ。

ヒント！ 運動方程式：$f=ma$ より，$[\mathrm{N}]=[\mathrm{kg\,m\,s^{-2}}]$ となる。また，$1(\mathrm{A})=1(\mathrm{C/s})$ より，$[\mathrm{C}]=[\mathrm{A\cdot s}]$ だね。

解答＆解説

(1) クーロンの法則：$f=\frac{1}{4\pi\varepsilon_0}\cdot\frac{q_1q_2}{r^2}$ より，真空の誘電率 ε_0 は，

（$\frac{1}{4\pi\varepsilon_0}$：$k$ のこと，f：力 (N)，$\frac{q_1q_2}{r^2}$ $(\mathrm{C^2/m^2})$）

（$\frac{1}{4\pi}$：無次元（単位なし））

$$\varepsilon_0=\frac{1}{4\pi}\cdot\frac{q_1q_2}{fr^2}\ (\mathrm{C^2/Nm^2})\ となる。$$

これより，$[\mathrm{N}]=[\mathrm{kg\,m\,s^{-2}}]$ と，$[\mathrm{C}]=[\mathrm{As}]$ から，$\varepsilon_0\ (\mathrm{C^2/Nm^2})$ の単位を **MKSA** 単位系で表すと，

$$\left[\frac{\mathrm{C^2}}{\mathrm{Nm^2}}\right]=\left[\frac{\mathrm{A^2s^2}}{\mathrm{kg\,m\,s^{-2}\cdot m^2}}\right]=[\mathrm{A^2s^4/kg\,m^3}]\ となる。$$ ……………………(答)

(2) クーロン力 $f=qE$ より，電場 E は，$E=\frac{f}{q}(\mathrm{N/C})$

これより，$[\mathrm{N}]=[\mathrm{kg\,m\,s^{-2}}]$，$[\mathrm{C}]=[\mathrm{As}]$ から，電場 $E\ (\mathrm{N/C})$ の単位を **MKSA** 単位系で表すと，

$$\left[\frac{\mathrm{N}}{\mathrm{C}}\right]=\left[\frac{\mathrm{kg\,m\,s^{-2}}}{\mathrm{As}}\right]=[\mathrm{kg\,m/As^3}]\ となる。$$ ……………………(答)

(3) $D=\varepsilon_0E$ より，電束密度 D の単位を **MKSA** 単位系で表すと，

$$\left[\frac{\mathrm{C^2}}{\mathrm{Nm^2}}\cdot\frac{\mathrm{N}}{\mathrm{C}}\right]=\left[\frac{\mathrm{C}}{\mathrm{m^2}}\right]=[\mathrm{As/m^2}]\ となる。$$ ……………………(答)

もちろん，**(1)** と **(2)** の結果を用いて，$\left[\frac{\mathrm{A^2s^4}}{\mathrm{kg\,m^3}}\cdot\frac{\mathrm{kg\,m}}{\mathrm{As^3}}\right]=[\mathrm{As/m^2}]$ でも求まるね。

演習問題 11 ● 磁場・磁束密度の単位 ●

アンペールの法則 $H = \dfrac{I}{2\pi a}$ と，公式 $H = \dfrac{1}{4\pi\mu_0}\cdot\dfrac{m}{r^2}$，$f = qvB$，$B = \mu_0 H$ (μ_0：真空の透磁率，m：磁荷 (Wb)，q：電荷 (C)，B：磁束密度 ($\mathrm{Wb/m^2}$)) を用いて，(1) 磁場 H，(2) 磁束密度 B の単位を，MKSA 単位系で表せ。

ヒント！ $H = \dfrac{1}{4\pi\mu_0}\cdot\dfrac{m}{r^2}$ より，$B = \mu_0 H = \dfrac{1}{4\pi}\cdot\dfrac{m}{r^2}$ ($\mathrm{Wb/m^2}$) だね。これと，ローレンツ力 $f = qvB$ から導かれる $B = \dfrac{f}{qv}$ ($\mathrm{N/Cms^{-1}}$) より，$\left[\dfrac{\mathrm{Wb}}{\mathrm{m^2}}\right]$ を MKSA 単位系で表す。

解答＆解説

(1) アンペールの法則：$H = \dfrac{1}{2\pi}\cdot\dfrac{I}{a}$ より，磁場 H の単位を MKSA 単位系

（$\dfrac{1}{2\pi}$：無次元（単位なし），$\dfrac{I}{a}$ (A/m)）

で表すと，[A/m] となる。……………………………………………(答)

(2) 磁場 $H = \dfrac{1}{4\pi\mu_0}\cdot\dfrac{m}{r^2}$ …① の両辺に μ_0 をかけると，磁束密度 $B = \mu_0 H$ は，

$B = \mu_0 H = \dfrac{1}{4\pi}\cdot\dfrac{m}{r^2}$ （(ア) ）……②

ここで，ローレンツ力 $f = qvB$ より，$B = \dfrac{f}{qv}$ （(イ) ）……③

②と③の単位を比較して，磁束密度 B の単位 [$\mathrm{Wb/m^2}$] を MKSA 単位系で表すと，

$\left[\dfrac{\mathrm{Wb}}{\mathrm{m^2}}\right] = \left[\dfrac{\mathrm{N}}{\mathrm{Cms^{-1}}}\right] = \left[\text{(ウ)}\right] = [\mathrm{kg/As^2}]$ となる。……………(答)

これより，磁束 Φ(Wb) の単位は，$[\mathrm{Wb}] = \left[\dfrac{\mathrm{Nm}}{\mathrm{Cs^{-1}}}\right] = \left[\dfrac{\mathrm{Nm}}{\mathrm{A}}\right]$ となる。（$\mathrm{Cs^{-1}}$ = A）

解答 (ア) $\mathrm{Wb/m^2}$　(イ) $\mathrm{N/Cms^{-1}}$　(ウ) $\dfrac{\mathrm{kg\,m\,s^{-2}}}{\mathrm{Asms^{-1}}}$

講義 2 Lecture 静電場

§1. クーロンの法則からマクスウェルの方程式へ

図1 クーロンの法則

q_1 e q_2 f_{21} r f_{12}

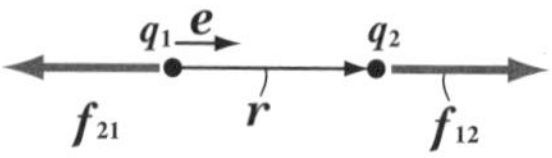

$$f_{12} = k\frac{q_1q_2}{r^2}e = k\frac{q_1q_2}{r^3}r$$

$$\left(r = \|r\|,\ e = \frac{r}{r},\ k = \frac{1}{4\pi\varepsilon_0}\right)$$

図は $q_1 q_2 > 0$ のイメージ

図1に示すように，r(m) だけ離れた2つの**点電荷** q_1(C) と q_2(C) に互いに作用する力について，q_1 が q_2 に及ぼす**クーロン力** f_{12} は，

$$f_{12} = \frac{1}{4\pi\varepsilon_0}\cdot\frac{q_1q_2}{r^2}e \quad \cdots ①$$ または，

$$f_{12} = \frac{1}{4\pi\varepsilon_0}\cdot\frac{q_1q_2}{r^3}r \quad \cdots ①'$$ （ε_0：**真空の誘電率**）

と表される。q_2 が q_1 に及ぼすクーロン力 f_{21} は，作用・反作用の法則より，$f_{21} = -f_{12}$ となる。

①，①′ の比例定数 $k = \dfrac{1}{4\pi\varepsilon_0}$ は，光速 $c = 2.998 \times 10^8$ (m/s) を用いて，

$$k = \frac{1}{4\pi\varepsilon_0} = c^2 \times 10^{-7} = 8.988 \times 10^9 \ (\mathrm{Nm^2/C^2})$$ ← ①より，$k = \dfrac{fr^2}{q_1q_2}$ $(\mathrm{Nm^2/C^2})$

$$\therefore \varepsilon_0 = \frac{1}{4\pi \times c^2 \times 10^{-7}} = \frac{1}{4\pi \times 8.988 \times 10^9} = 8.854 \times 10^{-12} \ (\mathrm{C^2/Nm^2})$$ となる。

次に，図2に示すように，複数の点電荷 q_1，q_2，…，q_n が点電荷 q に及ぼす合力を f とおく。また，点 q_k から点 q に向かうベクトルを r_k とおき，q_k が q に及ぼすクーロン力を f_k とおくと，①′ より，

図2 クーロン力の重ね合わせ

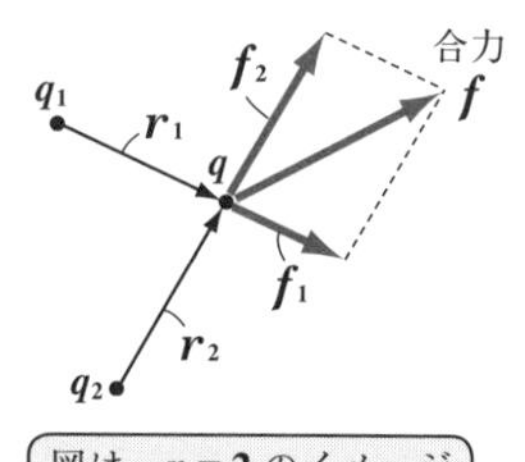

図は，$n = 2$ のイメージ

$$f_k = \frac{1}{4\pi\varepsilon_0}\cdot\frac{qq_k}{r_k^3}r_k \quad \cdots ③$$ $(k = 1, 2, \cdots, n)$ となる。$(r_k = \|r_k\|)$

ここで，複数の点電荷 q_1，q_2，…，q_n が点電荷 q に及ぼすクーロン力の合力 f は，③を単純に足し合わせたもの，すなわち，

$$f = \sum_{k=1}^{n} \boxed{\frac{1}{4\pi\varepsilon_0}\cdot q}\frac{q_k}{r_k^3}r_k = \frac{q}{4\pi\varepsilon_0}\sum_{k=1}^{n}\frac{q_k}{r_k^3}r_k$$ となる。

定数

これを，クーロン力の**重ね合わせの原理**という。

点電荷 Q が $r(=\|\boldsymbol{r}\|)$ だけ離れた点電荷 q に及ぼすクーロン力 $\boldsymbol{f}$ を，

$$\boldsymbol{f}=q\cdot\underbrace{\frac{1}{4\pi\varepsilon_0}\cdot\frac{Q}{r^2}\boldsymbol{e}}_{\boldsymbol{E}}\quad\cdots\cdots④\quad\left(\boldsymbol{e}=\frac{\boldsymbol{r}}{r}\right)$$

と変形し，

$$\boldsymbol{E}=\frac{1}{4\pi\varepsilon_0}\cdot\frac{Q}{r^2}\boldsymbol{e}\ \left(=\frac{1}{4\pi\varepsilon_0}\cdot\frac{Q}{r^3}\boldsymbol{r}\right)$$

とおくと，④は，$\boldsymbol{f}=q\boldsymbol{E}$ となる。ここで，点電荷 q の位置を任意に変化させると，$\boldsymbol{r}$ は点 Q を始点として，空間全体を動くベクトルとなるため，$\boldsymbol{E}$ は $\boldsymbol{r}$ の関数として $\boldsymbol{E}(\boldsymbol{r})$ と表せる。この $\boldsymbol{E}(\boldsymbol{r})$ を点 Q が空間に作る**電場**という。(図 3(ⅰ)(ⅱ))

図 3 クーロンの法則と電場

(ⅰ) Q が作る電場 $\boldsymbol{E}$

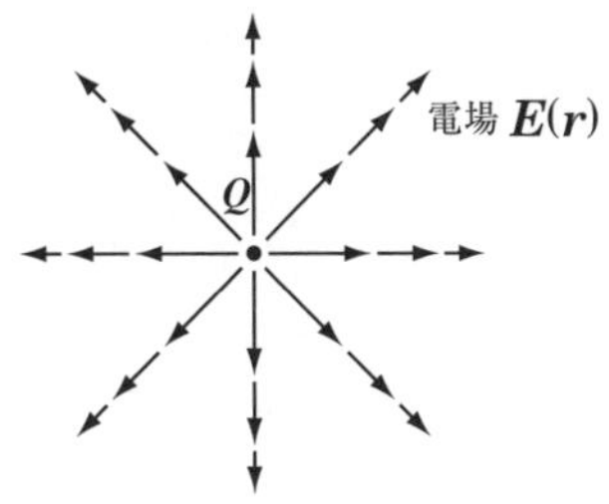

(ⅱ) 電場 $\boldsymbol{E}$ より q が受ける力

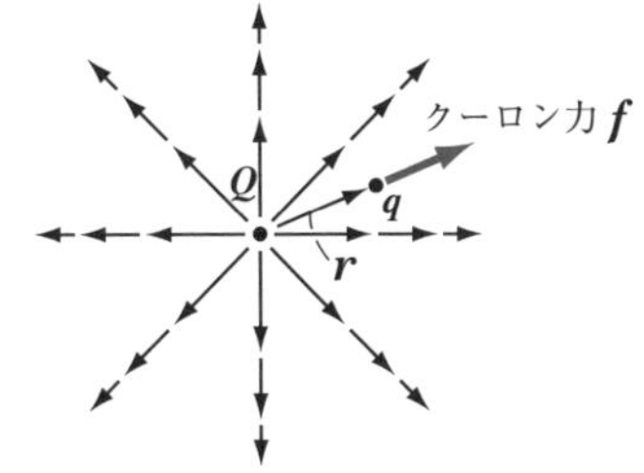

次，図 4 に示すように，任意の閉曲面 S をとり，その内部に点電荷 Q があるとき，これが表面 S 上に作る電場を $\boldsymbol{E}$ とすると，次の**ガウスの法則の積分形**が成り立つ。

$$\iint_S \boldsymbol{E}\cdot\boldsymbol{n}\,dS=\frac{Q}{\varepsilon_0}\quad\cdots\cdots(*)$$

(演習問題 20，21 参照)

図 4 ガウスの法則

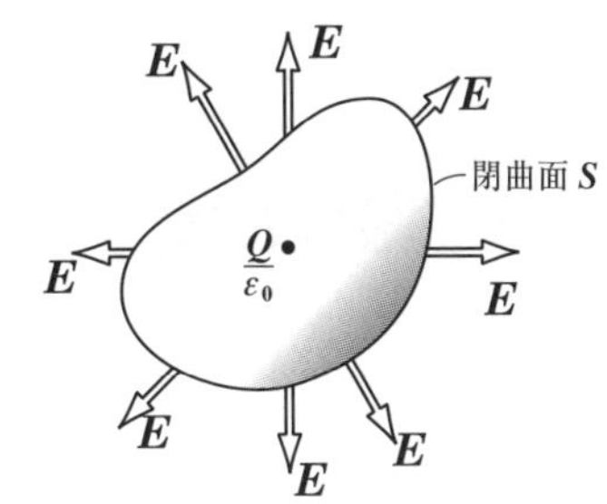

ガウスの法則 $(*)$ の左辺にガウスの発散定理を用いると，次の**ガウスの法則の微分形**が導かれる。(演習問題 21 参照)

$$\mathrm{div}\boldsymbol{E}=\frac{\rho}{\varepsilon_0}\quad\cdots\cdots(*1)'\quad(\rho:\text{電荷の体積密度})$$

$(*1)'$ をマクスウェルの方程式と呼んでもかまわない。

ここで，新たに**電束密度** $\boldsymbol{D}=\varepsilon_0\boldsymbol{E}$ を用いると，$(*1)'$ は次のように簡単化される。

$$\mathrm{div}\boldsymbol{D}=\rho\quad\cdots\cdots(*1)\quad(\text{これはマクスウェルの方程式の 1 つである。})$$

空間に，電場 $\boldsymbol{E}$ が存在するとき，空間内の各点の電場 $\boldsymbol{E}$ を接線とする曲線が描ける。この曲線を**電気力線**と呼ぶ。

図 **5** に示すように，静電場の場合，この電気力線は正電荷から始まり，負電荷で終わることになる。そして，電気力線の密度によって，電場の大きさの大小が分かり，その向きも分かるので電場の様子をイメージとしてとらえやすくなる。ここで，真空中においては，$\boldsymbol{D}=\varepsilon_0\boldsymbol{E}$ から分かるように，電場 $\boldsymbol{E}$ と電束密度 $\boldsymbol{D}$ には比例関係があるので，電気力線の代わりに，電束密度の曲線（**電束線**）として，正電荷から負電荷に向けて曲線を描いてもいい。マクスウェルの方程式

図 **5** 電気力線（電束密度）のイメージ

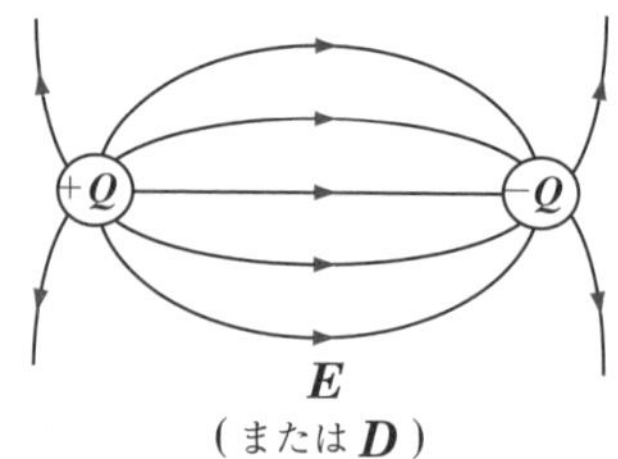

$\mathrm{div}\boldsymbol{E}=\dfrac{\rho}{\varepsilon_0}$ ……$(*1)'$，または

$\mathrm{div}\boldsymbol{D}=\rho$ ……$(*1)$ で，$\rho=0$ の場合の $\boldsymbol{E}$（電気力線）または $\boldsymbol{D}$（電束線）のイメージを図 **6** に示す。$\rho=0$ より，微小領域 ΔV に電荷がないので，$\boldsymbol{E}$（または $\boldsymbol{D}$）は，入ってきたものと同じ量（本数）のものが外に流出することになる。

図 **6**　電気力線（電束密度）

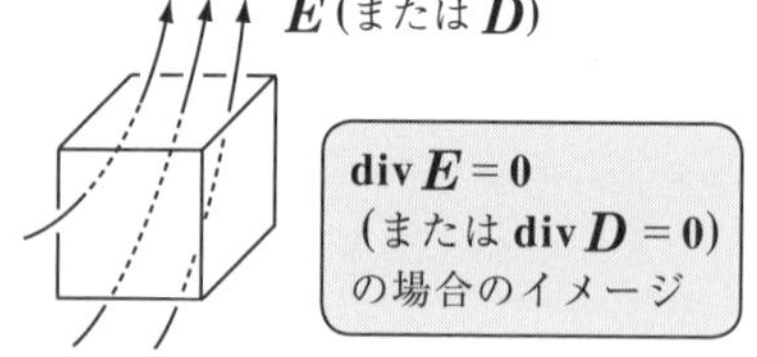

§2. 電位と電場

静電場 $\boldsymbol{E}$ の中で q(C) の点電荷を経路 C_0 に沿って，点 P_0 から P_1 までゆっくりと移動させるのに要する仕事 W を求め，これから**電位** ϕ を定義し，さらに静電場 $\boldsymbol{E}$ と電位 ϕ との関係について調べよう。点電荷 q は静電場 $\boldsymbol{E}$ から $\boldsymbol{f}=q\boldsymbol{E}$ の力を受ける。この力に逆らって微小な変位 $d\boldsymbol{r}$ だけゆっくりと移動させるのに必要な仕事 dW は，$dW=-\boldsymbol{f}\cdot d\boldsymbol{r}=-q\boldsymbol{E}\cdot d\boldsymbol{r}$ となる。よって，これを経路 C_0 に沿って接線線積分すれば，点電荷 q を P_0 から P_1 まで C_0 に沿って移動させるのに要する仕事 W が求まるので，

$W=-q\displaystyle\int_{C_0}\boldsymbol{E}\cdot d\boldsymbol{r}$ ……① と表される。

ここで，図**1**に示すように，原点**O**に点電荷Qをおくことによって電場$\boldsymbol{E}$が生じたものとすると，

$$\boldsymbol{E} = \frac{1}{4\pi\varepsilon_0}\cdot\frac{Q}{r^2}\boldsymbol{e} \quad \cdots\cdots② \quad \left(\boldsymbol{e} = \frac{\boldsymbol{r}}{r}\right)$$

図**1** 仕事Wの計算

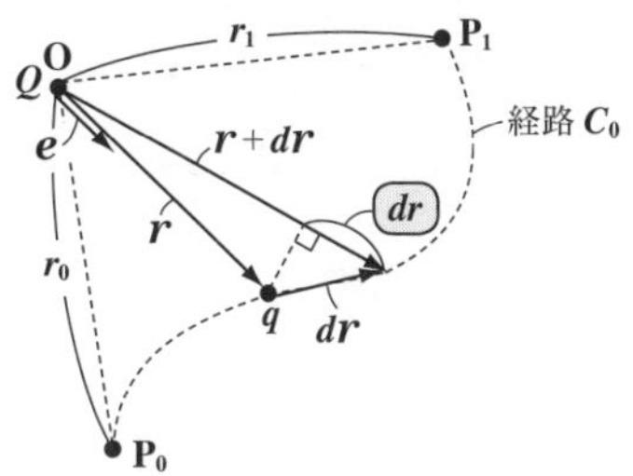

となる。②を①に代入して，

$$W = -\frac{qQ}{4\pi\varepsilon_0}\int_{C_0}\frac{1}{r^2}\boldsymbol{e}\cdot d\boldsymbol{r} \quad \cdots\cdots③$$

図**1**より，近似的に$\boldsymbol{e}\cdot d\boldsymbol{r} = dr$ ……④

となるので，④を③に代入し，$\mathrm{OP_0} = r_0$，$\mathrm{OP_1} = r_1$とおくと，

$$W = \frac{qQ}{4\pi\varepsilon_0}\int_{r_0}^{r_1}\left(-\frac{1}{r^2}\right)dr = \frac{qQ}{4\pi\varepsilon_0}\left[\frac{1}{r}\right]_{r_0}^{r_1}$$

$$\therefore\ W = \frac{qQ}{4\pi\varepsilon_0}\left(\frac{1}{r_1} - \frac{1}{r_0}\right) \quad \cdots\cdots⑤$$

となる。⑤式から，

「点電荷qを点$\mathrm{P_0}$から点$\mathrm{P_1}$まで移動させるのに必要な仕事Wは，始点$\mathrm{P_0}$と終点$\mathrm{P_1}$の位置のみで決まり，経路の取り方に寄らない」ことが分かる。

⑤のqに$q = 1$を代入すると，

$$W = \frac{Q}{4\pi\varepsilon_0}\left(\frac{1}{r_1} - \frac{1}{r_0}\right) \quad \cdots\cdots⑥$$

となる。

ここで，点$\mathrm{P_0}$を基準点として無限遠にとると，$r_0 \to \infty$より，$\frac{1}{r_0} \to 0$，また，$\mathrm{P_1}$を任意の点$\mathrm{P}(\mathrm{OP} = r)$に置き換えると，⑥は，

$$W = \frac{1}{4\pi\varepsilon_0}\cdot\frac{Q}{r} \quad \cdots\cdots⑦$$

（r：点電荷QからPまでの距離）となる。

この⑦の仕事Wは，単位電荷**1**(**C**)を無限遠から**P**の位置まで，ゆっくりと運んでくる仕事を表し，このWを点**P**の**電位**といい，$\phi(\mathrm{P})$で表す。

$$\text{電位}\ \phi(\mathrm{P}) = \frac{1}{4\pi\varepsilon_0}\cdot\frac{Q}{r} \qquad (r = \mathrm{OP})$$

この電位ϕと静電場$\boldsymbol{E}$との間には，$\boldsymbol{E} = -\nabla\phi = -\mathbf{grad}\phi$ ……(＊1) の関係がある。(演習問題**23**)

静電場 $\boldsymbol{E}$ において，電位 ϕ が位置のみによって決まることから，$\mathbf{rot}\boldsymbol{E} = \mathbf{0}$ ……$(*2)$，すなわち，静電場が "渦なし" であることが導かれる。(演習問題 23)　この $(*2)$ とガウスの法則の微分形，すなわち，マクスウェルの方程式 $\mathbf{div}\boldsymbol{D} = \rho$ の 2 つが，静電場の基本法則となる。

§3. 導体

銅や鉄など，電気を通す物質を**導体**という。導体は，その内部を自由に移動できる**自由電荷**(自由に動ける自由電子やイオン)を十分にもつ。この導体を，静電場 $\boldsymbol{E}$ の中に置くと，導体内部には電場はすぐに存在しなくなる。置いた瞬間には導体内にも電場が存在するので，導体内の自由電子は電場 $\boldsymbol{E}$ と逆向きに速やかに移動する。

図 1(ⅱ) に示すように，電場 $\boldsymbol{E}$ が左から右に向かうとき，導体の左端には⊖の，右端には⊕の電荷が現われる。このように，外部の電場の影響で導体表面に電荷分布が生じる現象を**静電誘導**という。これによって，導体内部には $\boldsymbol{E}$ と逆向きの電場が作られ，互いに電場が打ち消しあって，図 1(ⅲ) に示すように「導体内には電場が存在しない」状態になる。このとき，導体内の電位 ϕ について，導体内の電場 $\boldsymbol{E} = \mathbf{0}$ より，$\boldsymbol{E}$ と ϕ の関係式：$\boldsymbol{E} = -\mathbf{grad}\phi$ から，

$$\mathbf{grad}\phi = \left[\frac{\partial\phi}{\partial x},\ \frac{\partial\phi}{\partial y},\ \frac{\partial\phi}{\partial z}\right] = \underbrace{[0,\ 0,\ 0]}_{\mathbf{0}}$$

$$\therefore\ d\phi = \frac{\partial\phi}{\partial x}dx + \frac{\partial\phi}{\partial y}dy + \frac{\partial\phi}{\partial z}dz = 0$$

図 1　静電場の中の導体

(ⅰ) 静電場の中に導体を入れる

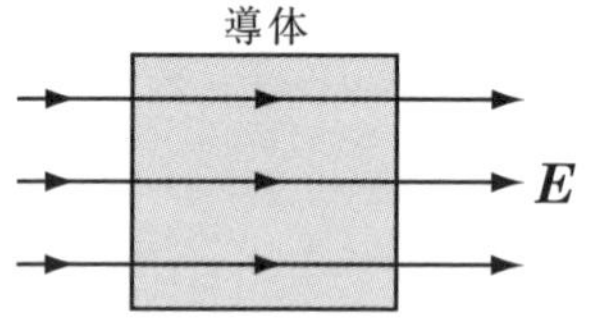

(ⅱ) 自由電子が速やかに移動

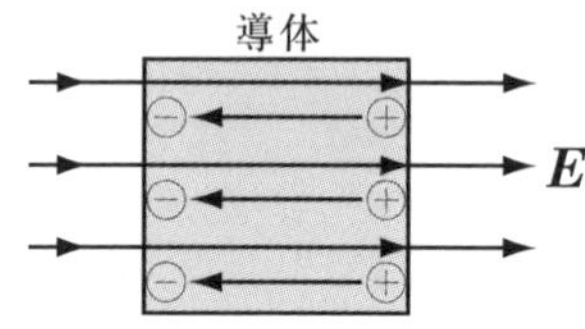

(ⅲ) 導体内に電場は存在しない

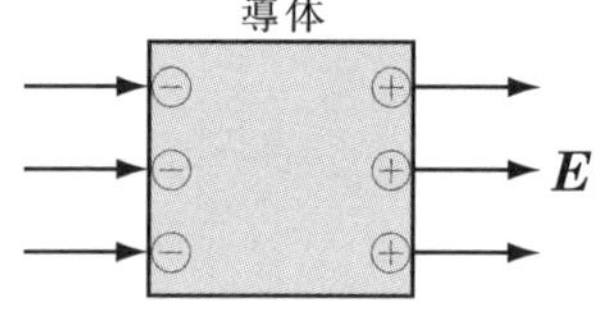

となって，「導体内の至るところで電位は一定となる。」電位の連続性から，「導体表面は 1 つの等電位面になる。」等電位面に対して，電場は常に垂直になるので，「導体表面に対して電場は垂直になる。」

このような静電誘導だけでなく，**真電荷**を導体に与えた場合でも，
「電荷が分布できるのは導体の表面だけである。」内部に電荷が分布したとすれば，そこから電場が生じ，それに沿って自由電子が移動して，内部の電場を打ち消してしまうからである。

図 2 導体表面の電場 $\boldsymbol{E}$

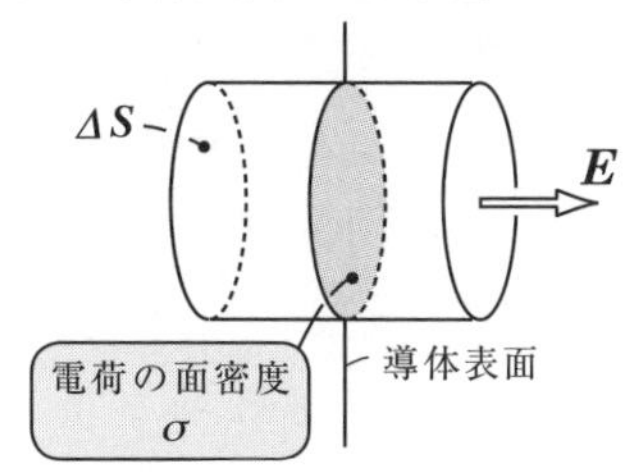

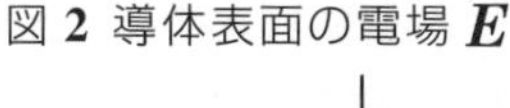

次に，図 **2** に示すように，導体表面にのみ存在する電荷の面密度を $\sigma(\mathrm{C/m^2})$ とし，導体表面の微小な面積を ΔS とおくと，これから外部に垂直に出ている電場の大きさ $\boldsymbol{E}$ は，ガウスの法則より，

$$\Delta S\cdot E = \frac{\sigma\cdot\Delta S}{\varepsilon_0} \qquad \therefore E = \frac{\sigma}{\varepsilon_0}$$ となる。

重要公式なので覚えておこう。

§4. コンデンサー

1 つの導体に帯電させても，同種の電荷は互いに反発し合うので，大きな電気量を蓄えることは難しい。これに対して，**2** 個の導体を近づけて置き，それぞれに正と負の等量の電荷を与えると電荷が互いに引き合うので，大量の電気量を蓄えることができる。このように，**2** 個の導体を使って電荷を蓄えるための装置を**コンデンサー**という。典型的なコンデンサーは，

図 1 平行平板コンデンサー

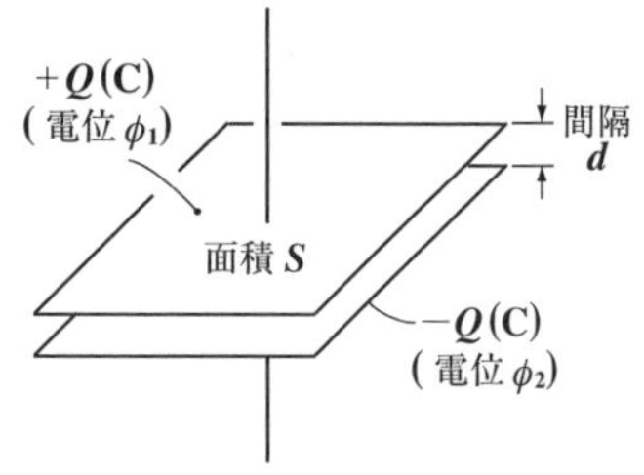

2 枚の平面導体板を向かい合わせた**平行平板コンデンサー**である。図 **1** に示すように，間隔 d，面積 S の **2** 枚の極板に，$+Q(\mathrm{C})$（電位 ϕ_1），$-Q(\mathrm{C})$（電位 ϕ_2）の電荷を与えた平行平板コンデンサーがある。
ここで，電位差 $V=\phi_1-\phi_2(\mathrm{V})$ とおき，この平行平板コンデンサーの電気容量を $C(\mathrm{F})$ とおくと，$Q=CV$ が成り立つ。
これも含めた平行平板コンデンサーの公式として次の **4** つがある。

(1) $Q=CV$　蓄えられる電気量 Q は電圧（電位差）V に比例する。

(2) $E=\dfrac{V}{d}$　電場（電界）E は電圧 V の傾きに等しい。

(3) $C=\dfrac{\varepsilon_0 S}{d}$　電気容量 C は，面積 S に比例し，間隔 d に反比例する。

(4) $U=\dfrac{1}{2}CV^2$　静電エネルギー U は $\dfrac{1}{2}QEd$ で与えられる。

§5. 誘電体

ガラスやアクリルなど電気を通さない物質を**誘電体**という。誘電体は導体と違って自由電子をもたない物質である。

図 1(ⅰ) に示すように，面積 S，間隔 d の平行平板コンデンサーに電圧 V_0 をかけて，それぞれの極板に一様な面密度 $+\sigma(\mathrm{C/m^2})$ と $-\sigma(\mathrm{C/m^2})$ の電荷が分布したとする。このとき，極板間の電場 $\boldsymbol{E}_0$ の大きさ E_0 は，

$E_0 = \dfrac{\sigma}{\varepsilon_0}$ ……①となる。

図 1 コンデンサーと誘電体

(ⅰ) 極板間が真空のとき

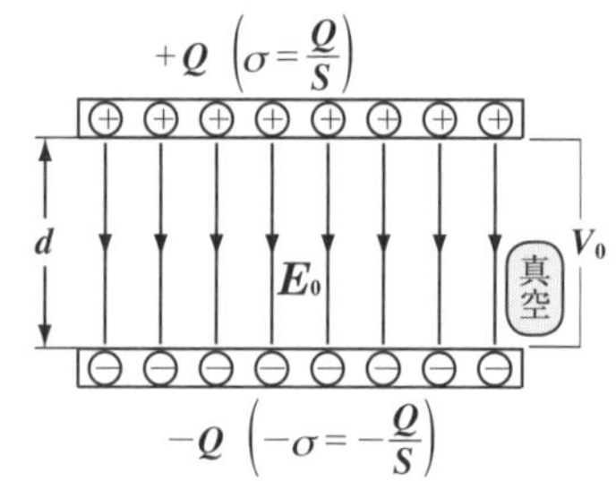

(ⅱ) 極板間に誘電体を挟んだとき

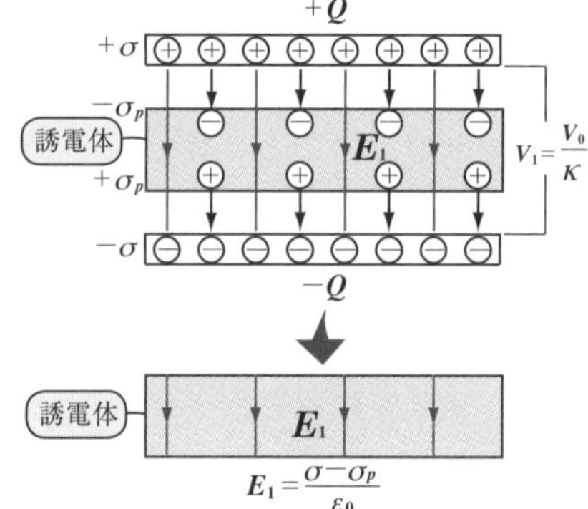

次に，図 1(ⅱ) に示すように，電荷が一定の条件で，電場 $\boldsymbol{E}_0$ の中に誘電体を挿入すると，$\boldsymbol{E}_0$ を打ち消すように，誘電体の表面に電荷 (**分極電荷**) が現れる。この現象を**誘電分極**と呼ぶ。図 1(ⅱ) に示すように，分極電荷により，誘電体内の電気力線の本数が減少しているので，誘電体中の電場 $\boldsymbol{E}_1$ の大きさ E_1 は，真空中の電場の大きさ E_0 より小さくなる。誘電体表面に面密度 $+\sigma_p(\mathrm{C/m^2})$ と $-\sigma_p(\mathrm{C/m^2})$ の分極電荷が分布しているものとすると，誘電体内の電場の大きさ E_1 は，$E_1 = \dfrac{\sigma - \sigma_p}{\varepsilon_0}$ ……②となる。

電場 E_1 は E_0 より小さくなるので，$V = Ed$ の関係より，極板間の電位差 V_1 も V_0 より小さくなる。κ を 1 より大きい定数として，$V_1 = \dfrac{V_0}{\kappa}$ とおき，$E_1 = \dfrac{V_1}{d}$ に代入すると，$E_1 = \dfrac{1}{d} \cdot \dfrac{V_0}{\kappa} = \dfrac{1}{\kappa} \cdot \dfrac{V_0}{d} = \dfrac{1}{\kappa} \cdot E_0$ となる。 $\therefore E_0 = \kappa E_1$ …③

この κ を誘電体の**比誘電率**と呼ぶ。$\kappa = \dfrac{\varepsilon_1}{\varepsilon_0}$ ……④とおくと，③より，

$E_0 = \dfrac{\varepsilon_1}{\varepsilon_0} E_1$ $\therefore \varepsilon_0 E_0 = \varepsilon_1 E_1$ …⑤となる。④の ε_1 を誘電体の**誘電率**という。

誘電体を構成する原子を電場 $\boldsymbol{E}_1$ の中におくと，$\boldsymbol{E}_1$ の影響により，$+q$(C) の原子核の重心は $\boldsymbol{E}_1$ の向きに，$-q$(C) の電子の重心は $\boldsymbol{E}_1$ とは逆向きに動いて，この原子は**分極**する。2つの点電荷 $-q$(C) から $+q$(C) に向かう微小なベクトルを $\boldsymbol{l}$(大きさ l) とおくと，これは電気双極子モーメント $\boldsymbol{p}=q\boldsymbol{l}$(大きさ $p=ql$) の電気双極子と考えていい。図2に，これら原子の集合体である誘電体を電場の中においたイメージを示す。これから，各原子が $\boldsymbol{E}_1$ によって分極しても，誘電体内部は正・負が相殺されて電気的に中性になるが，その左右の表面にはそれぞれ負と正の分極電荷が生じることが分かる。誘電体の単位体積当たりの原子数を η とおくと，$\sigma_p=p\eta$ $(p=ql)$ となる。ここで，単位体積当たりの電気双極子モーメント $\boldsymbol{P}$ を，$\boldsymbol{P}=\boldsymbol{p}\eta$ で定義し，この $\boldsymbol{P}$ を**分極ベクトル**と呼ぶ。

図2 電場の中の誘電体

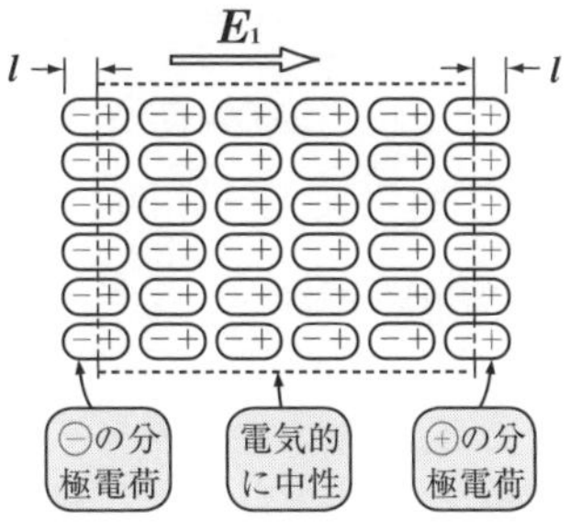

この $\boldsymbol{P}$ の大きさ $P=p\eta=\sigma_p$ より，

$P=\sigma_p$ ……⑥となる。

以上，出てきた公式を整理しておこう。

この分極電荷と区別するために，コンデンサーの極板などに自由電荷により生じる電荷を**真電荷**という。

$$E_0=\frac{\sigma}{\varepsilon_0}\ \cdots\cdots①\qquad E_1=\frac{\sigma-\sigma_p}{\varepsilon_0}\ \cdots\cdots②$$

$$\varepsilon_0E_0=\varepsilon_1E_1\ \cdots\cdots⑤\qquad P=\sigma_P\ \cdots\cdots⑥$$

まず，①と⑤より，$\sigma=\varepsilon_0E_0=\varepsilon_1E_1$ …⑦ $(\varepsilon_0<\varepsilon_1$ より，$E_0>E_1)$ となる。⑥を②に代入してまとめると，$\sigma=\varepsilon_0E_1+P$ …⑧ となる。ここで，真空中の電束密度 $\boldsymbol{D}$ の定義は，$\boldsymbol{D}=\varepsilon_0\boldsymbol{E}_0$ …⑨ だったので，⑦と⑨より，$\boldsymbol{D}$ の大きさ D は，$D=\|\boldsymbol{D}\|=\sigma$ となる。以上より，

(i) 真空中では，$D=\varepsilon_0E_0$ $(=\sigma)$ …⑩
(ii) 誘電体中では，$D=\varepsilon_0E_1+P$ $(=\sigma)$ …⑪ となり，これをベクトルで表すと，

(i) 真空中では，$\boldsymbol{D}=\varepsilon_0\boldsymbol{E}_0$ …⑩′
(ii) 誘電体中では，$\boldsymbol{D}=\underbrace{\varepsilon_0\boldsymbol{E}_1+\boldsymbol{P}}_{\varepsilon_1\boldsymbol{E}_1}$ …⑪′ となる。

以上は，すべて電場(または電束密度)が誘電体の表面と垂直の場合であることに注意しよう。

そして，物質中のマクスウェルの方程式は，

$\mathrm{div}\boldsymbol{D}=\rho$ (ρ：真電荷の体積密度) となる。(演習問題 50)

演習問題 12　● クーロンの法則 (Ⅰ) ●

長さ l(m) の 2 本のひもの端点にそれぞれ質量 m の小球を付け，他端を距離 $2l$(m) だけ離して天井に固定し鉛直方向につるした。この 2 つの小球に同じ q(C) の電荷を与えたとき，右図に示すようにひもは鉛直方向から $\theta = 30°$ 開いてつり合った。電荷 q(C) の大きさを求めよ。(真空の誘電率を ε_0，重力加速度を g とする。)

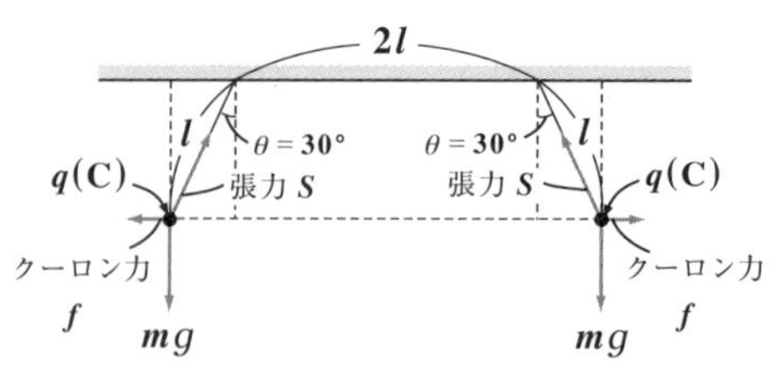

ヒント！ 2 球間の距離 d は，$d = 2l + 2 \cdot l\sin 30°$ となる。小球に働くクーロン力 f と重力との合力が，ひもの張力 S とつり合う。同種の電荷より，クーロン力は斥力だね。

解答＆解説

つり合いの状態にあるとき，

2 球間の距離 d は，右図より，

$$d = 2l + 2 \cdot l \underbrace{\sin 30°}_{\frac{1}{2}} = 3l$$

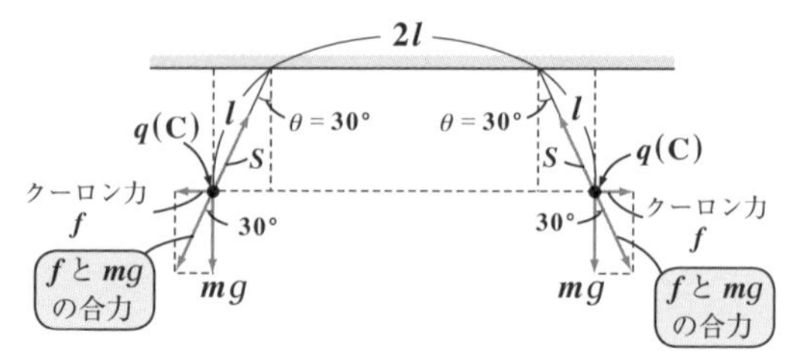

よって，2 球が互いに及ぼすクーロン力の大きさ f は，

$$f = \frac{1}{4\pi\varepsilon_0} \cdot \frac{q \cdot q}{d^2} = \frac{1}{4\pi\varepsilon_0} \cdot \frac{q^2}{(3l)^2} = \frac{q^2}{36\pi\varepsilon_0 l^2} \qquad \therefore q^2 = 36\pi\varepsilon_0 l^2 \cdot f \quad \cdots\cdots ①$$

図に示すように，小球に働く重力 mg とクーロン力 f の合力は，ひもの張力 S とつり合い，重力 mg は鉛直下向きに働き，クーロン力 f は斥力として水平方向に働く。

$$\therefore \frac{f}{mg} = \underbrace{\tan 30°}_{\frac{1}{\sqrt{3}}} \text{ より，} f = \frac{mg}{\sqrt{3}} \quad \cdots\cdots ②$$

②を①に代入して，

$$q^2 = 36\pi\varepsilon_0 l^2 \cdot \frac{\sqrt{3}}{3} mg = 12\sqrt{3}\,\pi\varepsilon_0 mgl^2$$

よって，q(C) の大きさは，

$|q| = 2\sqrt{3\sqrt{3}\,\pi\varepsilon_0 mg}\; l$ (C) となる。……………………………(答)

演習問題 13 ● クーロンの法則(Ⅱ) ●

長さ $l = \sqrt{3}$ (m) の 2 本のひもの端点に，それぞれ質量 m の小球を付け，他端を天井の同一点に固定し，鉛直方向につるした。この 2 つの小球に同じ q(C) の電荷を与えたとき，右図に示すように，ひもは $\theta = 60°$ の角度を保ってつり合った。電荷 q(C) の大きさを求めよ。
(真空の誘電率を ε_0，重力加速度を g とする。)

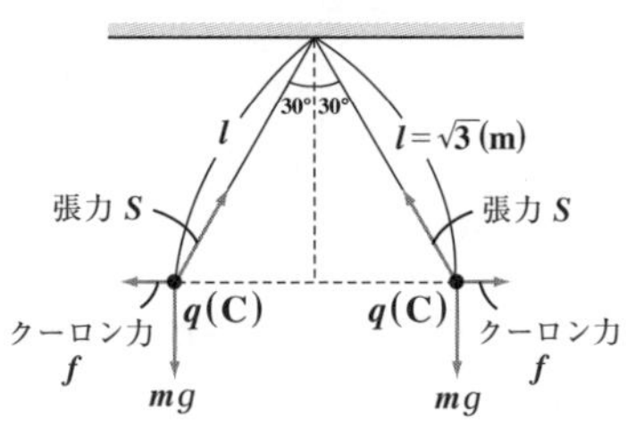

ヒント！ 2 本のひもは，一辺の長さ l の正三角形の 2 辺となるので，2 球間の距離 d は，$d = l = \sqrt{3}$ (m) となる。電荷は同種より，クーロン力は斥力となるね。

解答＆解説

つり合いの状態にあるとき，
2 球間の距離 d は，

$d =$ (ア) (m)

よって，2 球それぞれに働くクーロン力の大きさ f は，

$$f = \text{(イ)} \cdot \frac{q \cdot q}{d^2} = \text{(イ)} \cdot \frac{q^2}{3}$$

$\therefore\ q^2 = 12\pi\varepsilon_0 \cdot f$ ……①

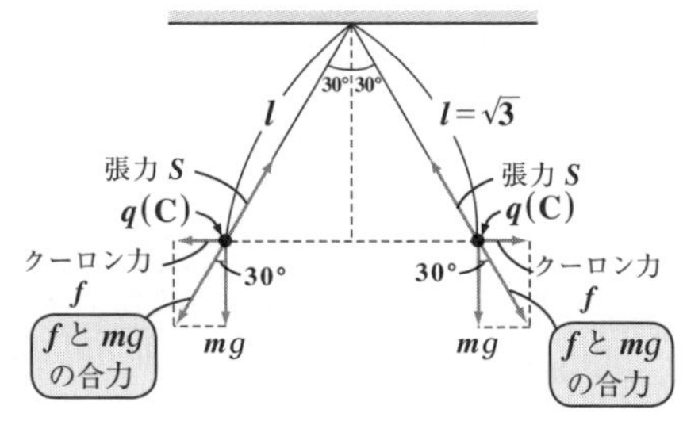

ここで，小球に働く重力 mg とクーロン力 f の合力は，ひもの張力 S と (ウ)，重力 mg は鉛直下向きに，クーロン力は水平方向に働く。

$$\therefore \frac{f}{mg} = \tan 30° \left(= \frac{1}{\sqrt{3}}\right) \text{より，} f = \frac{mg}{\sqrt{3}} \quad \cdots\cdots②$$

②を①に代入して，$q^2 = 12\pi\varepsilon_0 \cdot \frac{\sqrt{3}}{3} mg$ $\quad \therefore\ |q| = 2\sqrt{\sqrt{3}\pi\varepsilon_0 mg}$ (C)…(答)

解答 (ア) $\sqrt{3}$ (イ) $\frac{1}{4\pi\varepsilon_0}$ (ウ) つり合い

演習問題 14　● クーロン力の重ね合わせの原理（Ⅰ）●

xy 座標平面上の 5 点 $(0,\ 0)$, $A(1,\ 0)$, $B(0,\ 1)$, $C(-1,\ 0)$, $D(0,\ -1)$ にそれぞれ $q = 10^{-5}(C)$, $q_1 = 10^{-4}(C)$, $q_2 = -3\times10^{-4}(C)$, $q_3 = 2\times10^{-4}(C)$, $q_4 = -1\times10^{-4}(C)$ の点電荷があるとき，q_1, q_2, q_3, q_4 が q に及ぼすクーロン力の合力 $\boldsymbol{f}$ を求めよ。ただし，比例定数 $k = \frac{1}{4\pi\varepsilon_0} = 9\times10^9(\mathrm{Nm^2/C^2})$ とする。

ヒント！ 点電荷 q_k から点電荷 q に向かうベクトルを $\boldsymbol{r}_k$ とおき，q_k が q に及ぼす個別のクーロン力を $\boldsymbol{f}_k$ とおくと，複数の点電荷 $q_k(k=1,\ 2,\ 3,\ 4)$ が点電荷 q に及ぼすクーロン力の合力 $\boldsymbol{f}$ は，重ね合わせの原理より，

$\boldsymbol{f} = \sum_{k=1}^{4} \frac{1}{4\pi\varepsilon_0}\cdot\frac{qq_k}{r_k^3}\boldsymbol{r}_k = \frac{q}{4\pi\varepsilon_0}\cdot\sum_{k=1}^{4}\frac{q_k}{r_k^3}\boldsymbol{r}_k$ となるんだね。$(r_k = \|\boldsymbol{r}_k\|)$

解答＆解説

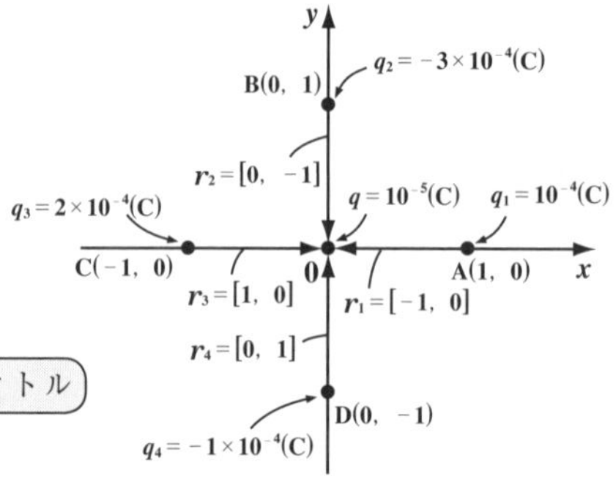

右図に示すように，

$\boldsymbol{r}_1 = [-1,\ 0]$（$q_1$ から q に向かう），$\boldsymbol{r}_2 = [0,\ -1]$（$q_2$ から q に向かう），

$\boldsymbol{r}_3 = [1,\ 0]$（$q_3$ から q に向かう），$\boldsymbol{r}_4 = [0,\ 1]$（$q_4$ から q に向かうベクトル）とおくと，

$r_1 = \|\boldsymbol{r}_1\| = \sqrt{1^2+0^2} = 1$,

同様に，$r_2 = \|\boldsymbol{r}_2\| = 1$, $r_3 = \|\boldsymbol{r}_3\| = 1$, $r_4 = \|\boldsymbol{r}_4\| = 1$ となる。

4 つの点電荷 q_1, q_2, q_3, q_4 が q に及ぼすクーロン力の合力 $\boldsymbol{f}$ は，

$$\boldsymbol{f} = \underbrace{\frac{1}{4\pi\varepsilon_0}}_{k=9\times10^9}\cdot q\left(\frac{q_1}{r_1^3}\boldsymbol{r}_1 + \frac{q_2}{r_2^3}\boldsymbol{r}_2 + \frac{q_3}{r_3^3}\boldsymbol{r}_3 + \frac{q_4}{r_4^3}\boldsymbol{r}_4\right)$$

$$= 9\times10^9\times\underbrace{10^{-5}}_{q}\left(\frac{10^{-4}}{1^3}\underbrace{[-1,\ 0]}_{\boldsymbol{r}_1} + \frac{-3\times10^{-4}}{1^3}\underbrace{[0,\ -1]}_{\boldsymbol{r}_2} + \frac{2\times10^{-4}}{1^3}\underbrace{[1,\ 0]}_{\boldsymbol{r}_3} + \frac{-1\times10^{-4}}{1^3}\underbrace{[0,\ 1]}_{\boldsymbol{r}_4}\right)$$

$= 9\times\cancel{10^4}\times\cancel{10^{-4}}([-1,\ 0]-3[0,\ -1]+2[1,\ 0]-[0,\ 1]) = 9[1,\ 2]$ となる。…(答)

演習問題 15　● クーロン力の重ね合わせの原理(Ⅱ) ●

xy 座標平面上の 3 点 $A(1,\ 0)$，$B(-1,\ 0)$，$C(1,\ 2)$ にそれぞれ $q_1 = 8\times10^{-5}(C)$，$q_2 = 8\sqrt{2}\times10^{-5}(C)$，$q = 10^{-4}(C)$ の点電荷があるとき，q_1，q_2 が q に及ぼすクーロン力の合力 f を求めよ。

ただし，比例定数 $k = \dfrac{1}{4\pi\varepsilon_0} = 9\times10^9(Nm^2/C^2)$ とする。

ヒント！ クーロン力の重ね合わせの原理：
$f = \dfrac{q}{4\pi\varepsilon_0}\cdot\sum_{k=1}^{2}\dfrac{q_k}{r_k^3}r_k\ (r_k = \|r_k\|)$ を使うんだね。

解答＆解説

右図に示すように，

$r_1 = [0,\ 2]$，$r_2 =$ (ア) とおくと，

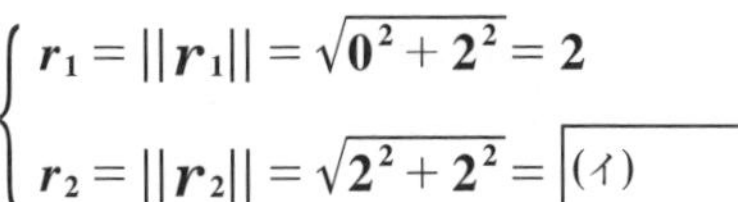

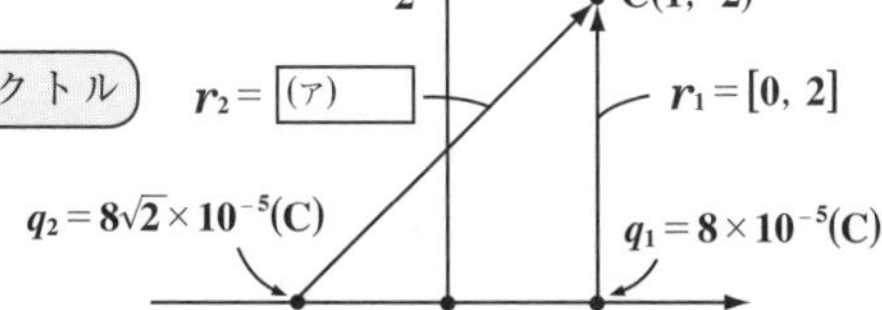

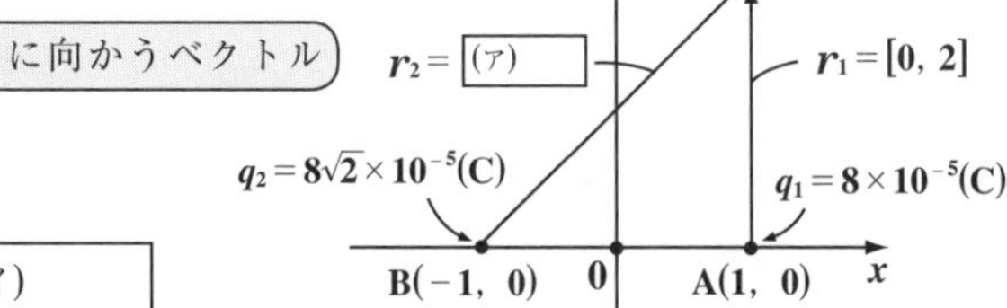

$$\begin{cases} r_1 = \|r_1\| = \sqrt{0^2+2^2} = 2 \\ r_2 = \|r_2\| = \sqrt{2^2+2^2} = \text{(イ)} \end{cases}$$

となる。2 つの点電荷 q_1，q_2 が q に及ぼすクーロン力の合力 f は，

$$f = \frac{1}{4\pi\varepsilon_0}\cdot q\left(\frac{q_1}{r_1^3}r_1 + \text{(ウ)}\right)$$

（$\dfrac{1}{4\pi\varepsilon_0}$ は $k = 9\times10^9$）

$$= 9\times10^9\times10^{-4}\left(\frac{8\times10^{-5}}{2^3}[0,\ 2] + \frac{8\sqrt{2}\times10^{-5}}{(2\sqrt{2})^3}[2,\ 2]\right)$$

（10^{-4} は q，$[0,\ 2]$ は r_1，$[2,\ 2]$ は r_2）

$$= 9\times10^5\times10^{-5}\left([0,\ 2] + \frac{1}{2}[2,\ 2]\right) = 9([0,\ 2]+[1,\ 1])$$

$=$ (エ) となる。 ……………………………………(答)

解答　(ア) $[2,\ 2]$　(イ) $2\sqrt{2}$　(ウ) $\dfrac{q_2}{r_2^3}r_2$
(エ) $9[1,\ 3]$(または，$[9,\ 27]$)

演習問題 16　● 一様に帯電した薄い円環の作る電場 ●

半径 a，微小幅 Δa の薄い円環に一様な面密度 $\sigma(\mathrm{C/m^2})$ で電荷が分布している。右図のように，円環の中心 O を原点として x 軸を設定したとき，O から b だけ離れた x 軸上の点 P にできる電場の大きさ E を求めよ。

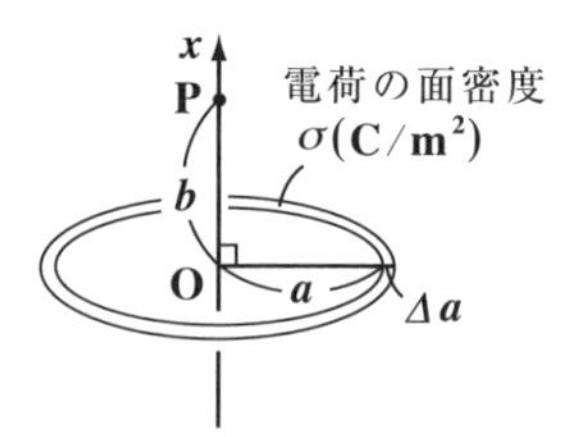

ヒント！ まず，円環の円周に沿って微小な長さ dl の部分の電荷が，点 P に作る電場を求め，それを l について周回積分する。その際，円環が x 軸に関して対称であることを利用しよう。

解答＆解説

右図に示すように，円環の微小な長さ dl の部分の電荷 dQ は，

$dQ=\sigma\cdot\Delta a\cdot dl$ より，これが点 P に作る電場 $d\boldsymbol{E}$ の大きさ dE は，

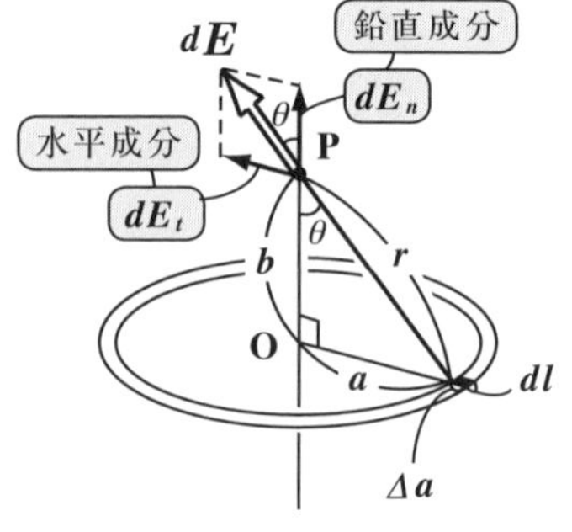

$$dE=\frac{1}{4\pi\varepsilon_0}\cdot\frac{dQ}{r^2}=\frac{1}{4\pi\varepsilon_0}\cdot\frac{\sigma\Delta a}{r^2}\cdot dl\quad\cdots①$$

（ただし，$r=\sqrt{a^2+b^2}$ とする。）

となる。ここで，電場 $d\boldsymbol{E}$ の鉛直方向の成分と水平方向の成分をそれぞれ dE_n，dE_t とおくと，①を l について1周接線線積分すると，対称性から dE_t の積分は 0 になる。

イメージ
dE_t

よって，右図に示すように角 θ をとると，

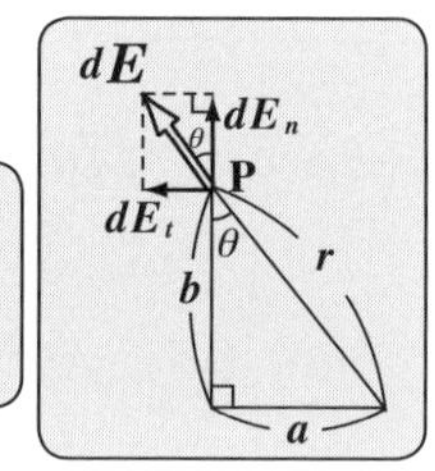

dE_n は，$dE_n=dE\cdot\cos\theta$ より，①を用いて，

$$dE_n=\frac{1}{4\pi\varepsilon_0}\cdot\frac{\sigma\Delta a}{r^2}\cos\theta dl\quad\cdots\cdots②$$

$$\left(\cos\theta=\frac{b}{r}=\frac{b}{\sqrt{a^2+b^2}}\right)$$

これを l で 1 周接線線積分したものが，点 P における電場の大きさ E となるので，

$$E = \oint \underbrace{\frac{\sigma \Delta a \cdot \cos\theta}{4\pi\varepsilon_0 r^2}}_{\text{定数}} dl = \frac{\sigma\Delta a}{4\pi\varepsilon_0 \underbrace{r^2}_{a^2+b^2}} \underbrace{\cos\theta}_{\frac{b}{\sqrt{a^2+b^2}}} \underbrace{\oint dl}_{2\pi a}$$

$$= \frac{2\pi a \cdot \sigma\Delta a \cdot b}{4\pi\varepsilon_0 (a^2+b^2)^{\frac{3}{2}}}$$

$\therefore E = \dfrac{ab\sigma\Delta a}{2\varepsilon_0 (a^2+b^2)^{\frac{3}{2}}}$ となる。 ……………………………………………………(答)

演習問題 17 ● 無限に広い平板が作る電場 ●

無限に広い平板に一様な面密度 $\sigma(\mathrm{C/m^2})$ で電荷が分布しているとき，この平板によってできる電場の大きさ E を演習問題 **16** の結果を用いて求めよ。

ヒント！ 演習問題 **16** の結果 $E=\dfrac{ab\sigma\Delta a}{2\varepsilon_0(a^2+b^2)^{\frac{3}{2}}}$ の a を，今回は変数と見，$\Delta a \to da$ として a について 0 から ∞ まで積分すればいいんだね。

解答＆解説

無限に広い平面上に点 **O** をとり，**O** を中心とする半径 a，微小幅 Δa の円環を考える。この円環には一様な面密度 $\sigma(\mathrm{C/m^2})$ の電荷が分布している。右図のように，円環の中心 **O** を原点として平面に垂直な x 軸を設定したとき，この円環が **O** から b だけ離れた x 軸上の点 **P** につくる電場の大きさを ΔE とおくと，この ΔE は，

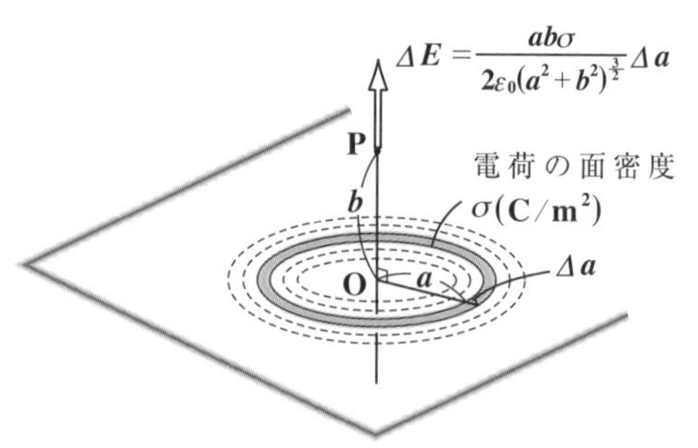

$$\Delta E=\frac{ab\sigma}{2\varepsilon_0(a^2+b^2)^{\frac{3}{2}}}\Delta a \quad \cdots\cdots ①$$ となる。 ← 演習問題 **16** より

平板を，このような **O** を中心とする無数の円環の集合とみると，この平板が点 **P** に作る電場の大きさ E は①の ΔE を半径 a について，区間 $[0,\infty)$ で積分したものになる。

$$\therefore E=\int_0^\infty \frac{ab\sigma}{2\varepsilon_0(a^2+b^2)^{\frac{3}{2}}}da=\frac{b\sigma}{2\varepsilon_0}\int_0^\infty \frac{a}{(a^2+b^2)^{\frac{3}{2}}}da$$

$$=\lim_{c\to\infty}\frac{b\sigma}{2\varepsilon_0}\int_0^c \frac{a}{(a^2+b^2)^{\frac{3}{2}}}da$$

$$=\lim_{c\to\infty}\frac{b\sigma}{2\varepsilon_0}\left[-\frac{1}{\sqrt{a^2+b^2}}\right]_0^c$$

$\because \left\{-(a^2+b^2)^{-\frac{1}{2}}\right\}'$
$=\dfrac{1}{2}\cdot(a^2+b^2)^{-\frac{3}{2}}\cdot 2a$
$=\dfrac{a}{(a^2+b^2)^{\frac{3}{2}}}$
だからだね。

$$= \lim_{c \to \infty} \frac{b\sigma}{2\varepsilon_0}\left(-\frac{1}{\sqrt{c^2+b^2}} + \frac{1}{\sqrt{0^2+b^2}}\right) = \frac{b\sigma}{2\varepsilon_0} \cdot \frac{1}{b} = \frac{\sigma}{2\varepsilon_0}$$

（$c^2 \to \infty$ より第1項 $\to 0$）

$\therefore E = \dfrac{\sigma}{2\varepsilon_0}$ (N/C) となる。 ……………………………………(答)

この問題を，ガウスの法則を用いて解いてみよう。

別解

右図に示すように，面密度 σ(C/m^2) で帯電した平板から面積 S の円を取り，これを左右に等しい距離だけ伸ばした円柱面 (閉曲面) について考える。この円柱面の内部の電荷を Q とおくと，

$Q =$ (ア) (C) となる。

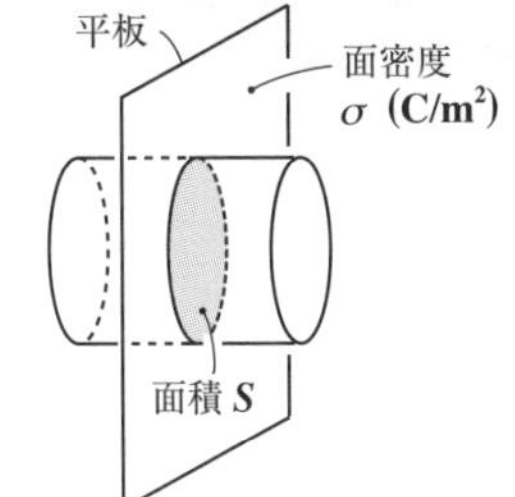

また，この円柱面から出てくる電場 E は左右の円のみに存在し，一定の大きさで，かつ円に対して (イ) な向きをとる。

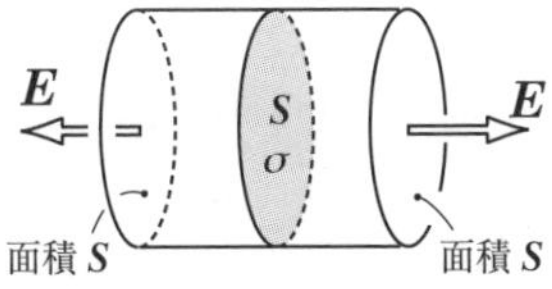

ここでは無限に広い平板を考えているので，円柱の側面に垂直な方向の電場の成分 (E_n) に対しては，必ずそれを打ち消す成分 ($-E_n$) が存在する。

よって，円柱の側面から出てくる電場は存在しない。

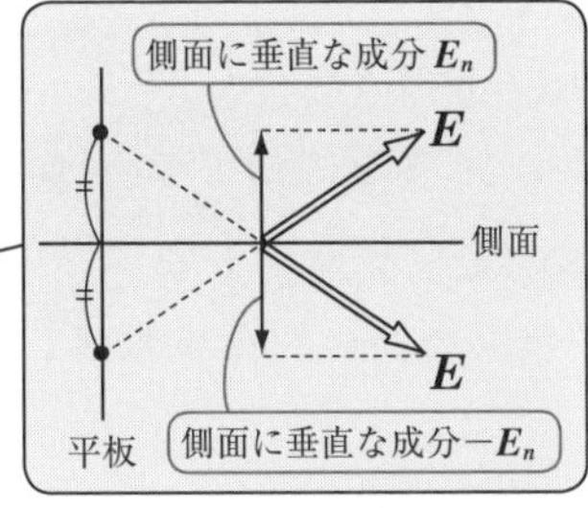

以上より，この閉曲面にガウスの法則を用いると， (ウ)

$\therefore E = \dfrac{\sigma}{2\varepsilon_0}$(N/C) となる。……(答)

閉曲面 (円柱の左右の円と側面) から出る電場が面に対して垂直で，かつ一定ならばガウスの法則の左辺の面積分は不要で，(面積)×(電場の大きさ) でよい。

解答　(ア) σS　(イ) 垂直　(ウ) $2S \cdot E = \dfrac{\sigma S}{\varepsilon_0}$

演習問題 18　●円柱面に分布する電荷が作る電場●

半径 a の無限に長い円筒 C の表面に，面密度 $\sigma(\mathrm{C/m^2})$ の電荷が一様に分布している。円筒 C の内・外部は真空として，C の中心軸から距離 r における電場 $E(r)$ を，ガウスの法則を用いて求めよ。

ヒント！ 円柱の表面に一様に電荷が分布するので，電場はガウスの法則を使って簡単に求まる。中心軸を共有する高さ l，半径 r の円筒面を作って求めよう。

解答＆解説

帯電した円筒 C の中心軸を軸とする高さ l，半径 r の円筒面(閉曲面)を作り，これにガウスの法則を適用する。

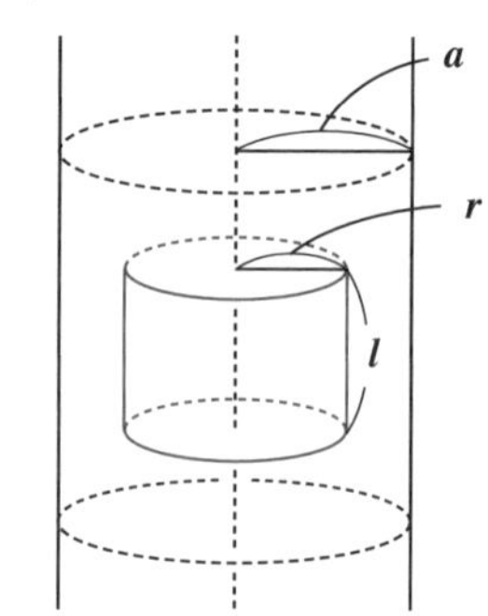

(ii) $a < r$ のとき

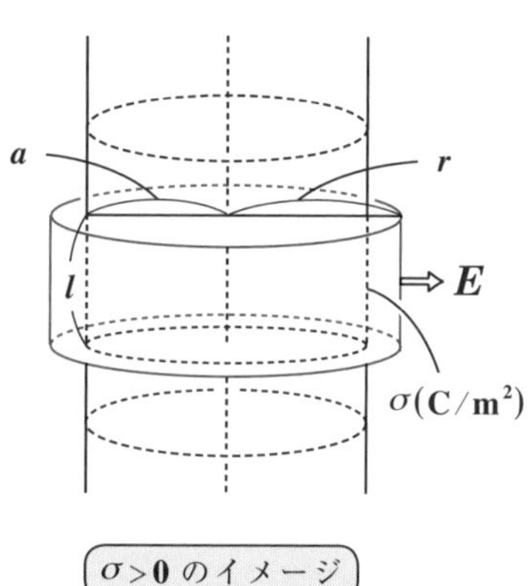

$\sigma > 0$ のイメージ

(i) $0 \leqq r \leqq a$ のとき，

半径 r，高さ l の円筒面の内部には電荷は存在しないので，ガウスの法則より，

$$\underbrace{2\pi rl}_{S} \cdot E(r) = \frac{\overbrace{0}^{\text{円筒面内の全電荷 }Q}}{\varepsilon_0}$$

∴電場 $E(r) = 0\,(\mathrm{N/C})$ ……………(答)

(ii) $a < r$ のとき，

無限に伸びる円筒 C の表面に電荷が一様に分布しているので，半径 r，高さ l の円筒面の側面に垂直に，大きさ一定の電場 E が出ていると考えてよい。よって，この円筒面の内部には，$2\pi al \cdot \sigma$ の電荷が存在するので，ガウスの法則より，

$$\underbrace{2\pi rl}_{S} \cdot E(r) = \frac{\overbrace{2\pi al\sigma}^{\text{円筒面内の全電荷 }Q}}{\varepsilon_0}$$

∴電場 $E(r) = \dfrac{a\sigma}{\varepsilon_0} \cdot \dfrac{1}{r}\,(\mathrm{N/C})$ …(答)

演習問題 19 ● 無限直線に分布する電荷が作る電場 ●

無限に伸びる直線に一様な線密度 $\delta = 10^{-9}$(C/m) で電荷が分布しているとき，この直線から垂直に r だけ離れた点における電場の大きさ E を，ガウスの法則を用いて求めよ。

ヒント！ 無限に伸びる直線状に一様に電荷が分布するので，周りの空間における電場は直線と垂直になる。直線を中心軸とする円柱面(閉曲面)にガウスの法則を使う。

解答＆解説

右図に示すように，線密度 $\delta = 10^{-9}$(C/m) で帯電した無限に伸びる直線を軸とし，高さ l，半径 r の円柱面(閉曲面)について考える。この円柱面の内部の電荷を Q とおくと，$Q =$ (ア) (C) となる。この直線は無限に伸びるので，円柱面の上下の円と垂直な電場の成分は (イ) 。よって，円柱面の上下の円上の電場は円と平行になる。そして，円柱の側面からのみ，この側面に (ウ) ，かつ一定の (エ) の電場 E が出ている。以上より，ガウスの法則を用いると，

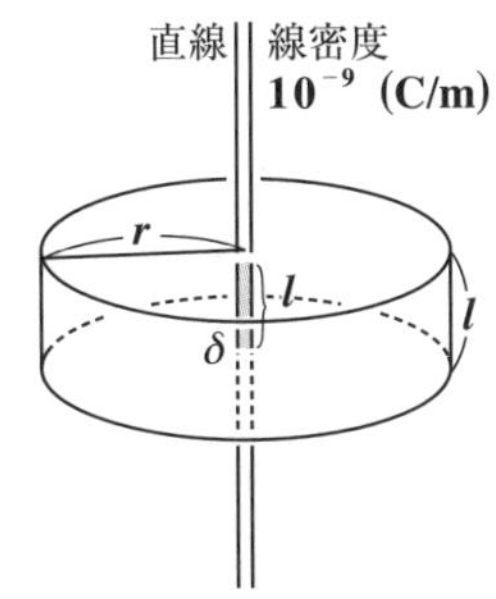

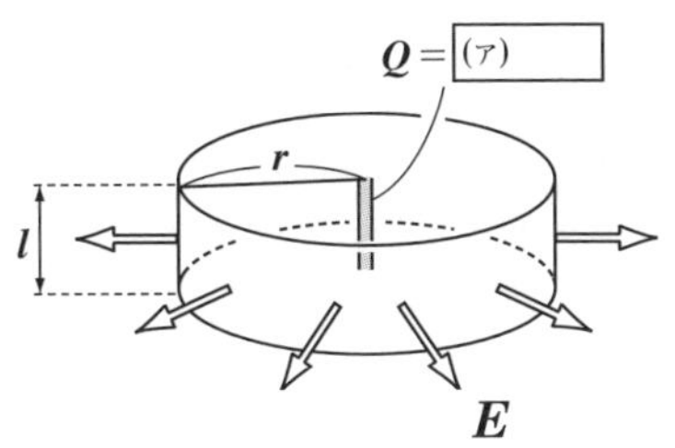

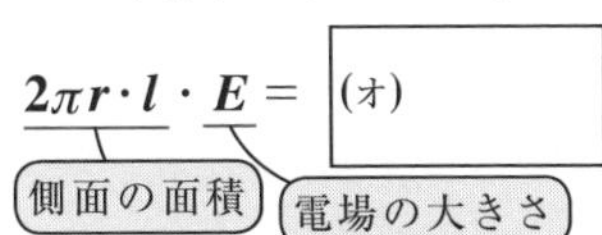

よって，直線から r の距離で軸から放射状に出ている電場の大きさ E は，

$$E = \frac{10^{-9}}{2\pi\varepsilon_0 r}$$ (N/C) となる。 ……………………………(答)

（10^{-9} は δ）

解答 (ア) $10^{-9}l$ (イ) 打ち消される (ウ) 垂直 (エ) 大きさ(または，強さ) (オ) $\frac{10^{-9}l}{\varepsilon_0}$

演習問題 20　●ガウスの法則の証明●

真空中に領域 V を考え，この表面(閉曲面)を S とおく。領域 V の内部に点電荷 $Q(\mathrm{C})$ $(Q>0)$ が含まれるとき，これが表面 S 上に作る電場を $\boldsymbol{E}$ とすると，次式が成り立つことを示せ。

$$\iint_S \boldsymbol{E}\cdot\boldsymbol{n}\,dS=\frac{Q}{\varepsilon_0}\ \cdots\cdots(*)\qquad(\text{ガウスの法則})$$

(ただし，$\boldsymbol{n}$：S の内側から外側へ向かう単位法線ベクトル，ε_0：真空の誘電率)

ヒント！ ガウスの法則を数学的に証明してみよう。S 上の微小な面積要素 dS を考え，点電荷 Q から dS に向かうベクトルを $\boldsymbol{r}$(大きさ r)，dS における電場 $\boldsymbol{E}(\boldsymbol{r})$，その大きさを $E(\boldsymbol{r})$ とおくと，$E(\boldsymbol{r})=\dfrac{1}{4\pi\varepsilon_0}\cdot\dfrac{Q}{r^2}$。$\boldsymbol{r}$ に垂直な平面への dS の正射影を dS' とおくと，$dS'=dS\cdot\cos\theta$ となる。(ただし，θ：$\boldsymbol{E}$ と $\boldsymbol{n}$ のなす角)　よって，$\boldsymbol{E}\cdot\boldsymbol{n}dS=E\cdot dS\cdot\cos\theta=\dfrac{Q}{4\pi\varepsilon_0}\cdot\dfrac{dS'}{r^2}$。ここで，$Q$ を頂点，底面積を dS'，高さを r とする錐体を考え，これが，Q を中心とする半径 1 の単位球面 S_1 から切り取る部分の面積を $d\Omega$ とおくと，頂点を Q とする底面積 dS' の錐体と，底面積 $d\Omega$ の錐体は相似で，相似比は $r:1$ だね。

解答＆解説

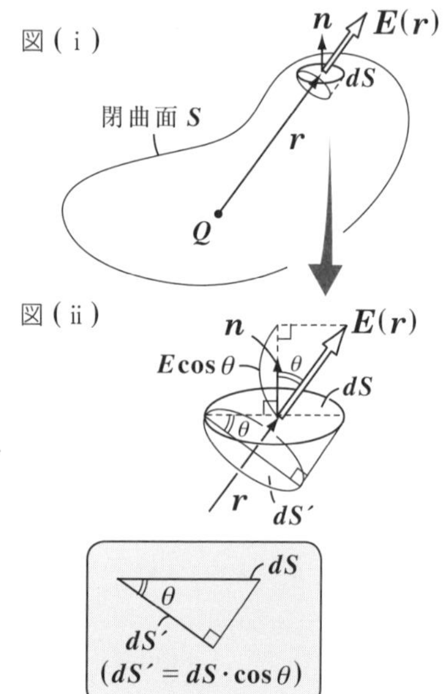

図(i)に示すように，点電荷 Q から S 上の面積要素 dS へ向かうベクトルを $\boldsymbol{r}$ とおく。$(r=\|\boldsymbol{r}\|)$

dS 上に出来る電場を $\boldsymbol{E}(\boldsymbol{r})$ とおくと，

$$\boldsymbol{E}(\boldsymbol{r})=\frac{1}{4\pi\varepsilon_0}\cdot\frac{Q}{r^2}\boldsymbol{e}\quad(\boldsymbol{e}=\boldsymbol{r}/r)$$

となる。

$\boldsymbol{E}(\boldsymbol{r})$ の大きさ $E(\boldsymbol{r})$ は，

$$E(\boldsymbol{r})=\frac{1}{4\pi\varepsilon_0}\cdot\frac{Q}{r^2}\ \cdots①\quad(\because\|\boldsymbol{e}\|=1)$$

$\boldsymbol{E}(\boldsymbol{r})$ と，dS 上の単位法線ベクトル $\boldsymbol{n}$ とのなす角を θ とおくと，

$$\boldsymbol{E}\cdot\boldsymbol{n}dS = E\cdot \underbrace{dS\cdot\cos\theta}_{dS'} = \frac{Q}{4\pi\varepsilon_0}\cdot\frac{dS\cdot\cos\theta}{r^2} \quad \cdots\cdots ② \quad (\because ①より)$$

（$\boldsymbol{E}\cdot\boldsymbol{n} = E\cos\theta$, $E = \frac{Q}{4\pi\varepsilon_0}\cdot\frac{1}{r^2}$（①より））

ここで，図(ii)に示すように，面積要素 dS の $\boldsymbol{r}$ に垂直な平面への正射影を dS' とおくと，

$dS' = dS\cdot\cos\theta$ ……③　　③を②に代入して，

$\boldsymbol{E}\cdot\boldsymbol{n}dS = \frac{Q}{4\pi\varepsilon_0}\cdot\frac{dS'}{r^2}$　　これを S 全体に渡って面積分すると，

$$\iint_S \boldsymbol{E}\cdot\boldsymbol{n}dS = \frac{Q}{4\pi\varepsilon_0}\iint_S \frac{dS'}{r^2} \quad \cdots\cdots ④$$

ここで，dS' を底面積，Q を頂点とする直錐体が，Q を中心とする半径 1 の球面 S_1 から切り取る部分の面積を $d\Omega$ とおくと，底面積 dS'，高さ r，頂点 Q の直錐体と，底面積 $d\Omega$，高さ 1，頂点 Q の直錐体とは相似で，相似比は $r:1$ となる。

$\therefore dS' : d\Omega = r^2 : 1^2$ より，

$dS' = r^2 d\Omega \quad \therefore \frac{dS'}{r^2} = d\Omega$ …⑤

⑤より，$\frac{dS'}{r^2}\,(= d\Omega)$ を閉曲面 S 全体に渡って面積分したものは，$d\Omega$ を単位球面 S_1 全体に渡って面積分した値 $4\pi\cdot 1^2 = 4\pi$ に等しいので，

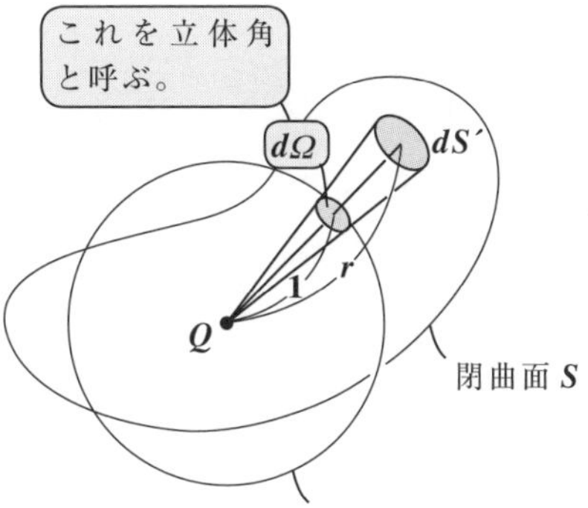

$$\iint_S \frac{dS'}{r^2} = \iint_{S_1} d\Omega = 4\pi\cdot 1^2 = 4\pi \quad \cdots ⑥$$

⑥を④に代入して，

$$\iint_S \boldsymbol{E}\cdot\boldsymbol{n}dS = \frac{Q}{4\pi\varepsilon_0}\cdot 4\pi = \frac{Q}{\varepsilon_0} \qquad \therefore \iint_S \boldsymbol{E}\cdot\boldsymbol{n}dS = \frac{Q}{\varepsilon_0} \cdots\cdots (*) \text{ を得る。}$$

同様にして，$Q<0$ のときも $(*)$ は成り立つ。さらに，閉曲面 S の内部に複数の点電荷 $Q_1, Q_2, \cdots, Q_n$ が存在する場合，Q_i が dS に作る電場を $\boldsymbol{E}_i$ とすると $(i=1, 2, \cdots, n)$，$Q = Q_1 + Q_2 + \cdots + Q_n$，$\boldsymbol{E} = \boldsymbol{E}_1 + \boldsymbol{E}_2 + \cdots + \boldsymbol{E}_n$ として，やはり $(*)$ は成り立つ。

……(終)

演習問題 21　●真空中のマクスウェルの方程式（I）の導出●

静電場のクーロンの法則：$\boldsymbol{f}=\dfrac{1}{4\pi\varepsilon_0}\cdot\dfrac{qQ}{r^2}\boldsymbol{e}$　$\left(\text{ただし，}\boldsymbol{e}=\dfrac{\boldsymbol{r}}{r}\right)$より，
マクスウェルの方程式（I）：$\mathrm{div}\boldsymbol{D}=\rho$ …（＊1）（電束密度 $\boldsymbol{D}=\varepsilon_0\boldsymbol{E}$，
ρ: 電荷の体積密度）を導け。（$Q>0$，$\boldsymbol{r}$：Q から q に向かうベクトルとする。）

ヒント！ まず，電場でクーロン力を表し，それをガウスの法則の形に変形する。これを，球面から流出・流入する水量と内部の湧き出し量のモデルと対比させて考える。さらに，この考えを，一般の閉曲面 S に適用し，ガウスの法則：$\iint_S \boldsymbol{E}\cdot\boldsymbol{n}dS=\dfrac{Q}{\varepsilon_0}$ を導く。そして，これにガウスの発散定理：
$\iiint_V \mathrm{div}\boldsymbol{E}dV=\iint_S \boldsymbol{E}\cdot\boldsymbol{n}dS$ を用いれば，マクスウェルの方程式：
$\mathrm{div}\boldsymbol{D}=\rho$ …（＊1）が導けるんだね。

解答＆解説

点電荷 Q が，$r(=\|\boldsymbol{r}\|)$ だけ離れた点電荷 q に及ぼすクーロン力 $\boldsymbol{f}$ は，

$\boldsymbol{f}=\dfrac{1}{4\pi\varepsilon_0}\cdot\dfrac{qQ}{r^2}\boldsymbol{e}$ …①　$\left(\boldsymbol{e}=\dfrac{\boldsymbol{r}}{r}\right)$ である。これを変形して，

$\boldsymbol{f}=q\cdot\underbrace{\dfrac{1}{4\pi\varepsilon_0}\cdot\dfrac{Q}{r^2}\boldsymbol{e}}_{\text{電場 }\boldsymbol{E}}$　ここで，$\boldsymbol{E}=\dfrac{1}{4\pi\varepsilon_0}\cdot\dfrac{Q}{r^2}\boldsymbol{e}$ …②とおくと，$\boldsymbol{f}=q\boldsymbol{E}$ となる。

この $\boldsymbol{E}$ は，点電荷 Q が，周りの空間に作る電場である。②の両辺の大きさをとって，電場の大きさ $E(=\|\boldsymbol{E}\|)$ は，

$E=$ （ア）＿＿＿＿ …③となる。（$\|\boldsymbol{e}\|=1$ より）

③の右辺の $\dfrac{Q}{4\pi\varepsilon_0}$ は定数だから，電場の大きさ E は，球対称に，点電荷 Q から離れるに従って，r^2 に逆比例して小さくなっていくのが分かる。
ここで，③の両辺に $4\pi r^2$（半径 r の球の表面積）をかけて，（イ）＿＿＿＿ …④となる。
④が表すイメージを図 1 に示す。

図 1　ガウスの法則の雛型
$4\pi r^2\cdot E=\dfrac{Q}{\varepsilon_0}$

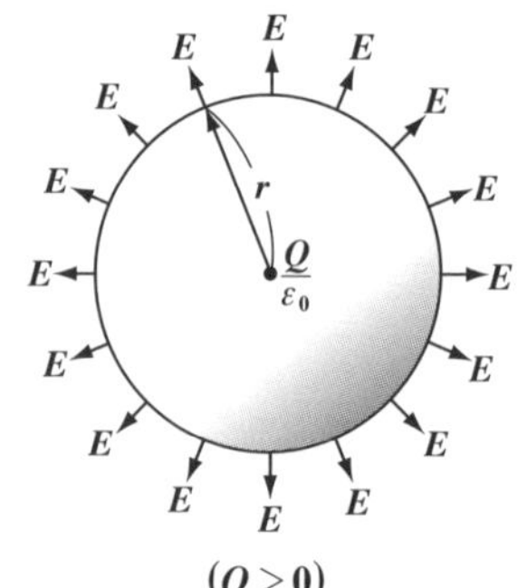

④式を，次のような水の湧き出しモデル：

$\left\{\begin{array}{l}\cdot\dfrac{Q}{\varepsilon_0}\text{を単位時間当たりの水の湧き出し量}\\ \cdot\boldsymbol{E}\text{を球面から流出する単位面積当たりの水の流出速度}\end{array}\right.$ と考え，

この球の表面積を $S(=4\pi r^2)$ とおけば，④は，

(ウ) ……⑤となる。

ここで，⑤を一般化してみよう。

$\dfrac{Q}{\varepsilon_0}$ を囲むのは球面ではなくて，図2(ⅰ)に示すように任意の閉曲面でもよい。このとき，S から出ている電場 $\boldsymbol{E}$ の大きさは一定でもなければ，S に対して垂直であるとも限らない。

図2 ガウスの法則(Ⅰ)

(ⅰ)

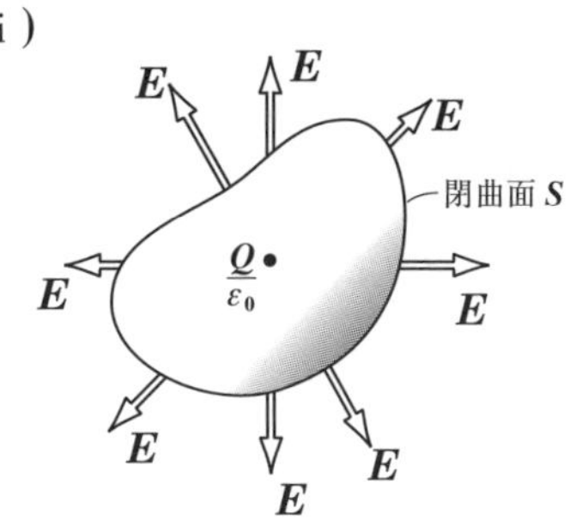

(ⅱ)

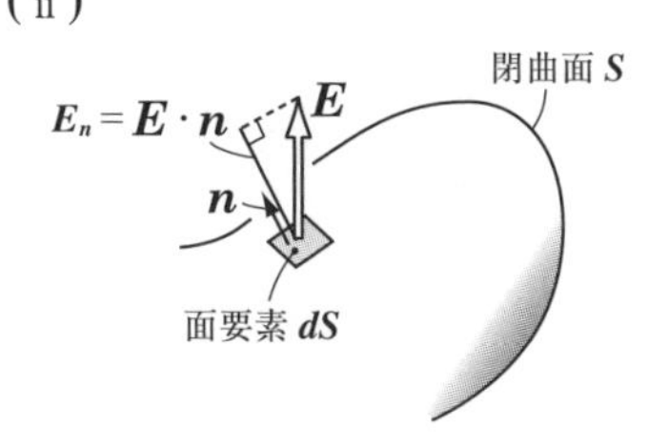

よって，図2(ⅱ)に示すように，S 上の微小な面積要素 dS を考え，これと垂直な単位法線ベクトルを $\boldsymbol{n}$ とおくと，$\boldsymbol{E}$ の $\boldsymbol{n}$ 方向の成分 $\underline{\boldsymbol{E}\cdot\boldsymbol{n}}$ に dS をかけた $\boldsymbol{E}\cdot\boldsymbol{n}dS$

（dS と垂直な向きの実質的な水の (エ) 当たりの流出速度とみる。）

が面積要素 dS を通って内から外へ流出する電場となる。

これを，全閉曲面 S にわたって面積分したもの，すなわち，$\iint_S \boldsymbol{E}\cdot\boldsymbol{n}dS$ が閉曲面 S を通って流出する電場の総量になる。そして，これは内部の湧き出し量 (オ) に等しい。

よって，$SE=\dfrac{Q}{\varepsilon_0}$ ……⑤を任意の閉曲面 S に拡張したガウスの法則：

(カ) …(＊)を得る。ここで，$E_n=\boldsymbol{E}\cdot\boldsymbol{n}$ とおき，これが一定とすれば，(＊)の左辺 $=\underbrace{E_n}_{\text{定数}}\underbrace{\iint_S dS}_{S}=\underbrace{S}_{\text{表面積}}\cdot E_n$ となって，⑤と同様の式になる。

$(*)$ の右辺 $\boldsymbol{Q}$ について，図 **3**(ⅰ) に示すように，閉曲面 $\boldsymbol{S}$ の内部に複数の点電荷 $\boldsymbol{Q}_1$，$\boldsymbol{Q}_2$，……，$\boldsymbol{Q}_n$ が存在する場合，

$$\boldsymbol{Q} = \boldsymbol{Q}_1 + \boldsymbol{Q}_2 + \cdots\cdots + \boldsymbol{Q}_n$$

とおいても，$(*)$ は成り立つ。

また，図 **3**(ⅱ) に示すように，閉曲面 $\boldsymbol{S}$ の内部の領域 $\boldsymbol{V'}$ に体積密度 $\rho(\mathbf{C/m^3})$ で分布する電荷 $\boldsymbol{Q}$，すなわち

$\boldsymbol{Q} = \iiint_{V'} \rho\, d\boldsymbol{V'}$ が存在する場合も，ガウスの法則 $(*)$ は成り立つ。

次に，ガウスの法則

$$\iint_S \boldsymbol{E} \cdot \boldsymbol{n}\, d\boldsymbol{S} = \frac{\boldsymbol{Q}}{\varepsilon_0} \quad \cdots\cdots(*)$$

の左辺に，ガウスの発散定理：

$\iint_S \boldsymbol{E} \cdot \boldsymbol{n}\, d\boldsymbol{S} =$ (キ)

を代入すると，

(キ) $= \dfrac{\boldsymbol{Q}}{\varepsilon_0} \cdots ⑥$ となる。

これは，閉曲面 $\boldsymbol{S}$ が囲む領域 $\boldsymbol{V}$ 全体にわたっての体積積分となる。ここで，図 **4** に示すように，この領域内の微小な体積 $\boldsymbol{\Delta V}$ に，このガウスの法則を適用して考えると，この $\boldsymbol{\Delta V}$ の内部に含まれる電荷を $\boldsymbol{\Delta Q}$ とおけば，⑥式は，次のように書き換えられる。

(ク)

図 **3** ガウスの法則 (Ⅱ)

(ⅰ) $\boldsymbol{Q} = \boldsymbol{Q}_1 + \boldsymbol{Q}_2 + \cdots + \boldsymbol{Q}_n$

閉曲面 S

Q_1　Q_2　Q_n

(ⅱ) $\boldsymbol{Q} = \iiint_{V'} \rho\, d\boldsymbol{V'}$

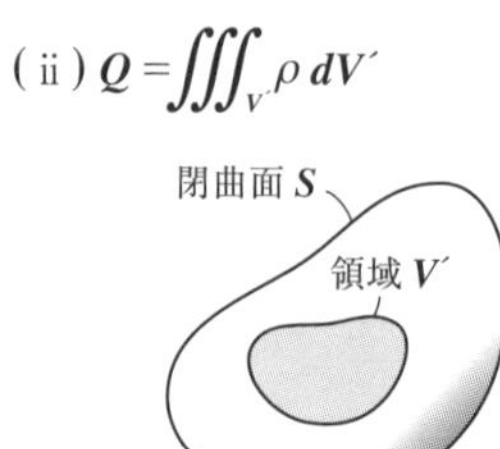

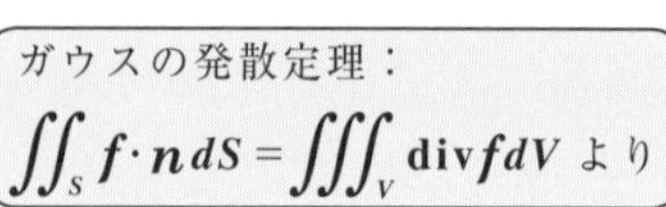
ガウスの発散定理：

$\iint_S \boldsymbol{f} \cdot \boldsymbol{n}\, dS = \iiint_V \mathbf{div} \boldsymbol{f}\, dV$ より

図 **4** マクスウェルの方程式

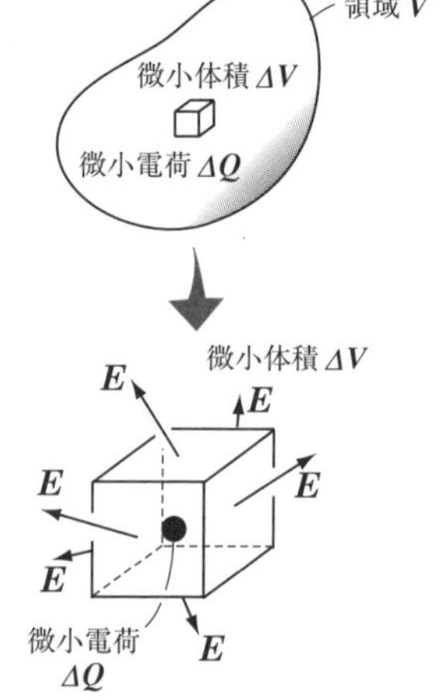

この両辺を $\Delta V(>0)$ で割って,

$$\mathrm{div}\boldsymbol{E} = \frac{1}{\varepsilon_0}\cdot\frac{\Delta Q}{\Delta V}$$

微小領域における電荷の体積密度 ρ のこと

ここで, $\frac{\Delta Q}{\Delta V} = \rho$ (電荷の体積密度) とおくと,

(ケ) …(∗1)′ が導ける。

これをマクスウェルの方程式と呼んでもいい。

(∗1)′ をさらに簡潔に表現するために, 電束密度 $\boldsymbol{D} = \varepsilon_0\boldsymbol{E}$ を定義しよう。

$f = qE$ より,
$E = \frac{f}{q}$ (N/C)
これと ε_0 (C^2/Nm^2) より,
$D = \varepsilon_0 E$ (C^2/m^2) となる。

すると, (∗1)′ の両辺に ε_0 をかけて,

$$\varepsilon_0\cdot\mathrm{div}\boldsymbol{E} = \rho \qquad \mathrm{div}(\underbrace{\varepsilon_0\boldsymbol{E}}_{\boldsymbol{D}}) = \rho$$

これより, マクスウェルの方程式 (Ⅱ):

$\mathrm{div}\boldsymbol{D} = \rho$ ……(∗1) が導かれる。 ……………………………………………(終)

$\boldsymbol{E} = [E_1, E_2, E_3]$, $\boldsymbol{D} = [D_1, D_2, D_3]$ とおくと, $\boldsymbol{D} = \varepsilon_0\boldsymbol{E}$ から,

$$[D_1, D_2, D_3] = \varepsilon_0[E_1, E_2, E_3] = [\varepsilon_0 E_1, \varepsilon_0 E_2, \varepsilon_0 E_3]$$

よって,

$$\varepsilon_0\mathrm{div}\boldsymbol{E} = \underbrace{\varepsilon_0}_{\text{定数}}\left(\frac{\partial E_1}{\partial x} + \frac{\partial E_2}{\partial y} + \frac{\partial E_3}{\partial z}\right) = \underbrace{\frac{\partial(\varepsilon_0 E_1)}{\partial x} + \frac{\partial(\varepsilon_0 E_2)}{\partial y} + \frac{\partial(\varepsilon_0 E_3)}{\partial z}}_{\mathrm{div}(\varepsilon_0\boldsymbol{E})}$$

$$= \frac{\partial D_1}{\partial x} + \frac{\partial D_2}{\partial y} + \frac{\partial D_3}{\partial z} = \mathrm{div}\boldsymbol{D}$$ となる。

$Q < 0$ の場合でも, 同様にして, (∗1) は成り立つ

解答 (ア) $\frac{1}{4\pi r^2}\cdot\frac{Q}{\varepsilon_0}$ $\left(\text{または, } \frac{1}{4\pi\varepsilon_0}\cdot\frac{Q}{r^2}\right)$ (イ) $4\pi r^2\cdot E = \frac{Q}{\varepsilon_0}$ (ウ) $S\cdot E = \frac{Q}{\varepsilon_0}$

(エ) 単位面積 (オ) $\frac{Q}{\varepsilon_0}$ (カ) $\iint_S \boldsymbol{E}\cdot\boldsymbol{n}\,dS = \frac{Q}{\varepsilon_0}$

(キ) $\iiint_V \mathrm{div}\boldsymbol{E}\,dV$ (ク) $\mathrm{div}\boldsymbol{E}\cdot\Delta V = \frac{\Delta Q}{\varepsilon_0}$ (ケ) $\mathrm{div}\boldsymbol{E} = \frac{\rho}{\varepsilon_0}$

演習問題 22　● 電位の偏微分と全微分 ●

xy 平面上に電位 $\phi(x,\ y)=\dfrac{1}{x^2+y^2}$ $((x,\ y)\neq(0,\ 0))$ が与えられているとき，

(1) 偏微分 $\phi_x=\dfrac{\partial\phi}{\partial x}$，$\phi_y=\dfrac{\partial\phi}{\partial y}$ を求めよ。

(2) $\phi_{xy}=\phi_{yx}$ を確かめよ。

(3) $(x,\ y)=(1,\ 2)$ のとき，電位 ϕ の全微分 $d\phi=\dfrac{\partial\phi}{\partial x}dx+\dfrac{\partial\phi}{\partial y}dy$ を求めよ。

ヒント！ 平面と空間のスカラー値関数は多変数関数になるので，多変数関数の微分，すなわち偏微分をマスターしておく必要があるんだね。まず，スカラー値関数の偏微分について例で解説しておこう。

(ex) 2 変数スカラー値関数 $f(x,\ y)=3x^2y$ について，

・x での偏微分 $\dfrac{\partial f}{\partial x}$（または f_x）は，x^2 に着目して，$3y$ は定数とみなして x で微分する。

よって，$f_x=\dfrac{\partial f}{\partial x}=\dfrac{\partial}{\partial x}(3x^2y)=3y\cdot 2x=6xy$ となる。（3, y：定数扱い）

・y での偏微分 $\dfrac{\partial f}{\partial y}$（または f_y）は，同様に，

$f_y=\dfrac{\partial f}{\partial y}=\dfrac{\partial}{\partial y}(3x^2y)=3x^2\cdot 1=3x^2$ となる。（$3x^2$：定数扱い）

また，2 変数スカラー値関数 $f(x,\ y)$ が全微分可能のとき，

$df=\dfrac{\partial f}{\partial x}dx+\dfrac{\partial f}{\partial y}dy$ が成り立ち，これを全微分という。

3 変数スカラー値関数 $f(x,\ y,\ z)$ が全微分可能のとき，

$df=\dfrac{\partial f}{\partial x}dx+\dfrac{\partial f}{\partial y}dy+\dfrac{\partial f}{\partial z}dz$ が成り立ち，これも全微分という。

解答＆解説

(1) ・$\phi_x = \dfrac{\partial \phi}{\partial x} = \dfrac{\partial}{\partial x}\{(x^2+y^2)^{-1}\} = \dfrac{\partial u}{\partial x} \cdot \dfrac{du^{-1}}{du}$ ← 合成関数の偏微分

x^2+y^2：u とおく　$\dfrac{\partial u}{\partial x} = (x^2+y^2)_x = 2x$　$\dfrac{du^{-1}}{du} = -1 \cdot u^{-2} = -(x^2+y^2)^{-2}$

$= 2x \cdot \left\{-\dfrac{1}{(x^2+y^2)^2}\right\} = -\dfrac{2x}{(x^2+y^2)^2}$ となる。……………………(答)

・$\phi_y = \dfrac{\partial \phi}{\partial y} = \dfrac{\partial}{\partial y}\{(x^2+y^2)^{-1}\} = \dfrac{\partial u}{\partial y} \cdot \dfrac{du^{-1}}{du}$

x^2+y^2：u とおく　$\dfrac{\partial u}{\partial y} = (x^2+y^2)_y = 2y$　$\dfrac{du^{-1}}{du} = -1 \cdot u^{-2} = -(x^2+y^2)^{-2}$

$= 2y \cdot \left\{-\dfrac{1}{(x^2+y^2)^2}\right\} = -\dfrac{2y}{(x^2+y^2)^2}$ ……………………………(答)

(2) ・$\phi_{xy} = \dfrac{\partial}{\partial y}\left(\dfrac{\partial \phi}{\partial x}\right) = \dfrac{\partial}{\partial y}\{-2x(x^2+y^2)^{-2}\} = -2x \cdot \dfrac{\partial u}{\partial y} \cdot \dfrac{du^{-2}}{du}$

$-2x$：定数扱い　x^2+y^2：u とおく　$\dfrac{\partial u}{\partial y} = 2y$　$\dfrac{du^{-2}}{du} = -2 \cdot u^{-3} = -2(x^2+y^2)^{-3}$

$= -2x \cdot 2y \cdot (-2)(x^2+y^2)^{-3} = \dfrac{8xy}{(x^2+y^2)^3}$ ……①

・$\phi_{yx} = \dfrac{\partial}{\partial x}\left(\dfrac{\partial \phi}{\partial y}\right) = \dfrac{\partial}{\partial x}\{-2y(x^2+y^2)^{-2}\} = -2y \cdot \dfrac{\partial u}{\partial x} \cdot \dfrac{du^{-2}}{du}$

$-2y$：定数扱い　x^2+y^2：u とおく　$\dfrac{\partial u}{\partial x} = 2x$　$\dfrac{du^{-2}}{du} = -2 \cdot u^{-3} = -2(x^2+y^2)^{-3}$

$= -2y \cdot 2x \cdot (-2)(x^2+y^2)^{-3} = \dfrac{8xy}{(x^2+y^2)^3}$ ……②

①，②より，$\phi_{xy} = \phi_{yx}$ は成り立つ。…………(終) ← シュワルツの定理：f_{xy}，f_{yx} が共に連続ならば，$f_{xy} = f_{yx}$ が成り立つ。

(3) 点 $(1,\ 2)$ における $\phi(x,\ y) = (x^2+y^2)^{-1}$ の全微分 $d\phi$ は，

$$d\phi = \frac{\partial \phi}{\partial x}dx + \frac{\partial \phi}{\partial y}dy = -\frac{2 \cdot 1}{(1^2+2^2)^2}dx - \frac{2 \cdot 2}{(1^2+2^2)^2}dy = -\frac{2}{25}dx - \frac{4}{25}dy$$

……(答)

$\dfrac{\partial \phi}{\partial x}$：$\phi_x = -\dfrac{2x}{(x^2+y^2)^2}$ に $x=1$，$y=2$ を代入

$\dfrac{\partial \phi}{\partial y}$：$\phi_y = -\dfrac{2y}{(x^2+y^2)^2}$ に $x=1$，$y=2$ を代入

演習問題 23　● $\boldsymbol{E}=-\mathbf{grad}\phi$, $\mathbf{rot}\boldsymbol{E}=\mathbf{0}$ の導出 ●

空間の点 $\mathbf{P}$ における電位 $\phi(\mathbf{P})$ は，単位電荷 $\mathbf{1(C)}$ を基準点から $\mathbf{P}$ の位置までゆっくりと運んでくる仕事に等しい。点 $\mathbf{P}$ の位置ベクトルを $\boldsymbol{r}$ とおくと，$\phi(\mathbf{P})=\phi(\boldsymbol{r})$ と表してもよい。この電位 $\phi(\boldsymbol{r})$ の物理的な定義から，静電場 $\boldsymbol{E}$ と電位 ϕ の関係式：$\boldsymbol{E}=-\nabla\phi=-\mathbf{grad}\phi$ …(＊1) を導け。また，静電場が“渦なし”であることを示す $\mathbf{rot}\boldsymbol{E}=\mathbf{0}$ …(＊2) を導け。($\phi(\boldsymbol{r})$ は全微分可能な関数とする。)

ヒント！ (＊1) について，(i) まず，電位 ϕ は全微分可能な関数より，全微分可能の定義式：$d\phi=\phi(\boldsymbol{r}+d\boldsymbol{r})-\phi(\boldsymbol{r})=\frac{\partial\phi}{\partial x}dx+\frac{\partial\phi}{\partial y}dy+\frac{\partial\phi}{\partial z}dz$ を $\nabla\phi$ と $d\boldsymbol{r}$ の内積として表す。(ii) 次に，$d\phi$ の物理的な定義からこれを $\boldsymbol{E}$ と $d\boldsymbol{r}$ の内積として表した後，(i) と (ii) の結果を比較して導けばいい。
(＊2) については，まず電位 ϕ が位置のみによってきまり，$\mathbf{1(C)}$ を運ぶ途中経路に寄らないことから，閉経路に沿った周回接線線積分 $=0$ を導く。次に，この周回接線線積分に，ストークスの定理：$\iint_S \mathbf{rot}\boldsymbol{f}\cdot\boldsymbol{n}\,dS=\oint_C \boldsymbol{f}\cdot d\boldsymbol{r}$ を適用するんだね。

解答＆解説

(I) まず，$\boldsymbol{E}=-\nabla\phi=-\mathbf{grad}\phi$ …(＊1) を導く。

(i) $\phi(\boldsymbol{r})$ は全微分可能な関数なので，

$$d\phi=\phi(\boldsymbol{r}+d\boldsymbol{r})-\phi(\boldsymbol{r})=\frac{\partial\phi}{\partial x}dx+\frac{\partial\phi}{\partial y}dy+\frac{\partial\phi}{\partial z}dz$$ ← 全微分の定義式より

$$=\left[\frac{\partial\phi}{\partial x},\ \frac{\partial\phi}{\partial y},\ \frac{\partial\phi}{\partial z}\right]\cdot\boxed{(ア)\qquad\qquad}=\nabla\phi\cdot d\boldsymbol{r}\ \cdots①$$ と表せる。

(ii) 一方，$d\phi$ は，静電場 $\boldsymbol{E}$ の中で単位電荷 $\mathbf{1(C)}$ をクーロン力 $\mathbf{1}\cdot\boldsymbol{E}$ に逆らって，微小変位 $d\boldsymbol{r}$ だけゆっくりと運ぶ仕事に等しいので，

$$d\phi=-\mathbf{1}\boldsymbol{E}\cdot d\boldsymbol{r}=-\boldsymbol{E}\cdot d\boldsymbol{r}\ \cdots\cdots②$$ と表せる。

（$\mathbf{1}$：単位電荷）

(i)(ii) より，①と②を比較して，$\nabla\phi\cdot d\boldsymbol{r} = -\boldsymbol{E}\cdot d\boldsymbol{r}$

∴ [(イ)　　　　] より，$\boldsymbol{E} = -\nabla\phi = -\mathbf{grad}\phi$ …(＊1) が導ける。……(終)

(Ⅱ) 次に，$\mathbf{rot}\boldsymbol{E} = \mathbf{0}$ …(＊2) が成り立つことを示す。

図(i)に示すように，電位 ϕ が [(ウ)　　　　] のみによって決まることから，2点 P_1 と P_2 を結ぶ経路 C_1, C_2 によらず，

$$\int_{C_1}\boldsymbol{E}\cdot d\boldsymbol{r} = \int_{C_2}\boldsymbol{E}\cdot d\boldsymbol{r} \quad \cdots\cdots③$$

が成り立つ。この③を変形して，

$$\int_{C_1}\boldsymbol{E}\cdot d\boldsymbol{r} - \underbrace{\int_{C_2}\boldsymbol{E}\cdot d\boldsymbol{r}}_{\int_{-C_2}\boldsymbol{E}\cdot d\boldsymbol{r}} = 0$$

経路 C_2 を逆向きにたどる積分

電位 ϕ が存在するための条件

(i)

経路 C_2　経路 C_1　P_1　P_2

(ii)

経路 C_{-2}　経路 C_1　P_1　P_2

(閉曲線 $C = C_1 + C_{-2}$)

$$\therefore \int_{C_1}\boldsymbol{E}\cdot d\boldsymbol{r} + \int_{-C_2}\boldsymbol{E}\cdot d\boldsymbol{r} = 0 \text{ となる。}$$

この左辺は，図(ii)に示すように，1周まわる周回接線線積分になるので，

[(エ)　　　　] $= 0$ ……④ となる。(ただし，$C = C_1 + C_{-2}$)

④の左辺にストークスの定理：[(エ)　　　　] $= \iint_S \mathbf{rot}\boldsymbol{E}\cdot\boldsymbol{n}\,dS$

を代入して，

$$\iint_S \underbrace{\mathbf{rot}\boldsymbol{E}}_{0}\cdot\boldsymbol{n}\,dS = 0 \quad \cdots\cdots④'$$

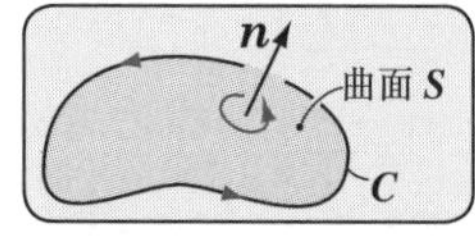

と変形できる。よって，④′の左辺が恒等的に0となるための条件より，

$\mathbf{rot}\boldsymbol{E} = \mathbf{0}$ …(＊2) が導かれる。……………………………………(終)

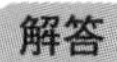

解答　(ア) $[dx,\ dy,\ dz]$　(イ) $\nabla\phi = -\boldsymbol{E}$　(ウ) 位置

(エ) $\oint_C \boldsymbol{E}\cdot d\boldsymbol{r}$

演習問題 24　　● 電位と電場 (Ⅰ) ●

電位 $\phi(x,\ y) = xy\ (x > 0,\ y > 0)$ が与えられているとき，電場 $\boldsymbol{E} = -\mathbf{grad}\phi$ を求めよ。また，$\phi(x,\ y) = k$ (k：正の定数) をみたす等電位線上の点 $\mathrm{P}(x,\ y)$ における接線 l と，点 P における電場 $\boldsymbol{E}$ は直交することを確かめよ。

ヒント！ (1) 平面スカラー場 $f(x,\ y)$ の勾配ベクトル $\mathbf{grad}f$ は，$\mathbf{grad}f = \left[\dfrac{\partial f}{\partial x},\ \dfrac{\partial f}{\partial y}\right] = [f_x,\ f_y]$ で定義される。

解答＆解説

電位 $\phi(x,\ y) = xy\ (x > 0,\ y > 0)$ のとき電場 $\boldsymbol{E}$ は，

$$\boldsymbol{E} = -\mathbf{grad}\phi = -\left[\frac{\partial\phi}{\partial x},\ \frac{\partial\phi}{\partial y}\right] = -\left[\frac{\partial}{\partial x}(xy),\ \frac{\partial}{\partial y}(xy)\right] = -[y,\ x] \ \cdots\cdots(\text{答})$$

（定数扱い）（定数扱い）

次に，図(ⅰ)に示す曲面

$z = \phi(x,\ y) = xy\ (x > 0,\ y > 0)$ に対して，等電位線 $\phi(x,\ y) = k$ は，図(ⅱ)に示すような直角双曲線

$xy = k$ ……① となる。

この曲線上の点 $\mathrm{P}(x,\ y)$ における接線 l の傾きは，①の両辺を x で微分して，

$(xy)' = 0$，$1\cdot y + x\cdot y' = 0$ より，

$(fg)' = f'g + fg'$

$y' = -\dfrac{y}{x}$ ……② となる。

電場 $\boldsymbol{E} = [-y,\ -x]$ の傾きは，

$\dfrac{-x}{-y} = \dfrac{x}{y}$ ……③

②と③の積をつくると，

$\left(-\dfrac{y}{x}\right)\times\dfrac{x}{y} = -1$ より，

電場 $\boldsymbol{E}$ は接線 l と直交する。 ……(終)

図(ⅰ)

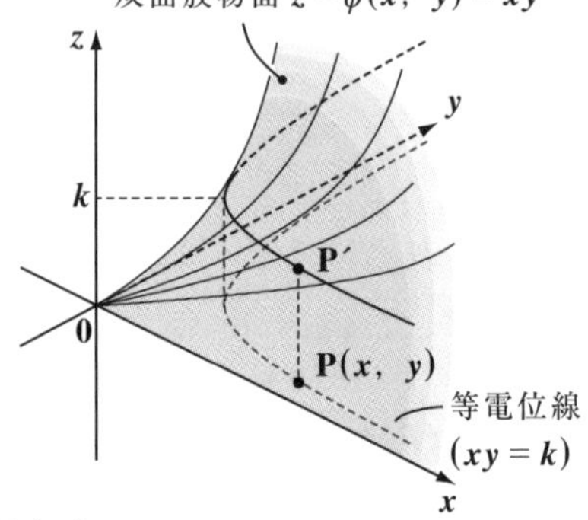

図(ⅱ)

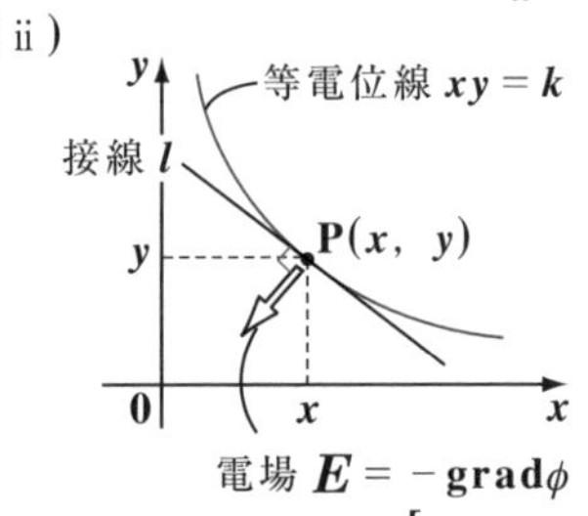

演習問題 25　● 電位と電場(Ⅱ) ●

電位 $\phi(x,\ y) = x^2 + y^2$ が与えられているとき，電場 $\boldsymbol{E} = -\mathbf{grad}\phi$ を求めよ。また，$\phi(x,\ y) = k$ (k：正の定数) をみたす等電位線上の点 $\mathrm{P}(x,\ y)$ における接線 l と，点 P における電場 $\boldsymbol{E}$ は直交することを確かめよ。

ヒント! 等電位線 $\phi(x,\ y) = x^2 + y^2 = k$ は原点 O を中心とする円より，電場 $\boldsymbol{E} /\!/ \overrightarrow{\mathrm{OP}}$ であれば，(P における円の接線) $l \perp \boldsymbol{E}$ となる。

解答＆解説

電位 $\phi(x,\ y) = x^2 + y^2$ のとき，電場 $\boldsymbol{E}$ は，

（定数扱い）（定数扱い）

$$\boldsymbol{E} = -\mathbf{grad}\phi = -\left[\frac{\partial\phi}{\partial x},\ \frac{\partial\phi}{\partial y}\right] = -\left[\frac{\partial}{\partial x}(x^2 + y^2),\ \frac{\partial}{\partial y}(x^2 + y^2)\right]$$

$= -$ [(ア)　　　] となる。……………………(答)

図(ⅰ)に示す曲面 $z = \phi(x,\ y) = x^2 + y^2$ に対して，等電位線 $\phi(x,\ y) = k$ は，図(ⅱ)に示すように，原点 O を中心とする半径 [(イ)　　] の円となる。

この円上の点 $\mathrm{P}(x,\ y)$ について，

$\overrightarrow{\mathrm{OP}} = [x,\ y]$ より，

$\boldsymbol{E} = -2[x,\ y] = -2\overrightarrow{\mathrm{OP}}$

$\therefore\ \boldsymbol{E} /\!/ \overrightarrow{\mathrm{OP}}$ だから，

電場 $\boldsymbol{E}$ は，点 P における等電位線(円)の接線 l と [(ウ)　　　] する。

……(終)

図(ⅰ)

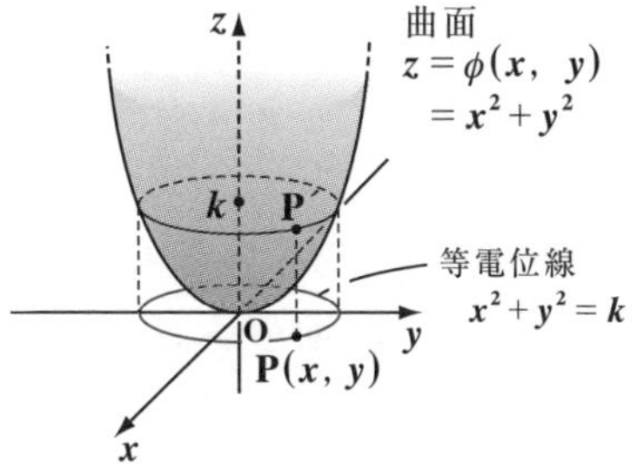

図(ⅱ)

解答　(ア) $[2x,\ 2y]$　(イ) $\sqrt{k}$　(ウ) 直交

演習問題 26　● 薄い球殻に分布する電荷が作る電場と電位 ●

中心 $\mathbf{O}$，半径 $\mathbf{1}(\mathbf{m})$ の薄い球殻に面密度 $\mathbf{10^{-6}}(\mathbf{C/m^2})$ の電荷が一様に分布している。球殻の内部と外部は真空であるとして，球殻の中心 $\mathbf{O}$ から距離 r の点における電場 $E(r)$ と電位 $\phi(r)$ を求めよ。

ヒント！ 球対称より，電場 $E(r)$ を，(ⅰ)$0 \leqq r < 1$，(ⅱ)$1 \leqq r$ の 2 つの場合に分けて，ガウスの法則：$4\pi r^2 \cdot E = \dfrac{Q}{\varepsilon_0}$ を使えばいいね。

解答＆解説

(ⅰ) $0 \leqq r < 1$ のとき，

ガウスの法則より，

$$\underbrace{4\pi r^2}_{\text{半径 }r\text{ の球の表面積 }S} \cdot E(r) = \frac{\overset{\text{半径 }r\text{ の球内の全電荷 }Q}{0}}{\varepsilon_0}$$

∴電場 $E(r) = 0$ となる。……(答)

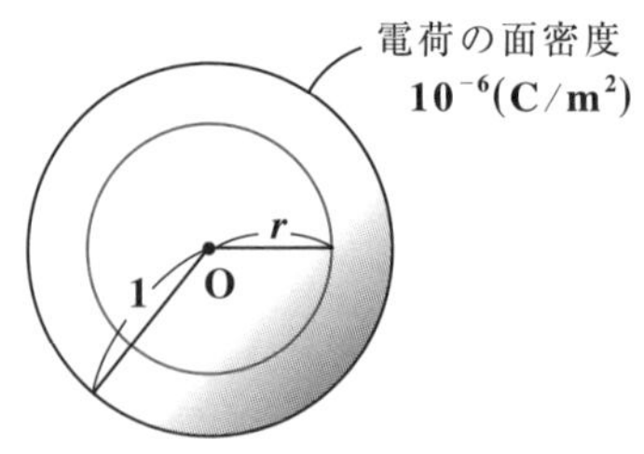

図(ⅰ) $0 \leqq r < 1$ のとき

(ⅱ) $1 \leqq r$ のとき，

半径 r の球面の内部にある全電荷 Q は，球殻の表面に分布する電荷となるから，

$$Q = \underbrace{4\pi 1^2}_{\text{球殻の表面積}} \cdot \underbrace{10^{-6}}_{\text{電荷の面密度}} = 4\pi \cdot 10^{-6}$$

よって，ガウスの法則より，

$$\underbrace{4\pi r^2}_{S} \cdot E(r) = \frac{\overbrace{4\pi \cdot 10^{-6}}^{Q}}{\varepsilon_0}$$

∴電場 $E(r) = \dfrac{10^{-6}}{\varepsilon_0} \cdot \dfrac{1}{r^2}$ となる。……(答)

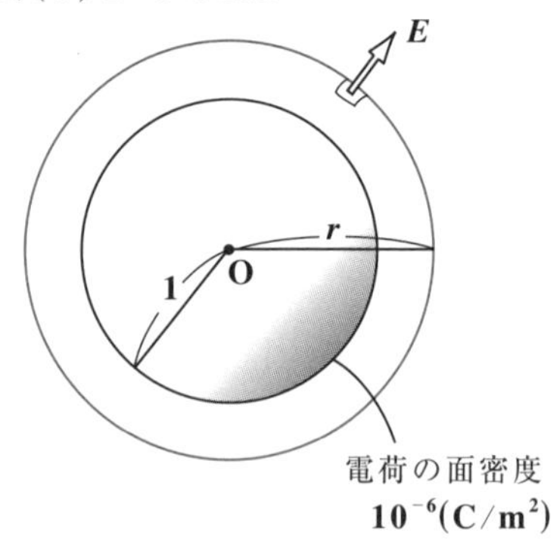

図(ⅱ) $1 < r$ のとき

以上(i)(ii)より，r と電場 $E(r)$ の関係を表すグラフを右に示す。

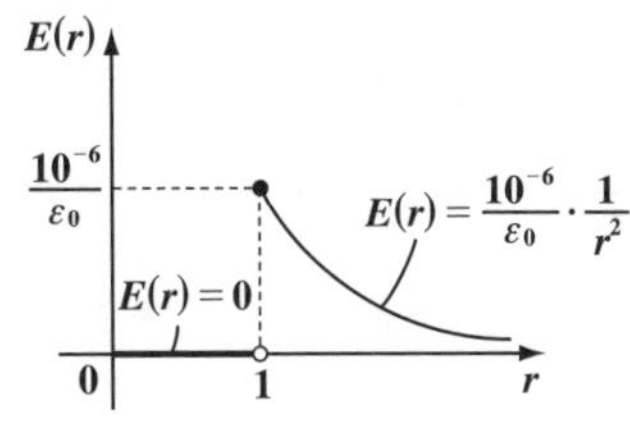

球対称より，電位 ϕ は，

$\phi = \int_r^\infty E(r)dr$ で計算できるので，

(i) $0 \leqq r < 1$ と (ii) $1 \leqq r$ の2つの場合に分けて ϕ を求める。

(i) $0 \leqq r < 1$ のとき，

$$\phi(r) = \int_r^\infty E(r)dr = \int_r^1 \underbrace{E(r)}_{0} dr + \int_1^\infty E(r)dr$$

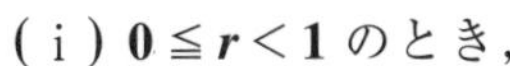

$$= \frac{10^{-6}}{\varepsilon_0}\int_1^\infty \frac{1}{r^2}dr = \lim_{c\to\infty} \frac{10^{-6}}{\varepsilon_0}\left[-\frac{1}{r}\right]_1^c$$

これは無限積分なので，極限の形で求める。

$$= \lim_{c\to\infty} \frac{10^{-6}}{\varepsilon_0}\left(-\frac{1}{c} + 1\right) = \frac{10^{-6}}{\varepsilon_0}$$

∴電位 $\phi(r) = \dfrac{10^{-6}}{\varepsilon_0}$ となる。……………………………………………(答)

(ii) $1 \leqq r$ のとき，

無限積分は極限で求める。

$$\phi(r) = \int_r^\infty E(r)dr = \frac{10^{-6}}{\varepsilon_0}\int_r^\infty \frac{1}{r^2}dr = \lim_{c\to\infty} \frac{10^{-6}}{\varepsilon_0}\left[-\frac{1}{r}\right]_r^c$$

$$= \lim_{c\to\infty} \frac{10^{-6}}{\varepsilon_0}\left(-\frac{1}{c} + \frac{1}{r}\right)$$

$$= \frac{10^{-6}}{\varepsilon_0}\cdot\frac{1}{r}$$ となる。………(答)

以上(i)(ii)より，r と電位 $\phi(r)$ の関係を表すグラフを右に示す。

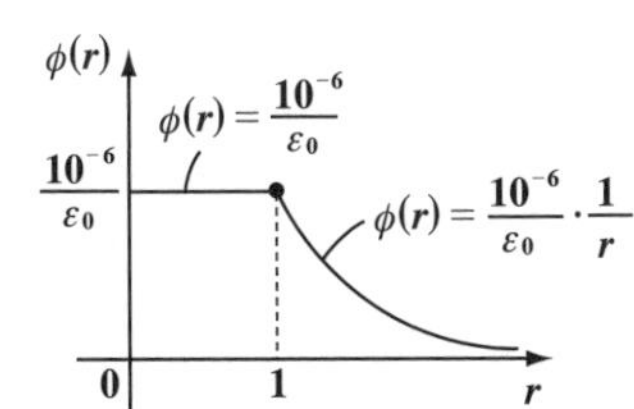

演習問題 27 ● ポアソンの方程式の導出 ●

静電場 $\boldsymbol{E}$ と電位 ϕ の関係式：$\boldsymbol{E} = -\nabla\phi = -\mathbf{grad}\phi$ ……① と，

マクスウェルの方程式：$\mathbf{div}\boldsymbol{E} = \dfrac{\rho}{\varepsilon_0}$ ……② (ρ：電荷の体積密度）により，

(Ⅰ) **2** 次元のポアソンの方程式：

$$\frac{\partial^2\phi}{\partial x^2} + \frac{\partial^2\phi}{\partial y^2} = -\frac{\rho}{\varepsilon_0} \cdots(a)$$

(Ⅱ) **3** 次元のポアソンの方程式：

$$\frac{\partial^2\phi}{\partial x^2} + \frac{\partial^2\phi}{\partial y^2} + \frac{\partial^2\phi}{\partial z^2} = -\frac{\rho}{\varepsilon_0} \cdots(b)$$

を導け。 $\rho = \mathbf{0}$ のとき，$(a)(b)$ をラプラスの方程式と呼ぶことも覚えておこう。

ヒント！ ①を②に代入すればいい。

解答＆解説

(Ⅰ) **2** 次元の静電場 $\boldsymbol{E} = -\mathbf{grad}\phi$ ……① を，マクスウェルの方程式

$\mathbf{div}\boldsymbol{E} = \dfrac{\rho}{\varepsilon_0}$ ……② に代入すると，

$\mathbf{div}(-\mathbf{grad}\phi) = \dfrac{\rho}{\varepsilon_0}$　　(ア) $= \dfrac{\rho}{\varepsilon_0}$

$\mathbf{div}(\mathbf{grad}\phi) =$ (イ) となる。よって，**2** 次元のポアソンの方程式：

$\nabla\cdot(\nabla\phi) = (\nabla\cdot\nabla)\phi = \nabla^2\phi = \left(\dfrac{\partial^2}{\partial x^2} + \dfrac{\partial^2}{\partial y^2}\right)\phi$

$\dfrac{\partial^2\phi}{\partial x^2} + \dfrac{\partial^2\phi}{\partial y^2} = -\dfrac{\rho}{\varepsilon_0}$ ……(a) が導かれる。……………………………(終)

(Ⅱ) 同様に，**3** 次元の静電場 $\boldsymbol{E} = -\mathbf{grad}\phi$ …① をマクスウェルの方程式

$\mathbf{div}\boldsymbol{E} = \dfrac{\rho}{\varepsilon_0}$ ……② に代入すると，

$\mathbf{div}(\mathbf{grad}\phi) =$ (イ) となる。よって，**3** 次元のポアソンの方程式：

$\nabla\cdot(\nabla\phi) = (\nabla\cdot\nabla)\phi = \nabla^2\phi = \left(\dfrac{\partial^2}{\partial x^2} + \dfrac{\partial^2}{\partial y^2} + \dfrac{\partial^2}{\partial z^2}\right)\phi$

$\dfrac{\partial^2\phi}{\partial x^2} + \dfrac{\partial^2\phi}{\partial y^2} + \dfrac{\partial^2\phi}{\partial z^2} = -\dfrac{\rho}{\varepsilon_0}$ ……(b) が導ける。…………………………(終)

解答　(ア) $-\mathbf{div}(\mathbf{grad}\phi)$　　(イ) $-\dfrac{\rho}{\varepsilon_0}$

演習問題 28 ● 無限に広い平板がつくる電位 ●

無限に広い平板に面密度 $\sigma = 2\varepsilon_0 (C/m^2)$ の電荷が一様に分布している。この平板が周りの空間に作る電場の大きさ E は，$E = \frac{\sigma}{2\varepsilon_0} = 1 (N/C)$ となる。(演習問題 17) 右図のように，xyz 座標系をとり，ラプラスの方程式を解いて，電位 ϕ を求めたい。電位の基準を $z=3$ にとり，$\phi(3)=0$ として，$0 < z \leqq 3$ における電位 $\phi(z)$ を求めよ。

ヒント！ 電場は平板に垂直に生じているので，電位 ϕ は z だけの関数になる。

解答＆解説

真空中の静電場において，電位 ϕ は次のラプラスの方程式の解となる。

$$\nabla^2\phi = \frac{\partial^2\phi}{\partial x^2} + \frac{\partial^2\phi}{\partial y^2} + \frac{\partial^2\phi}{\partial z^2} = 0 \quad \cdots\cdots ①$$

右辺は，真空において電荷の体積密度 $\rho = 0$ より，0 だね。

ここで，電荷が平板上を一様に分布しているので，生じる電場 $\boldsymbol{E}$ は，平板に垂直になる。よって，電位 ϕ はその点の x 座標や y 座標によらず，z 座標だけのスカラー値関数 $\phi(z)$ になる。

$\therefore \frac{\partial\phi}{\partial x} = 0$ より，$\frac{\partial^2\phi}{\partial x^2} = \frac{\partial}{\partial x}\Big(\underbrace{\frac{\partial\phi}{\partial x}}_{0}\Big) = 0$　同様に，$\frac{\partial^2\phi}{\partial y^2} = 0$ だから，①は，

$(\nabla^2\phi =)\ \frac{\partial^2\phi}{\partial z^2} = 0$ ……②となる。②の両辺を z で積分して，

$\frac{\partial\phi}{\partial z} = C_1$ (C_1：積分定数)　　$\therefore \phi = \int C_1 dz = C_1 z + C_2$ (C_2：積分定数)

・$z=3$ で $\phi=0$ より，$\phi(3) = 3C_1 + C_2 = 0$　　$\therefore C_2 = -3C_1$ より，

$\phi(z) = C_1 z - 3C_1$ …③　　　$\therefore \phi'(z) = C_1$

・また，$\phi'(z) = \frac{d\phi}{dz} = -\underbrace{E(z)}_{1} = -1 = C_1$ より，$C_1 = -1$ となる。

よって，③は，$\phi(z) = -z + 3$ $(0 < z \leqq 3)$ となる。……………………………(答)

演習問題 29　●ポアソンの方程式●

xy 平面に電位 $\phi(x, y) = \dfrac{1}{\sqrt{x^2+y^2}}$ が与えられているとき，点 $(\sqrt{3}, 1)$ における電場 E を求め，電荷密度 ρ をポアソンの方程式：$\dfrac{\partial^2\phi}{\partial x^2}+\dfrac{\partial^2\phi}{\partial y^2} = -\dfrac{\rho}{\varepsilon_0}$ を用いて求めよ。ただし，$\varepsilon_0 = 8.854\times10^{-12}(\mathrm{C^2/Nm^2})$ とする。

ヒント！ 静電場 $E = -\mathbf{grad}\phi = -\left[\dfrac{\partial\phi}{\partial x}, \dfrac{\partial\phi}{\partial y}\right]$ となる。また電位 ϕ により，電荷密度 ρ は，ポアソンの方程式：$\dfrac{\partial^2\phi}{\partial x^2}+\dfrac{\partial^2\phi}{\partial y^2} = -\dfrac{\rho}{\varepsilon_0}$ で与えられる。

解答＆解説

電場 $E(x, y)$ は，

$$E = -\mathbf{grad}\phi = -\left[\frac{\partial\phi}{\partial x}, \frac{\partial\phi}{\partial y}\right]$$ となる。

$$\frac{\partial\phi}{\partial x} = \left(\left(x^2+y^2\right)^{-\frac{1}{2}}\right)_x = -\frac{x}{(x^2+y^2)^{\frac{3}{2}}}$$

（x^2+y^2 を u とおく）

$$\frac{\partial u}{\partial x}\cdot\frac{d(u^{-\frac{1}{2}})}{du} = 2x\cdot\left(-\frac{1}{2}u^{-\frac{3}{2}}\right)$$

（合成関数の偏微分）

同様に，

$$\frac{\partial\phi}{\partial y} = \left((x^2+y^2)^{-\frac{1}{2}}\right)_y = -\frac{y}{(x^2+y^2)^{\frac{3}{2}}}$$

電場 $E = -\mathbf{grad}\phi$

$$= \left[\frac{x}{(x^2+y^2)^{\frac{3}{2}}}, \frac{y}{(x^2+y^2)^{\frac{3}{2}}}\right]$$

より，点 $(\sqrt{3}, 1)$ における電場 $E(\sqrt{3}, 1)$ は，

$$E(\sqrt{3}, 1) = \left[\frac{\sqrt{3}}{\{(\sqrt{3})^2+1^2\}^{\frac{3}{2}}}, \frac{1}{\{(\sqrt{3})^2+1^2\}^{\frac{3}{2}}}\right]$$

$$= \left[\frac{\sqrt{3}}{8}, \frac{1}{8}\right]$$ となる。 ……(答)

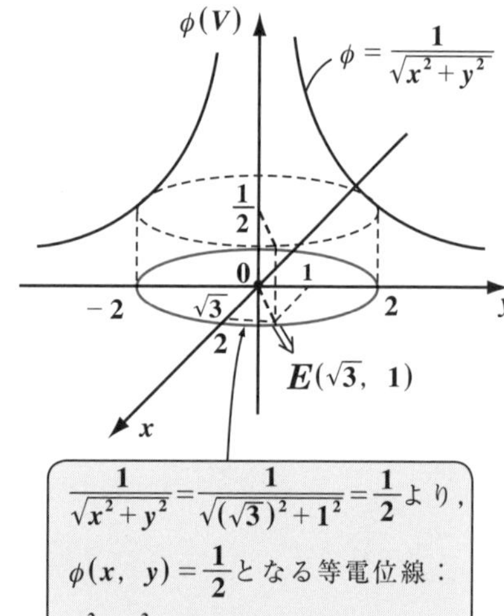

真上から見た図

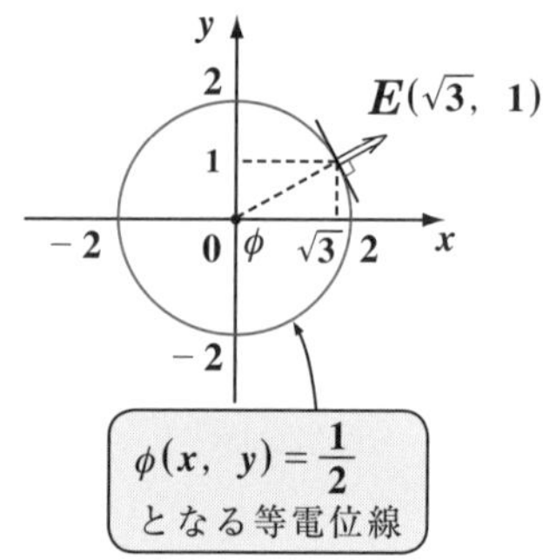

次に，$\phi(x,\ y)$ についてのポアソンの方程式：

電荷の体積密度

$$\frac{\partial^2\phi}{\partial x^2}+\frac{\partial^2\phi}{\partial y^2}=-\frac{\rho}{\varepsilon_0}\quad\cdots\cdots①$$

$\varepsilon_0 = 8.854\times10^{-12}(\mathrm{C^2/Nm^2})$

を用いて，点 $(\sqrt{3},\ 1)$ における電荷密度 $\rho(\mathrm{C/m^3})$ を求める。

$$\frac{\partial^2\phi}{\partial x^2}=\left(-\frac{x}{(x^2+y^2)^{\frac{3}{2}}}\right)_x$$

$$=-\frac{1\cdot(x^2+y^2)^{\frac{3}{2}}-x\left((x^2+y^2)^{\frac{3}{2}}\right)_x}{(x^2+y^2)^3}$$

$\left((x^2+y^2)^{\frac{3}{2}}\right)_x = \frac{3}{2}(x^2+y^2)^{\frac{1}{2}}\cdot 2x$

$\left(\frac{f}{g}\right)_x=\frac{f_x\cdot g-f\cdot g_x}{g^2}$

分子・分母を $(x^2+y^2)^{\frac{1}{2}}$ で割った。

$$=-\frac{(x^2+y^2)-3x^2}{(x^2+y^2)^{\frac{5}{2}}}$$

$$=-\frac{-2x^2+y^2}{(x^2+y^2)^{\frac{5}{2}}}=\frac{2x^2-y^2}{(x^2+y^2)^{\frac{5}{2}}}\quad\cdots\cdots②$$

同様に，

$$\frac{\partial^2\phi}{\partial y^2}=\left(-\frac{y}{(x^2+y^2)^{\frac{3}{2}}}\right)_y=\frac{2y^2-x^2}{(x^2+y^2)^{\frac{5}{2}}}\quad\cdots\cdots③$$

②，③を①に代入して，

$$\frac{2x^2-y^2}{(x^2+y^2)^{\frac{5}{2}}}+\frac{2y^2-x^2}{(x^2+y^2)^{\frac{5}{2}}}=-\frac{\rho}{\varepsilon_0},\qquad \frac{x^2+y^2}{(x^2+y^2)^{\frac{5}{2}}}=-\frac{\rho}{\varepsilon_0}$$

$$\frac{1}{(x^2+y^2)^{\frac{3}{2}}}=-\frac{\rho}{\varepsilon_0}$$

これより，点 $(\sqrt{3},\ 1)$ における電荷密度 ρ は，

$\varepsilon_0 = 8.854\times10^{-12}(\mathrm{C^2/Nm^2})$

$$\rho=-\frac{\varepsilon_0}{(x^2+y^2)^{\frac{3}{2}}}=-8.854\times\left(10^{-12}\times\frac{1}{8}\right)$$

$\left\{(\sqrt{3})^2+1^2\right\}^{\frac{3}{2}}=4^{\frac{3}{2}}=2^3=8$

$10^{-15}\times\frac{1000}{8}=10^{-15}\times125$

$$=-8.854\times125\times10^{-15}=\underline{-1.107\times10^{-12}(\mathrm{C/m^3})}$$ ……………………(答)

$\phi(x,\ y)$ は平面スカラー場だが，単位厚さがあるものと考えて電荷密度は面密度ではなく，体積密度で求めた。

演習問題 30　● 2次元のラプラシアン ∇^2 の極座標表示 ●

スカラー値関数 u の2次元のラプラシアン $\nabla^2 u = \mathrm{div}(\mathrm{grad}\,u)$ は，

$\nabla^2 u = \dfrac{\partial^2 u}{\partial x^2} + \dfrac{\partial^2 u}{\partial y^2}$ ……(a) で表される。x，y を極座標 ρ，φ を用いて，

$x = \rho\cos\varphi$，$y = \rho\sin\varphi$ 　$(\rho > 0,\ 0 \leqq \varphi < 2\pi)$ と変換することにより，

(a) から $\nabla^2 u$ の極座標表示 $\nabla^2 u = \dfrac{1}{\rho}\dfrac{\partial}{\partial\rho}\left(\rho\dfrac{\partial u}{\partial\rho}\right) + \dfrac{1}{\rho^2}\dfrac{\partial^2 u}{\partial\varphi^2}$ を導け。

ヒント！ $x = \rho\cos\varphi$，$y = \rho\sin\varphi$ から，u は ρ と φ の関数だが，$\rho = \sqrt{x^2+y^2}$，$\varphi = \tan^{-1}\dfrac{y}{x}$ の関係より，次の u の x，y についての偏微分の公式が使える。

$\dfrac{\partial u}{\partial x} = \dfrac{\partial\rho}{\partial x}\cdot\dfrac{\partial u}{\partial\rho} + \dfrac{\partial\varphi}{\partial x}\cdot\dfrac{\partial u}{\partial\varphi}$，$\dfrac{\partial u}{\partial y} = \dfrac{\partial\rho}{\partial y}\cdot\dfrac{\partial u}{\partial\rho} + \dfrac{\partial\varphi}{\partial y}\cdot\dfrac{\partial u}{\partial\varphi}$

(「微分積分キャンパス・ゼミ」参照)

解答＆解説

$x = \rho\cos\varphi$，$y = \rho\sin\varphi$ より，
$u(x,\ y)$ は ρ と φ の関数 $u(\rho,\ \varphi)$
となる。ここで，右図に示すように，

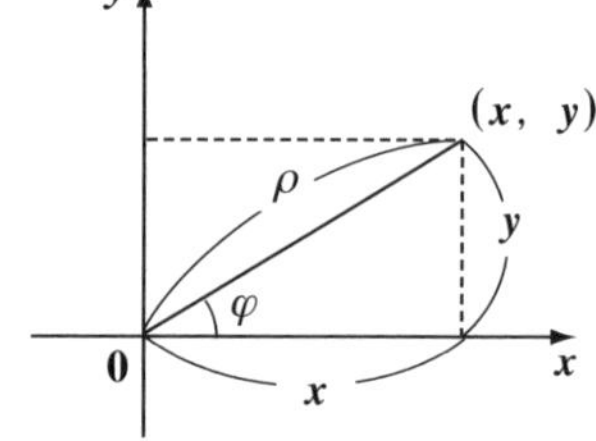

$\tan\varphi = \dfrac{y}{x}$ より，
$\varphi = \tan^{-1}\dfrac{y}{x}$

$$\rho = \sqrt{x^2+y^2},\quad \varphi = \tan^{-1}\frac{y}{x} \quad \cdots\cdots①$$

$$\frac{\partial u}{\partial x} = \frac{\partial\rho}{\partial x}\cdot\frac{\partial u}{\partial\rho} + \frac{\partial\varphi}{\partial x}\cdot\frac{\partial u}{\partial\varphi} \quad \cdots\cdots②$$

$$\frac{\partial u}{\partial y} = \frac{\partial\rho}{\partial y}\cdot\frac{\partial u}{\partial\rho} + \frac{\partial\varphi}{\partial y}\cdot\frac{\partial u}{\partial\varphi} \quad \cdots\cdots③$$

ここで，①より，

$$\frac{\partial\rho}{\partial x} = \frac{\partial}{\partial x}(x^2+y^2)^{\frac{1}{2}} = \frac{1}{2}(x^2+y^2)^{-\frac{1}{2}}\cdot 2x = \frac{\overset{\rho\cos\varphi}{x}}{\underset{\rho}{\sqrt{x^2+y^2}}} = \cos\varphi \quad \cdots\cdots④$$

同様に，

$$\frac{\partial\rho}{\partial y} = \frac{\partial}{\partial y}(x^2+y^2)^{\frac{1}{2}} = \frac{1}{2}(x^2+y^2)^{-\frac{1}{2}}\cdot 2y = \frac{\overset{\rho\sin\varphi}{y}}{\underset{\rho}{\sqrt{x^2+y^2}}} = \sin\varphi \quad \cdots\cdots⑤$$

$$\frac{\partial\varphi}{\partial x}=\frac{\partial}{\partial x}\left(\tan^{-1}\frac{y}{x}\right)=\frac{1}{1+\left(\frac{y}{x}\right)^2}\cdot\frac{\partial}{\partial x}\left(\frac{y}{x}\right)$$

（y：定数扱い）　←公式：$(\tan^{-1}\theta)'=\frac{1}{1+\theta^2}$

$$=\frac{x^2}{x^2+y^2}\cdot\left(-\frac{y}{x^2}\right)=-\frac{y}{x^2+y^2}=-\frac{\sin\varphi}{\rho}\ \cdots\cdots⑥$$

（$y=\rho\sin\varphi$，$x^2+y^2=\rho^2$）

同様にして，

$$\frac{\partial\varphi}{\partial y}=\frac{\partial}{\partial y}\left(\tan^{-1}\frac{y}{x}\right)=\frac{1}{1+\left(\frac{y}{x}\right)^2}\cdot\frac{\partial}{\partial y}\left(\frac{y}{x}\right)$$

（x：定数扱い）

$$=\frac{x^2}{x^2+y^2}\cdot\frac{1}{x}=\frac{x}{x^2+y^2}=\frac{\cos\varphi}{\rho}\ \cdots\cdots⑦$$

（$x=\rho\cos\varphi$，$x^2+y^2=\rho^2$）

④と⑥を②に代入して，

$$\frac{\partial u}{\partial x}=\frac{\partial\rho}{\partial x}\cdot\frac{\partial u}{\partial\rho}+\frac{\partial\varphi}{\partial x}\cdot\frac{\partial u}{\partial\varphi}=\cos\varphi\cdot\frac{\partial u}{\partial\rho}-\frac{\sin\varphi}{\rho}\cdot\frac{\partial u}{\partial\varphi}\ \cdots\cdots②'$$

（$\frac{\partial u}{\partial\rho}$，$\frac{\partial u}{\partial\varphi}$：$\rho$ と φ の関数）　（$\frac{\partial u}{\partial x}$ は ρ と φ の関数）

$$\therefore\ \frac{\partial^2 u}{\partial x^2}=\frac{\partial}{\partial x}\left(\frac{\partial u}{\partial x}\right)=\frac{\partial\rho}{\partial x}\cdot\frac{\partial}{\partial\rho}\left(\frac{\partial u}{\partial x}\right)+\frac{\partial\varphi}{\partial x}\cdot\frac{\partial}{\partial\varphi}\left(\frac{\partial u}{\partial x}\right)$$

（$\frac{\partial u}{\partial x}$：$\rho$ と φ の関数）

$$=\frac{\partial\rho}{\partial x}\cdot\frac{\partial}{\partial\rho}\left(\cos\varphi\cdot\frac{\partial u}{\partial\rho}-\frac{\sin\varphi}{\rho}\cdot\frac{\partial u}{\partial\varphi}\right)+\frac{\partial\varphi}{\partial x}\cdot\frac{\partial}{\partial\varphi}\left(\cos\varphi\,\frac{\partial u}{\partial\rho}-\frac{\sin\varphi}{\rho}\cdot\frac{\partial u}{\partial\varphi}\right)$$

（$\cos\varphi$，$\sin\varphi$：定数扱い）（ρ：定数扱い）

（$\frac{\partial\rho}{\partial x}=\cos\varphi$（④より））（$\frac{\partial\varphi}{\partial x}=-\frac{\sin\varphi}{\rho}$（⑥より））

$$=\cos\varphi\cdot\left(\cos\varphi\cdot\frac{\partial^2 u}{\partial\rho^2}+\frac{\sin\varphi}{\rho^2}\cdot\frac{\partial u}{\partial\varphi}-\frac{\sin\varphi}{\rho}\cdot\frac{\partial^2 u}{\partial\rho\partial\varphi}\right)$$

$$-\frac{\sin\varphi}{\rho}\cdot\left(-\sin\varphi\cdot\frac{\partial u}{\partial\rho}+\cos\varphi\,\frac{\partial^2 u}{\partial\varphi\partial\rho}-\frac{\cos\varphi}{\rho}\,\frac{\partial u}{\partial\varphi}-\frac{\sin\varphi}{\rho}\,\frac{\partial^2 u}{\partial\varphi^2}\right)\cdots⑧$$

積の微分法 $(f\cdot g)'=f'g+fg'$ より

同様に，⑤と⑦を③に代入して，

$$\frac{\partial u}{\partial y}=\frac{\partial\rho}{\partial y}\cdot\frac{\partial u}{\partial\rho}+\frac{\partial\varphi}{\partial y}\cdot\frac{\partial u}{\partial\varphi}\quad\cdots③$$

$$\frac{\partial\rho}{\partial y}=\sin\varphi\ \cdots⑤,\quad \frac{\partial\varphi}{\partial y}=\frac{\cos\varphi}{\rho}\ \cdots⑦$$

$$\frac{\partial u}{\partial y}=\frac{\partial\rho}{\partial y}\cdot\frac{\partial u}{\partial\rho}+\frac{\partial\varphi}{\partial y}\cdot\frac{\partial u}{\partial\varphi}$$

$$=\sin\varphi\cdot\frac{\partial u}{\partial\rho}+\frac{\cos\varphi}{\rho}\cdot\frac{\partial u}{\partial\varphi}\quad\cdots\cdots③'$$

ρとφの関数

$$\therefore\ \frac{\partial^2 u}{\partial y^2}=\frac{\partial}{\partial y}\left(\frac{\partial u}{\partial y}\right)=\frac{\partial\rho}{\partial y}\cdot\frac{\partial}{\partial\rho}\left(\frac{\partial u}{\partial y}\right)+\frac{\partial\varphi}{\partial y}\cdot\frac{\partial}{\partial\varphi}\left(\frac{\partial u}{\partial y}\right)$$

ρとφの関数

定数扱い

$$=\frac{\partial\rho}{\partial y}\cdot\frac{\partial}{\partial\rho}\left(\sin\varphi\frac{\partial u}{\partial\rho}+\frac{\cos\varphi}{\rho}\cdot\frac{\partial u}{\partial\varphi}\right)+\frac{\partial\varphi}{\partial y}\cdot\frac{\partial}{\partial\varphi}\left(\sin\varphi\frac{\partial u}{\partial\rho}+\frac{\cos\varphi}{\rho}\cdot\frac{\partial u}{\partial\varphi}\right)$$

$\sin\varphi$（⑤より）　$\frac{\cos\varphi}{\rho}$（⑦より）　定数扱い

$$=\sin\varphi\cdot\left(\sin\varphi\frac{\partial^2 u}{\partial\rho^2}-\frac{\cos\varphi}{\rho^2}\cdot\frac{\partial u}{\partial\varphi}+\frac{\cos\varphi}{\rho}\cdot\frac{\partial^2 u}{\partial\rho\partial\varphi}\right)$$

$$+\frac{\cos\varphi}{\rho}\cdot\left(\cos\varphi\frac{\partial u}{\partial\rho}+\sin\varphi\frac{\partial^2 u}{\partial\varphi\partial\rho}-\frac{\sin\varphi}{\rho}\cdot\frac{\partial u}{\partial\varphi}+\frac{\cos\varphi}{\rho}\cdot\frac{\partial^2 u}{\partial\varphi^2}\right)\cdots⑨$$

積の微分法 $(f\cdot g)'=f'g+fg'$

⑧＋⑨より，

$$\nabla^2 u=\frac{\partial^2 u}{\partial x^2}+\frac{\partial^2 u}{\partial y^2}$$

$$=\cos^2\varphi\cdot\frac{\partial^2 u}{\partial\rho^2}+\frac{\cos\varphi\sin\varphi}{\rho^2}\cdot\frac{\partial u}{\partial\varphi}-\frac{\cos\varphi\sin\varphi}{\rho}\cdot\frac{\partial^2 u}{\partial\rho\partial\varphi}$$

$$+\frac{\sin^2\varphi}{\rho}\cdot\frac{\partial u}{\partial\rho}-\frac{\sin\varphi\cos\varphi}{\rho}\cdot\frac{\partial^2 u}{\partial\varphi\partial\rho}+\frac{\sin\varphi\cos\varphi}{\rho^2}\frac{\partial u}{\partial\varphi}+\frac{\sin^2\varphi}{\rho^2}\frac{\partial^2 u}{\partial\varphi^2}$$

$$+\sin^2\varphi\cdot\frac{\partial^2 u}{\partial\rho^2}-\frac{\sin\varphi\cos\varphi}{\rho^2}\cdot\frac{\partial u}{\partial\varphi}+\frac{\sin\varphi\cos\varphi}{\rho}\cdot\frac{\partial^2 u}{\partial\rho\partial\varphi}$$

$$+\frac{\cos^2\varphi}{\rho}\cdot\frac{\partial u}{\partial\rho}+\frac{\cos\varphi\sin\varphi}{\rho}\frac{\partial^2 u}{\partial\varphi\partial\rho}-\frac{\cos\varphi\sin\varphi}{\rho^2}\frac{\partial u}{\partial\varphi}+\frac{\cos^2\varphi}{\rho^2}\frac{\partial^2 u}{\partial\varphi^2}$$

$$\therefore\ \nabla^2 u=\frac{\partial^2 u}{\partial\rho^2}+\frac{1}{\rho}\cdot\frac{\partial u}{\partial\rho}+\frac{1}{\rho^2}\frac{\partial^2 u}{\partial\varphi^2}=\frac{1}{\rho}\cdot\frac{\partial}{\partial\rho}\left(\rho\frac{\partial u}{\partial\rho}\right)+\frac{1}{\rho^2}\frac{\partial^2 u}{\partial\varphi^2}$$ となる。……(終)

$\cos^2\varphi+\sin^2\varphi=1$ より

$$\frac{1}{\rho}\cdot\frac{\partial}{\partial\rho}\left(\rho\frac{\partial u}{\partial\rho}\right)\left(\because\frac{1}{\rho}\cdot\frac{\partial}{\partial\rho}\left(\rho\frac{\partial u}{\partial\rho}\right)=\frac{1}{\rho}\cdot\left(1\cdot\frac{\partial u}{\partial\rho}+\rho\cdot\frac{\partial^2 u}{\partial\rho^2}\right)\right)$$

演習問題 31 ●スカラー値関数の偏微分の極座標表示●

右図のように，$z\rho$ 座標系を設定するとき，関数 $u = u(z,\ \rho) = u(r,\ \theta)$ について，次の(ア)，(イ)の関係が成り立つことを演習問題 **30** の結果を用いて確かめよ。

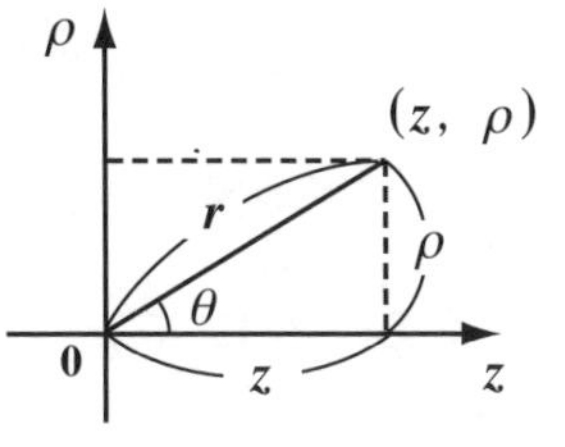

$$\begin{cases} \dfrac{\partial u}{\partial z} = \cos\theta \cdot \dfrac{\partial u}{\partial r} - \dfrac{\sin\theta}{r} \cdot \dfrac{\partial u}{\partial \theta} & \cdots\cdots(ア) \\ \dfrac{\partial u}{\partial \rho} = \sin\theta \cdot \dfrac{\partial u}{\partial r} + \dfrac{\cos\theta}{r} \cdot \dfrac{\partial u}{\partial \theta} & \cdots\cdots(イ) \end{cases}$$

ヒント！ 演習問題 **30** の状況設定と同じで，演習問題 **30** の②′と③′の式に対応するのが，今回の(ア)，(イ)の式になるんだね。

解答＆解説

図(ｉ)より，

$$\begin{cases} z = r\cos\theta \\ \rho = r\sin\theta \end{cases} \quad \therefore \begin{cases} r = \sqrt{z^2 + \rho^2} \\ \theta = \tan^{-1}\dfrac{\rho}{z} \end{cases}$$

図(ｉ)

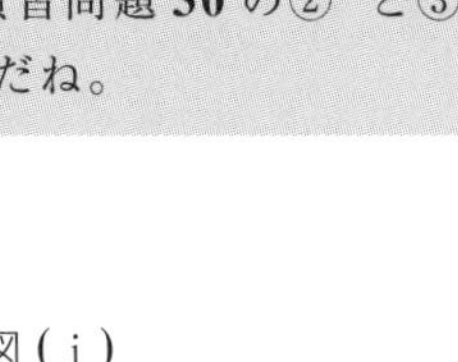

↕ 対応

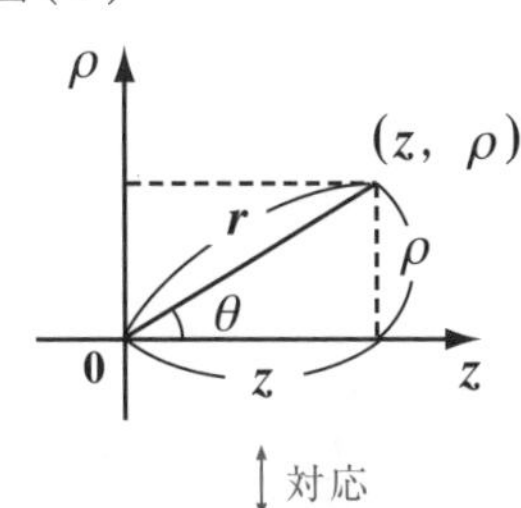

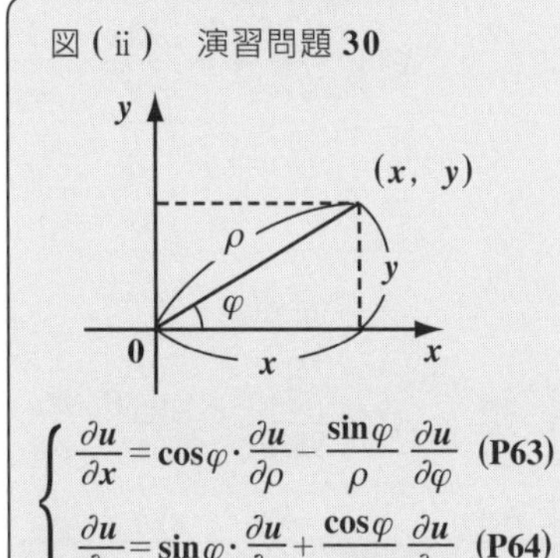

$$\begin{cases} \dfrac{\partial u}{\partial x} = \cos\varphi \cdot \dfrac{\partial u}{\partial \rho} - \dfrac{\sin\varphi}{\rho} \dfrac{\partial u}{\partial \varphi} & (P63) \\ \dfrac{\partial u}{\partial y} = \sin\varphi \cdot \dfrac{\partial u}{\partial \rho} + \dfrac{\cos\varphi}{\rho} \dfrac{\partial u}{\partial \varphi} & (P64) \end{cases}$$

これは，演習問題 **30** の設定と同様であって，図(ｉ)と図(ⅱ)の対応関係から，演習問題 **30** で導いた式

$$\frac{\partial u}{\partial x} = \cos\varphi \cdot \frac{\partial u}{\partial \rho} - \frac{\sin\varphi}{\rho} \frac{\partial u}{\partial \varphi} \quad \cdots\cdots②'$$

に対応する式は，今回は次式となる。

$$\frac{\partial u}{\partial z} = \cos\theta \cdot \frac{\partial u}{\partial r} - \frac{\sin\theta}{r} \frac{\partial u}{\partial \theta} \quad \cdots\cdots(ア)$$

…………(終)

また，演習問題 **30** で導いた式

$$\frac{\partial u}{\partial y} = \sin\varphi \cdot \frac{\partial u}{\partial \rho} + \frac{\cos\varphi}{\rho} \frac{\partial u}{\partial \varphi} \quad \cdots\cdots③'$$

に対応する式は，今回は，

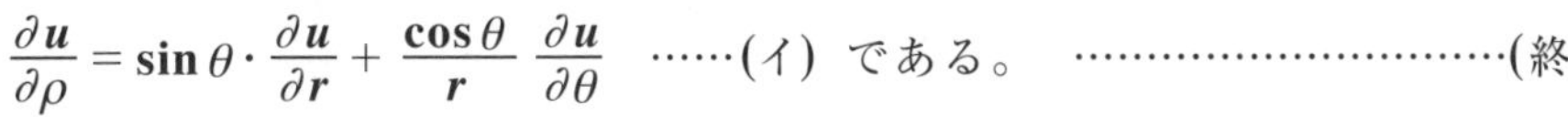

$$\frac{\partial u}{\partial \rho} = \sin\theta \cdot \frac{\partial u}{\partial r} + \frac{\cos\theta}{r} \frac{\partial u}{\partial \theta} \quad \cdots\cdots(イ)$$ である。 ……………………………(終)

演習問題 32　● 3次元のラプラシアン ∇^2 の球座標表示 ●

スカラー値関数 u の 3 次元のラプラシアン

$\nabla^2 u = \dfrac{\partial^2 u}{\partial x^2} + \dfrac{\partial^2 u}{\partial y^2} + \dfrac{\partial^2 u}{\partial z^2}$ から，演習問題 **30**，**31** の結果を用いて，次の $\nabla^2 u$ の球座標表示を導け。

$$\nabla^2 u = \frac{1}{r^2} \cdot \frac{\partial}{\partial r}\left(r^2 \frac{\partial u}{\partial r}\right) + \frac{1}{r^2 \sin\theta} \cdot \frac{\partial}{\partial \theta}\left(\sin\theta \cdot \frac{\partial u}{\partial \theta}\right) + \frac{1}{r^2 \sin^2\theta} \cdot \frac{\partial^2 u}{\partial \varphi^2}$$

ヒント！ $\nabla^2 u = \dfrac{\partial^2 u}{\partial x^2} + \dfrac{\partial^2 u}{\partial y^2} + \dfrac{\partial^2 u}{\partial z^2}$ をまず，演習問題 **30** を使って，

$\nabla^2 u = \dfrac{\partial^2 u}{\partial \rho^2} + \dfrac{1}{\rho} \cdot \dfrac{\partial u}{\partial \rho} + \dfrac{1}{\rho^2} \cdot \dfrac{\partial^2 u}{\partial \varphi^2} + \dfrac{\partial^2 u}{\partial z^2}$ とし，さらに演習問題 **31** を利用して，

$\nabla^2 u$ を r と θ と φ の偏微分の形で表す。計算はかなり大変になるけれど，頑張って結果を出してみよう！

解答＆解説

演習問題 **30** から，

図（i）の極座標 ρ，φ を用いて，

$$\frac{\partial^2 u}{\partial x^2} + \frac{\partial^2 u}{\partial y^2}$$

$$= \frac{\partial^2 u}{\partial \rho^2} + \frac{1}{\rho} \cdot \frac{\partial u}{\partial \rho} + \frac{1}{\rho^2} \frac{\partial^2 u}{\partial \varphi^2}$$

（P64 の最終行の式）

これを，$\nabla^2 u = \dfrac{\partial^2 u}{\partial x^2} + \dfrac{\partial^2 u}{\partial y^2} + \dfrac{\partial^2 u}{\partial z^2}$ に代入して，

$$\nabla^2 u = \frac{\partial^2 u}{\partial \rho^2} + \frac{1}{\rho} \cdot \frac{\partial u}{\partial \rho} + \frac{1}{\rho^2} \frac{\partial^2 u}{\partial \varphi^2} + \frac{\partial^2 u}{\partial z^2} \quad \cdots ①$$

ここで，演習問題 **31** より，

$$\begin{cases} \dfrac{\partial u}{\partial \rho} = \sin\theta \cdot \dfrac{\partial u}{\partial r} + \dfrac{\cos\theta}{r} \dfrac{\partial u}{\partial \theta} & \cdots\cdots ② \\ \dfrac{\partial u}{\partial z} = \cos\theta \cdot \dfrac{\partial u}{\partial r} - \dfrac{\sin\theta}{r} \dfrac{\partial u}{\partial \theta} & \cdots\cdots ③ \end{cases}$$

（（イ）の式（P65））（（ア）の式（P65））

②を用いて，

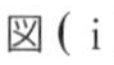

図（i）

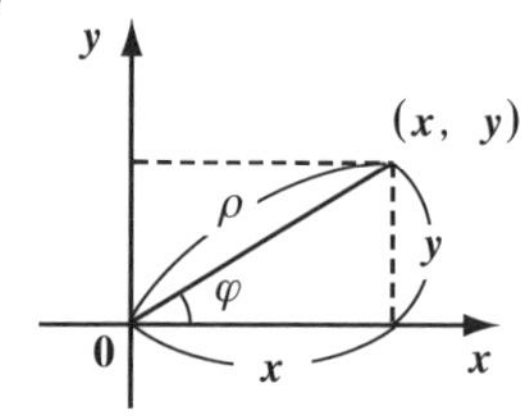

図（ii）

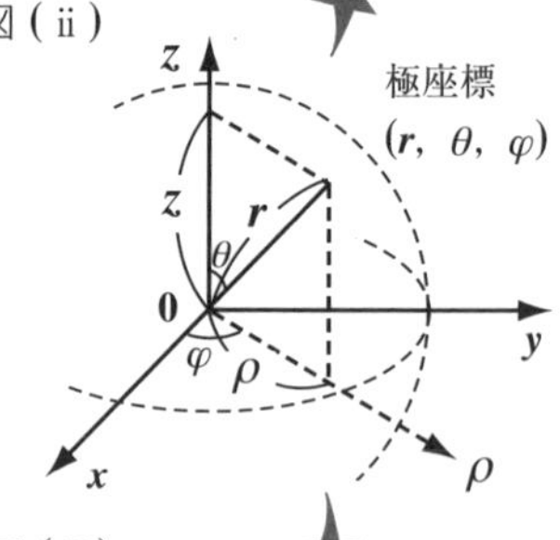

図（iii）

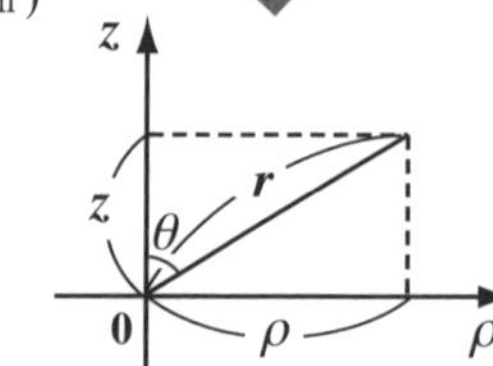

(i) $\frac{\partial^2 u}{\partial \rho^2}=\frac{\partial}{\partial \rho}\left(\frac{\partial u}{\partial \rho}\right)$ 　これを新たなスカラー値関数 u_1 と考えて，②をもう 1 度使う。

$$=\frac{\partial}{\partial \rho}\left(\underbrace{\sin\theta\cdot\frac{\partial u}{\partial r}+\frac{\cos\theta}{r}\cdot\frac{\partial u}{\partial \theta}}_{u_1}\right)$$

$$=\sin\theta\cdot\frac{\partial}{\partial r}\left(\underbrace{\sin\theta\cdot\frac{\partial u}{\partial r}+\frac{\cos\theta}{r}\cdot\frac{\partial u}{\partial \theta}}_{u_1}\right)$$

$$+\frac{\cos\theta}{r}\cdot\frac{\partial}{\partial \theta}\left(\sin\theta\cdot\frac{\partial u}{\partial r}+\frac{\cos\theta}{r}\cdot\frac{\partial u}{\partial \theta}\right)$$

②の u に u_1 を代入したもの

$$=\sin\theta\cdot\left(\sin\theta\cdot\frac{\partial^2 u}{\partial r^2}-\frac{\cos\theta}{r^2}\cdot\frac{\partial u}{\partial \theta}+\frac{\cos\theta}{r}\cdot\frac{\partial^2 u}{\partial r\partial \theta}\right)$$

$$+\frac{\cos\theta}{r}\left(\cos\theta\cdot\frac{\partial u}{\partial r}+\sin\theta\cdot\frac{\partial^2 u}{\partial \theta\partial r}-\frac{\sin\theta}{r}\cdot\frac{\partial u}{\partial \theta}+\frac{\cos\theta}{r}\cdot\frac{\partial^2 u}{\partial \theta^2}\right)$$

$$=\sin^2\theta\cdot\frac{\partial^2 u}{\partial r^2}-\frac{\sin\theta\cos\theta}{r^2}\cdot\frac{\partial u}{\partial \theta}+\frac{\sin\theta\cos\theta}{r}\cdot\frac{\partial^2 u}{\partial r\partial \theta}$$

$$+\frac{\cos^2\theta}{r}\cdot\frac{\partial u}{\partial r}+\frac{\cos\theta\sin\theta}{r}\cdot\frac{\partial^2 u}{\partial \theta\partial r}-\frac{\cos\theta\sin\theta}{r^2}\cdot\frac{\partial u}{\partial \theta}+\frac{\cos^2\theta}{r^2}\cdot\frac{\partial^2 u}{\partial \theta^2}$$

$$=\sin^2\theta\cdot\frac{\partial^2 u}{\partial r^2}+\sin\theta\cos\theta\left(-\frac{1}{r^2}\cdot\frac{\partial u}{\partial \theta}+\frac{1}{r}\cdot\frac{\partial^2 u}{\partial r\partial \theta}\right)$$

$$+\frac{\cos\theta}{r}\left(\cos\theta\cdot\frac{\partial u}{\partial r}+\sin\theta\cdot\frac{\partial^2 u}{\partial \theta\partial r}\right)$$

$$+\frac{\cos\theta}{r}\left(-\frac{\sin\theta}{r}\cdot\frac{\partial u}{\partial \theta}+\frac{\cos\theta}{r}\cdot\frac{\partial^2 u}{\partial \theta^2}\right)\quad\cdots\cdots④$$

③を用いて，

(ii) $\frac{\partial^2 u}{\partial z^2}=\frac{\partial}{\partial z}\left(\frac{\partial u}{\partial z}\right)$ 　これを新たなスカラー値関数 u_2 と考えて，③をもう 1 度使う。

$$=\frac{\partial}{\partial z}\left(\underbrace{\cos\theta\cdot\frac{\partial u}{\partial r}-\frac{\sin\theta}{r}\cdot\frac{\partial u}{\partial \theta}}_{u_2}\right)$$

$$=\cos\theta\cdot\frac{\partial}{\partial r}\left(\underbrace{\cos\theta\cdot\frac{\partial u}{\partial r}-\frac{\sin\theta}{r}\cdot\frac{\partial u}{\partial \theta}}_{u_2}\right)$$

$$-\frac{\sin\theta}{r}\cdot\frac{\partial}{\partial \theta}\left(\cos\theta\cdot\frac{\partial u}{\partial r}-\frac{\sin\theta}{r}\cdot\frac{\partial u}{\partial \theta}\right)$$

③の u に u_2 を代入したもの

$$=\cos\theta\cdot\left(\cos\theta\cdot\frac{\partial^2 u}{\partial r^2}+\frac{\sin\theta}{r^2}\cdot\frac{\partial u}{\partial \theta}-\frac{\sin\theta}{r}\cdot\frac{\partial^2 u}{\partial r\partial \theta}\right)$$

$$-\frac{\sin\theta}{r}\left(-\sin\theta\cdot\frac{\partial u}{\partial r}+\cos\theta\cdot\frac{\partial^2 u}{\partial \theta\partial r}-\frac{\cos\theta}{r}\cdot\frac{\partial u}{\partial \theta}-\frac{\sin\theta}{r}\cdot\frac{\partial^2 u}{\partial \theta^2}\right)$$

(ii) $$\frac{\partial^2 u}{\partial z^2} = \cos^2\theta\cdot\frac{\partial^2 u}{\partial r^2} + \frac{\cos\theta\sin\theta}{r^2}\cdot\frac{\partial u}{\partial\theta} - \frac{\cos\theta\sin\theta}{r}\cdot\frac{\partial^2 u}{\partial r\partial\theta}$$

$$+\frac{\sin^2\theta}{r}\cdot\frac{\partial u}{\partial r} - \frac{\sin\theta\cos\theta}{r}\cdot\frac{\partial^2 u}{\partial\theta\partial r} + \frac{\sin\theta\cos\theta}{r^2}\cdot\frac{\partial u}{\partial\theta} + \frac{\sin^2\theta}{r^2}\cdot\frac{\partial^2 u}{\partial\theta^2}$$

$$= \cos^2\theta\cdot\frac{\partial^2 u}{\partial r^2} + \sin\theta\cos\theta\left(\frac{1}{r^2}\cdot\frac{\partial u}{\partial\theta} - \frac{1}{r}\cdot\frac{\partial^2 u}{\partial r\partial\theta}\right) + \frac{\sin\theta}{r}\left(\sin\theta\cdot\frac{\partial u}{\partial r} - \cos\theta\cdot\frac{\partial^2 u}{\partial\theta\partial r}\right)$$

$$+\frac{\sin\theta}{r}\left(\frac{\cos\theta}{r}\cdot\frac{\partial u}{\partial\theta} + \frac{\sin\theta}{r}\cdot\frac{\partial^2 u}{\partial\theta^2}\right) \quad \cdots\cdots⑤$$

$$\nabla^2 u = \frac{\partial^2 u}{\partial\rho^2} + \frac{1}{\rho}\cdot\frac{\partial u}{\partial\rho} + \frac{1}{\rho^2}\cdot\frac{\partial^2 u}{\partial\varphi^2} + \frac{\partial^2 u}{\partial z^2} \quad \cdots\cdots①$$

$$\frac{\partial^2 u}{\partial\rho^2} = \sin^2\theta\cdot\frac{\partial^2 u}{\partial r^2} + \sin\theta\cos\theta\left(-\frac{1}{r^2}\cdot\frac{\partial u}{\partial\theta} + \frac{1}{r}\cdot\frac{\partial^2 u}{\partial r\partial\theta}\right) + \frac{\cos\theta}{r}\left(\cos\theta\cdot\frac{\partial u}{\partial r} + \sin\theta\cdot\frac{\partial^2 u}{\partial\theta\partial r}\right)$$

$$+\frac{\cos\theta}{r}\left(-\frac{\sin\theta}{r}\cdot\frac{\partial u}{\partial\theta} + \frac{\cos\theta}{r}\cdot\frac{\partial^2 u}{\partial\theta^2}\right) \quad \cdots\cdots④$$

ここで，④＋⑤より，

$$\frac{\partial^2 u}{\partial\rho^2} + \frac{\partial^2 u}{\partial z^2} = \sin^2\theta\cdot\frac{\partial^2 u}{\partial r^2} + \sin\theta\cos\theta\left(-\frac{1}{r^2}\cdot\frac{\partial u}{\partial\theta} + \frac{1}{r}\cdot\frac{\partial^2 u}{\partial r\partial\theta}\right) + \frac{\cos\theta}{r}\left(\cos\theta\cdot\frac{\partial u}{\partial r} + \sin\theta\cdot\frac{\partial^2 u}{\partial\theta\partial r}\right)$$

$$+\frac{\cos\theta}{r}\left(-\frac{\sin\theta}{r}\cdot\frac{\partial u}{\partial\theta} + \frac{\cos\theta}{r}\cdot\frac{\partial^2 u}{\partial\theta^2}\right) + \cos^2\theta\cdot\frac{\partial^2 u}{\partial r^2} + \sin\theta\cos\theta\left(\frac{1}{r^2}\cdot\frac{\partial u}{\partial\theta} - \frac{1}{r}\cdot\frac{\partial^2 u}{\partial r\partial\theta}\right)$$

$$+\frac{\sin\theta}{r}\left(\sin\theta\cdot\frac{\partial u}{\partial r} - \cos\theta\cdot\frac{\partial^2 u}{\partial\theta\partial r}\right) + \frac{\sin\theta}{r}\left(\frac{\cos\theta}{r}\cdot\frac{\partial u}{\partial\theta} + \frac{\sin\theta}{r}\cdot\frac{\partial^2 u}{\partial\theta^2}\right)$$

$$= \sin^2\theta\cdot\frac{\partial^2 u}{\partial r^2} + \frac{\cos^2\theta}{r}\cdot\frac{\partial u}{\partial r} + \frac{\cos^2\theta}{r^2}\cdot\frac{\partial^2 u}{\partial\theta^2} + \cos^2\theta\cdot\frac{\partial^2 u}{\partial r^2} + \frac{\sin^2\theta}{r}\cdot\frac{\partial u}{\partial r} + \frac{\sin^2\theta}{r^2}\cdot\frac{\partial^2 u}{\partial\theta^2}$$

$$= (\underbrace{\sin^2\theta + \cos^2\theta}_{1})\frac{\partial^2 u}{\partial r^2} + (\underbrace{\cos^2\theta + \sin^2\theta}_{1})\cdot\frac{1}{r}\cdot\frac{\partial u}{\partial r} + (\underbrace{\cos^2\theta + \sin^2\theta}_{1})\cdot\frac{1}{r^2}\cdot\frac{\partial^2 u}{\partial\theta^2}$$

$$= \frac{\partial^2 u}{\partial r^2} + \frac{1}{r}\cdot\frac{\partial u}{\partial r} + \frac{1}{r^2}\cdot\frac{\partial^2 u}{\partial\theta^2} \quad \cdots\cdots⑥$$

⑥と②を①に代入して，　← ρとzを消去して，rとθとφの偏微分方程式を導く！

$$\nabla^2 u = \frac{\partial^2 u}{\partial \rho^2} + \frac{1}{\rho}\cdot\frac{\partial u}{\partial \rho} + \frac{1}{\rho^2}\cdot\frac{\partial^2 u}{\partial \varphi^2} + \frac{\partial^2 u}{\partial z^2}$$

・$\nabla^2 u = \frac{\partial^2 u}{\partial \rho^2} + \frac{1}{\rho}\cdot\frac{\partial u}{\partial \rho} + \frac{1}{\rho^2}\frac{\partial^2 u}{\partial \varphi^2} + \frac{\partial^2 u}{\partial z^2}$ ……①

・$\frac{\partial u}{\partial \rho} = \sin\theta\cdot\frac{\partial u}{\partial r} + \frac{\cos\theta}{r}\cdot\frac{\partial u}{\partial \theta}$ …………②

$$= \frac{\partial^2 u}{\partial \rho^2} + \frac{\partial^2 u}{\partial z^2} + \frac{1}{\rho}\cdot\frac{\partial u}{\partial \rho} + \frac{1}{\rho^2}\cdot\frac{\partial^2 u}{\partial \varphi^2}$$

$r\sin\theta$（図(ⅲ)より）

$\sin\theta\cdot\frac{\partial u}{\partial r} + \frac{\cos\theta}{r}\cdot\frac{\partial u}{\partial \theta}$（②より）

$r^2\sin^2\theta$

$$= \frac{\partial^2 u}{\partial r^2} + \frac{1}{r}\cdot\frac{\partial u}{\partial r} + \frac{1}{r^2}\cdot\frac{\partial^2 u}{\partial \theta^2}$$

⑥より

$$+ \frac{1}{r\sin\theta}\left(\sin\theta\cdot\frac{\partial u}{\partial r} + \frac{\cos\theta}{r}\cdot\frac{\partial u}{\partial \theta}\right)$$

$$+ \frac{1}{r^2\sin^2\theta}\cdot\frac{\partial^2 u}{\partial \varphi^2}$$

図(ⅲ)

$$= \frac{\partial^2 u}{\partial r^2} + \frac{1}{r}\cdot\frac{\partial u}{\partial r} + \frac{1}{r^2}\cdot\frac{\partial^2 u}{\partial \theta^2} + \frac{1}{r}\cdot\frac{\partial u}{\partial r}$$

$$+ \frac{1}{r^2}\cdot\frac{\cos\theta}{\sin\theta}\cdot\frac{\partial u}{\partial \theta} + \frac{1}{r^2\sin^2\theta}\cdot\frac{\partial^2 u}{\partial \varphi^2}$$

$$= \frac{\partial^2 u}{\partial r^2} + \frac{2}{r}\cdot\frac{\partial u}{\partial r} + \frac{1}{r^2\sin\theta}\left(\cos\theta\cdot\frac{\partial u}{\partial \theta} + \sin\theta\cdot\frac{\partial^2 u}{\partial \theta^2}\right) + \frac{1}{r^2\sin^2\theta}\cdot\frac{\partial^2 u}{\partial \varphi^2}$$

$\frac{1}{r^2}\cdot\frac{\partial}{\partial r}\left(r^2\cdot\frac{\partial u}{\partial r}\right)$

$\frac{\partial}{\partial \theta}\left(\sin\theta\cdot\frac{\partial u}{\partial \theta}\right)$ ← $(f\cdot g)' = f'g + fg'$ より

$\frac{1}{r^2}\cdot\frac{\partial}{\partial r}\left(r^2\cdot\frac{\partial u}{\partial r}\right) = \frac{1}{r^2}\left(2r\cdot\frac{\partial u}{\partial r} + r^2\cdot\frac{\partial^2 u}{\partial r^2}\right)$ より

よって，$\nabla^2 u$ の球座標表示は，

$$\nabla^2 u = \frac{1}{r^2}\cdot\frac{\partial}{\partial r}\left(r^2\cdot\frac{\partial u}{\partial r}\right) + \frac{1}{r^2\sin\theta}\cdot\frac{\partial}{\partial \theta}\left(\sin\theta\cdot\frac{\partial u}{\partial \theta}\right) + \frac{1}{r^2\sin^2\theta}\cdot\frac{\partial^2 u}{\partial \varphi^2}$$ となる。

……(終)

演習問題 33　● 3 次元のラプラシアン ∇^2 の円柱座標表示 ●

スカラー値関数 u の 3 次元のラプラシアン

$\nabla^2 u = \frac{\partial^2 u}{\partial x^2} + \frac{\partial^2 u}{\partial y^2} + \frac{\partial^2 u}{\partial z^2}$ から，演習問題 **30** の結果を用いて，次の $\nabla^2 u$ の円柱座標表示を導け。

$$\nabla^2 u = \frac{1}{r} \cdot \frac{\partial}{\partial r}\left(r \cdot \frac{\partial u}{\partial r}\right) + \frac{1}{r^2} \cdot \frac{\partial^2 u}{\partial \theta^2} + \frac{\partial^2 u}{\partial z^2}$$

ヒント！ $\frac{\partial^2 u}{\partial x^2} + \frac{\partial^2 u}{\partial y^2}$ には，演習問題 **30** の結果が使える。ただし，円柱座標の 3 変数は，r，θ，z が用いられることに気をつけよう。

解答＆解説

演習問題 **30** から，右図の円柱座標 r，θ を用いて，

演習問題 **30** の ρ と φ が，今回は r と θ

$$\frac{\partial^2 u}{\partial x^2} + \frac{\partial^2 u}{\partial y^2}$$

$= $ (ア)

となる。これを，

$\nabla^2 u = $ (イ)

に代入して，スカラー値関数 u のラプラシアン $\nabla^2 u$ の円柱座標表示は，

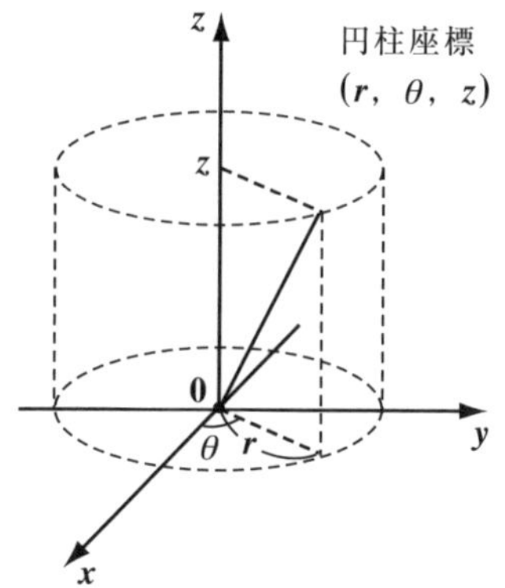

$$\nabla^2 u = \frac{1}{r} \cdot \frac{\partial}{\partial r}\left(r \cdot \frac{\partial u}{\partial r}\right) + \frac{1}{r^2} \cdot \frac{\partial^2 u}{\partial \theta^2} + \frac{\partial^2 u}{\partial z^2}$$ となる。…………………………(終)

解答　(ア) $\frac{1}{r} \cdot \frac{\partial}{\partial r}\left(r \cdot \frac{\partial u}{\partial r}\right) + \frac{1}{r^2} \cdot \frac{\partial^2 u}{\partial \theta^2}$　(イ) $\frac{\partial^2 u}{\partial x^2} + \frac{\partial^2 u}{\partial y^2} + \frac{\partial^2 u}{\partial z^2}$

参考

ここで，演習問題 **32** と **33** の結果を，下に並べて示す。

∇^2 の球座標表示

$$(\text{i})\ \nabla^2 u = \frac{1}{r^2}\cdot\frac{\partial}{\partial r}\left(r^2\cdot\frac{\partial u}{\partial r}\right)+\frac{1}{r^2\sin\theta}\cdot\frac{\partial}{\partial\theta}\left(\sin\theta\cdot\frac{\partial u}{\partial\theta}\right)+\frac{1}{r^2\sin^2\theta}\cdot\frac{\partial^2 u}{\partial\varphi^2}\ \cdots(a)$$

$$(\text{ii})\ \nabla^2 u = \frac{1}{r}\cdot\frac{\partial}{\partial r}\left(r\cdot\frac{\partial u}{\partial r}\right)+\frac{1}{r^2}\cdot\frac{\partial^2 u}{\partial\theta^2}+\frac{\partial^2 u}{\partial z^2}\ \cdots(b)$$

← ∇^2 の円柱座標表示

(i)(ii) で，∇^2 がスカラー値関数 u に作用する演算子であることを示す次のような表記法もあるので，覚えておこう。

$$(\text{i})\ \nabla^2 u = \left(\frac{1}{r^2}\cdot\frac{\partial}{\partial r}\left(r^2\cdot\frac{\partial}{\partial r}\right)+\frac{1}{r^2\sin\theta}\cdot\frac{\partial}{\partial\theta}\left(\sin\theta\cdot\frac{\partial}{\partial\theta}\right)+\frac{1}{r^2\sin^2\theta}\cdot\frac{\partial^2}{\partial\varphi^2}\right)u$$

$$(\text{ii})\ \nabla^2 u = \left(\frac{1}{r}\cdot\frac{\partial}{\partial r}\left(r\cdot\frac{\partial}{\partial r}\right)+\frac{1}{r^2}\cdot\frac{\partial^2}{\partial\theta^2}+\frac{\partial^2}{\partial z^2}\right)u$$

(a) と **(b)** を具体的に使う場合のポイントを次に示す。

(i) 球対称な電場や電位 ϕ を求める場合，

電場 $\boldsymbol{E}$ が中心 O のまわりに球対称に生じるものとすれば，電位 ϕ は天頂角 θ や方位角 φ には依存せず，中心 O からの距離 r だけのスカラー値関数 $\phi(r)$ になる。よって，$\frac{\partial\phi}{\partial\theta}=0$，かつ $\frac{\partial\phi}{\partial\varphi}=0$ となるので，$\nabla^2\phi$ を球座標表示すると，**(a)** 式で u を ϕ とおいて，

$$\nabla^2\phi = \frac{1}{r^2}\cdot\frac{\partial}{\partial r}\left(r^2\cdot\frac{\partial\phi}{\partial r}\right)+\frac{1}{r^2\sin\theta}\cdot\frac{\partial}{\partial\theta}\left(\sin\theta\cdot\underbrace{\frac{\partial\phi}{\partial\theta}}_{0}\right)+\frac{1}{r^2\sin^2\theta}\cdot\underbrace{\frac{\partial^2\phi}{\partial\varphi^2}}_{0}$$ より，

$$\nabla^2\phi = \frac{1}{r^2}\cdot\frac{\partial}{\partial r}\left(r^2\cdot\frac{\partial\phi}{\partial r}\right)$$ となる。← 演習問題 **34** 参照

$\frac{\partial}{\partial\varphi}\left(\underbrace{\frac{\partial\phi}{\partial\varphi}}_{0}\right)=0$

(ii) 軸対称な電場や電位 ϕ を求める場合，

電場 $\boldsymbol{E}$ は中心軸に関して対称に生じているものとすると，電位 ϕ は，方位角 θ や z 座標に依存せず，中心軸からの距離 r だけのスカラー値関数 $\phi(r)$ となる。よって，$\frac{\partial\phi}{\partial\theta}=0$，かつ $\frac{\partial\phi}{\partial z}=0$ より，$\nabla^2\phi$ を円柱座標表示すると，**(b)** 式で u を ϕ とおいて，

$$\nabla^2\phi = \frac{1}{r}\cdot\frac{\partial}{\partial r}\left(r\cdot\frac{\partial\phi}{\partial r}\right)+\frac{1}{r^2}\cdot\underbrace{\frac{\partial^2\phi}{\partial\theta^2}}_{0}+\underbrace{\frac{\partial^2\phi}{\partial z^2}}_{0}\quad\therefore\ \nabla^2\phi=\frac{1}{r}\cdot\frac{\partial}{\partial r}\left(r\cdot\frac{\partial\phi}{\partial r}\right)$$ となる。

$\frac{\partial}{\partial\theta}\left(\underbrace{\frac{\partial\phi}{\partial\theta}}_{0}\right)=0$　$\frac{\partial}{\partial z}\left(\underbrace{\frac{\partial\phi}{\partial z}}_{0}\right)=0$　演習問題 **35** 参照

演習問題 34　● 球対称な電場と電位 ●

原点 **O** を中心とする半径 **1(m)** の球の内部に，密度 $\rho = 10^{-10}$(C/m^3) の電荷が一様に分布している。球の外部は真空であるとして，球の中心 **O** から距離 $r(>0)$ の点における電位 $\phi(r)$ を，ポアソンの方程式の球座標表示を用いて求めよ。また，電場 $E(r)$ を求めよ。ただし，電位は無限遠で **0** とする。

ヒント！ 電荷が一様に球の内部に分布しているので，電場 E は球対称になる。したがって，電位 ϕ は中心 **O** からの距離 r だけの関数となって，$\phi(r)$ と表せる。よって，$\phi(r)$ のラプラシアン $\nabla^2\phi$ の球座標表示：
$\nabla^2\phi = \frac{1}{r^2}\cdot\frac{\partial}{\partial r}\left(r^2\cdot\frac{\partial\phi}{\partial r}\right) + \frac{1}{r^2\sin\theta}\cdot\frac{\partial}{\partial\theta}\left(\sin\theta\cdot\frac{\partial\phi}{\partial\theta}\right) + \frac{1}{r^2\sin^2\theta}\cdot\frac{\partial^2\phi}{\partial\varphi^2}$ の右辺の第 **2** 項と第 **3** 項は共に **0** となる。（演習問題 **32** 参照）

解答＆解説

マクスウェルの方程式 $\mathrm{div}E = \frac{\rho}{\varepsilon_0}$ に，電場と電位の関係式 $E = -\nabla\phi = -\mathrm{grad}\phi$ を代入すると，

$$\mathrm{div}(-\mathrm{grad}\phi) = \frac{\rho}{\varepsilon_0},\quad -\mathrm{div}(\mathrm{grad}\phi) = \frac{\rho}{\varepsilon_0}$$

$\mathrm{div}(\mathrm{grad}\phi) = -\frac{\rho}{\varepsilon_0}$ となる。

$$\nabla\cdot(\nabla\phi) = (\nabla\cdot\nabla)\phi = \nabla^2\phi = \left(\frac{\partial}{\partial x^2}+\frac{\partial}{\partial y^2}+\frac{\partial}{\partial z^2}\right)\phi$$

球座標
z，$r = [r, \theta, \varphi]$，$r\cos\theta$，P，O，θ，r，$r\sin\theta\sin\varphi$，y，$r\sin\theta\cos\varphi$，φ，H，x

よって，ポアソンの方程式

$$\nabla^2\phi = \frac{\partial^2\phi}{\partial x^2} + \frac{\partial^2\phi}{\partial y^2} + \frac{\partial^2\phi}{\partial z^2} = -\frac{\rho}{\varepsilon_0} \cdots①$$ が導かれる。

①を $\nabla^2\phi$ の球座標表示で書き直すと，（演習問題 **32** より）

$$\nabla^2\phi = \frac{1}{r^2}\cdot\frac{\partial}{\partial r}\left(r^2\cdot\frac{\partial\phi}{\partial r}\right) + \frac{1}{r^2\sin\theta}\cdot\frac{\partial}{\partial\theta}\left(\sin\theta\cdot\frac{\partial\phi}{\partial\theta}\right) + \frac{1}{r^2\sin^2\theta}\cdot\frac{\partial^2\phi}{\partial\varphi^2} = -\frac{\rho}{\varepsilon_0} \cdots①'$$

ここで，電荷が球の内部に一様に分布しているので，電場 E は球対称に生じている。よって，電位 ϕ は，天頂角 θ や方位角 φ に依らず，中心 **O** からの距離 r だけのスカラー値関数 $\phi(r)$ と表せるので，

$$\frac{\partial\phi}{\partial\theta}=0,\quad \frac{\partial\phi}{\partial\varphi}=0,\quad \frac{\partial^2\phi}{\partial\varphi^2}=\frac{\partial}{\partial\varphi}\Big(\underbrace{\frac{\partial\phi}{\partial\varphi}}_{0}\Big)=0$$

よって，①′ は，$(\nabla^2\phi=)\ \dfrac{1}{r^2}\cdot\dfrac{\partial}{\partial r}\left(r^2\cdot\dfrac{\partial\phi}{\partial r}\right)=-\dfrac{\rho}{\varepsilon_0}$ ……② となる。

電荷の体積密度 ρ を距離 r の関数として，$\rho(r)$ で表すと，

$$\begin{cases}(\text{i})\ 0<r\leqq 1\ \text{のとき},\ \rho(r)=10^{-10}\\(\text{ii})\ 1<r\ \text{のとき},\ \rho(r)=0\end{cases}$$

← $1<r$ のとき，周りは真空より

(i) $0<r\leqq 1$ のとき，$\rho(r)=10^{-10}$ より，②は，

$$\frac{1}{r^2}\cdot\frac{\partial}{\partial r}\left(r^2\cdot\frac{\partial\phi}{\partial r}\right)=-\frac{10^{-10}}{\varepsilon_0}$$

(i) $0<r\leqq 1$ のとき

$$\frac{\partial}{\partial r}\left(r^2\cdot\frac{\partial\phi}{\partial r}\right)=-\frac{10^{-10}}{\varepsilon_0}\cdot r^2$$

両辺を r で積分して，

$$r^2\cdot\frac{\partial\phi}{\partial r}=-\frac{10^{-10}}{\varepsilon_0}\int r^2dr$$

$$=-\frac{10^{-10}}{3\varepsilon_0}r^3+C_1'\ \ (C_1'\text{：積分定数})$$

$$\therefore\ \frac{\partial\phi}{\partial r}=-\frac{10^{-10}}{3\varepsilon_0}r+\frac{C_1'}{r^2}$$ 両辺を r で積分して，

$$\phi=-\frac{10^{-10}}{3\varepsilon_0}\int r\,dr+C_1'\int r^{-2}dr=-\frac{10^{-10}}{6\varepsilon_0}r^2+\frac{C_1}{r}+C_2\ \cdots\cdots③$$

$(C_1=-C_1',\ C_2\text{：積分定数})$

(ii) $1<r$ のとき，$\rho(r)=0$ より，②は，

(ii) $1<r$ のとき

$$\frac{1}{r^2}\cdot\frac{\partial}{\partial r}\left(r^2\cdot\frac{\partial\phi}{\partial r}\right)=\frac{0}{\varepsilon_0},\quad \frac{\partial}{\partial r}\left(r^2\cdot\frac{\partial\phi}{\partial r}\right)=0$$

両辺を r で積分して，

$$r^2\cdot\frac{\partial\phi}{\partial r}=C_3'\quad (C_3'\text{：積分定数})$$

$$\frac{\partial\phi}{\partial r}=\frac{C_3'}{r^2}$$

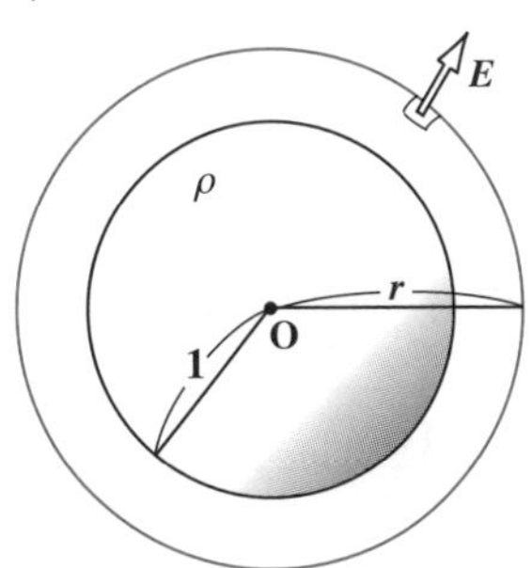

両辺を r で積分して，

$$\phi = C_3' \int r^{-2} dr = \frac{C_3}{r} + C_4 \cdots\cdots ④ \quad (C_3 = -C_3',\ C_4：積分定数)$$

以上(ⅰ)(ⅱ)より，

$$\begin{cases} (\text{i})\ 0 < r \leqq 1 \text{ のとき，} \phi(r) = -\dfrac{10^{-10}}{6\varepsilon_0} r^2 + \dfrac{C_1}{r} + C_2 \cdots\cdots ③ \\ (\text{ii})\ 1 < r \text{ のとき，} \phi(r) = \dfrac{C_3}{r} + C_4 \cdots\cdots ④ \end{cases}$$

球の内部に一様に分布した電荷によって生じる電場 $\boldsymbol{E}$ は球対称だから，球座標の天頂角 θ と方位角 φ には無関係で，実質的に 1 次元の r のみの関数になる。よって，静電場 $\boldsymbol{E}$ は動径方向のベクトルとなるので，電場はスカラー E で考えてよい。そして，$\boldsymbol{E} = -\mathrm{grad}\phi$ の関係も，

$$E(r) = -\frac{d\phi(r)}{dr} \iff \phi(r) = -\int E(r) dr \cdots\cdots ⑤$$ と表せる。

次の 4 つの境界条件で，積分定数 C_1，C_2，C_3，C_4 を決定する。

・まず，$0 \leqq r < \infty$ において，電場 $\boldsymbol{E}$ は連続に変化するので，⑤の関係より，ϕ は連続かつ滑らかな関数となる。

よって，$r = 0$ において ϕ は有限な値をとる。 ← 1つ目の境界条件

ここで，③式で，$C_1 \neq 0$ とすると，$r \to +0$ の極限をとれば，

$$\lim_{r \to +0} \phi(r) = \lim_{r \to +0} \left(-\frac{10^{-10}}{6\varepsilon_0} r^2 + \frac{C_1}{r} + C_2 \right) = \pm\infty \text{ と発散する。}$$

（$r^2 \to +0$，$r \to +0$，$\dfrac{C_1}{r} \to \pm\infty$）

よって，$C_1 = 0$ でなければならない。したがって，③より，

$$(\text{i})\ 0 < r \leqq 1 \text{ のとき，} \phi(r) = -\frac{10^{-10}}{6\varepsilon_0} r^2 + C_2 \cdots\cdots ③' \text{ となる。}$$

・球の表面，つまり $r = 1$ のときも $\phi(r)$ は連続より， ← 2つ目の境界条件

$$\phi(1) = \lim_{r \to 1+0} \phi(r) \quad \therefore -\frac{10^{-10}}{6\varepsilon_0} \cdot 1^2 + C_2 = \lim_{r \to 1+0} \left(\frac{C_3}{r} + C_4 \right) = C_3 + C_4 \text{ より，}$$

（$\phi(1)$：③′の r に 1 を代入したもの，$\lim_{r \to 1+0}\phi(r)$：④の $\phi(r)$ のこと，$r \to 1+0$）

$$-\frac{10^{-10}}{6\varepsilon_0} + C_2 = C_3 + C_4 \cdots\cdots ⑥$$

・また，無限遠で $\phi = 0$ だから，← 3つ目の境界条件

$$\lim_{r\to\infty}\phi(r) = \lim_{r\to\infty}\left(\frac{C_3}{r} + C_4\right) = C_4 = 0$$

（$\frac{C_3}{r}$ → 0，r → ∞）（④の $\phi(r)$）

$\therefore C_4 = 0$ を④と⑥に代入して，

（ⅱ）$1 < r$ のとき，$\phi(r) = \frac{C_3}{r}$ ……④′

$$-\frac{10^{-10}}{6\varepsilon_0} + C_2 = C_3 \quad\cdots\cdots⑥'$$

4つ目の境界条件

・本問において，$\phi'(r) = \frac{d\phi}{dr}\ (= -E(r))$ は $r = 1$ で連続より，

$$\phi'(1) = \lim_{r\to 1+0}\phi'(r)$$

（③′を r で微分後，$r = 1$ を代入）（④′を r で微分）

③′より，（ⅰ）$0 < r \leqq 1$ のとき，
$\phi'(r) = -\frac{10^{-10}}{3\varepsilon_0}r$
④′より，（ⅱ）$1 < r$ のとき，
$\phi'(r) = -\frac{C_3}{r^2}$ だね。

$$-\frac{10^{-10}}{3\varepsilon_0}\cdot 1 = \lim_{r\to 1+0}\left(-\frac{C_3}{r^2}\right) = -C_3$$

（r^2 → 1）

$\therefore C_3 = \frac{10^{-10}}{3\varepsilon_0}$ ……⑦　　⑦を⑥′に代入して，

$$-\frac{10^{-10}}{6\varepsilon_0} + C_2 = \frac{10^{-10}}{3\varepsilon_0} \qquad \therefore C_2 = \frac{10^{-10}}{2\varepsilon_0} \quad\cdots\cdots⑧$$

以上⑦，⑧を③′，④′に代入して，

（ⅰ）$0 < r \leqq 1$ のとき，$\phi(r) = -\frac{10^{-10}}{6\varepsilon_0}r^2 + \frac{10^{-10}}{2\varepsilon_0}$ ……………………（答）

（ⅱ）$1 < r$ のとき，$\phi(r) = \frac{10^{-10}}{3\varepsilon_0}\cdot\frac{1}{r}$ ……………………………（答）

（ⅰ）（ⅱ）の各 $\phi(r)$ を r で微分して -1 倍したものが電場 $E(r)$ より，

（ⅰ）$0 < r \leqq 1$ のとき，

$$E(r) = -\frac{d\phi(r)}{dr} = -\frac{d}{dr}\left(-\frac{10^{-10}}{6\varepsilon_0}r^2 + \frac{10^{-10}}{2\varepsilon_0}\right) = \frac{10^{-10}}{3\varepsilon_0}r \quad\cdots\cdots\text{（答）}$$

（ⅱ）$1 < r$ のとき，

$$E(r) = -\frac{d\phi(r)}{dr} = -\frac{d}{dr}\left(\frac{10^{-10}}{3\varepsilon_0}\cdot r^{-1}\right) = \frac{10^{-10}}{3\varepsilon_0}\frac{1}{r^2} \quad\cdots\cdots\text{（答）}$$

本問では，ポアソン方程式の球座標表示を用いて電位 $\phi(r)$ と電場 $E(r)$ を求めたが，以下に別解としてガウスの法則による解法を示そう。

別解

電荷分布が球対称より，電気力線は球対称に放射状に分布する。
よって，中心 $\mathbf{O}$ から半径 r の球面にガウスの法則を用いる。

(i) $0<r\leqq 1$ のとき，

ガウスの法則より，

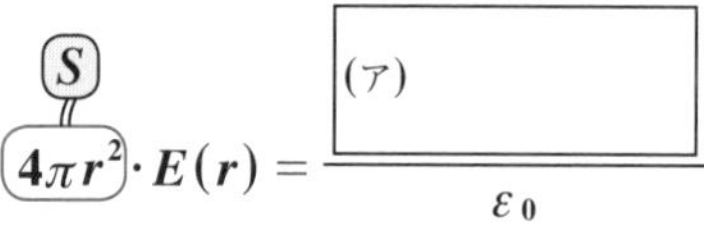

$$4\pi r^2\cdot E(r)=\frac{(ア)}{\varepsilon_0}$$

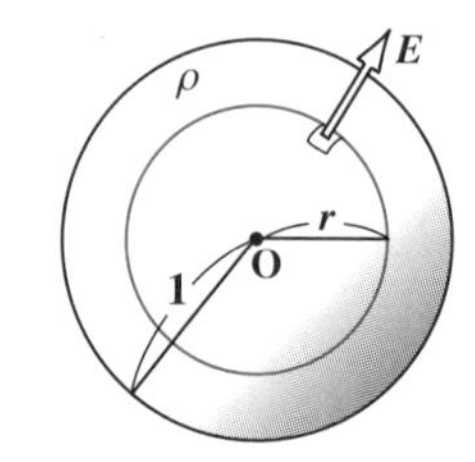

$\therefore$ 電場 $E(r)=\dfrac{10^{-10}}{3\varepsilon_0}r$ となる。

(ii) $1<r$ のとき，

ガウスの法則より，

$$4\pi r^2\cdot E(r)=\frac{(イ)}{\varepsilon_0}$$

$\therefore$ 電場 $E(r)=\dfrac{10^{-10}}{3\varepsilon_0}\cdot\dfrac{1}{r^2}$ となる。

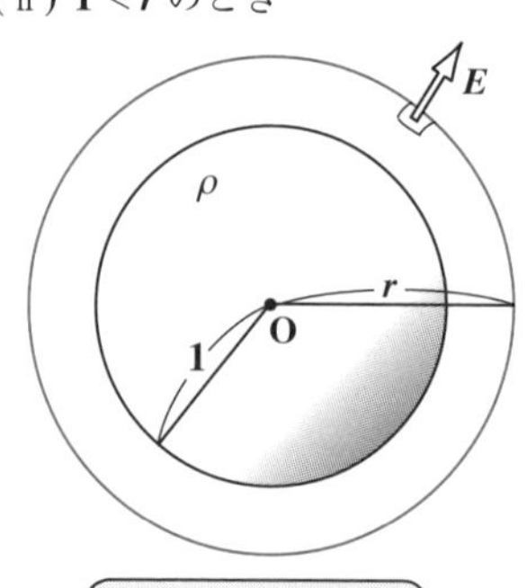

ρ>0 のイメージ

以上 (i)(ii) より，r と電場 $E(r)$ の関係を表すグラフを右下に示す。 ………(答)

電荷分布は球対称なので，電位 ϕ は，

$\phi=$ (ウ) で計算できる。

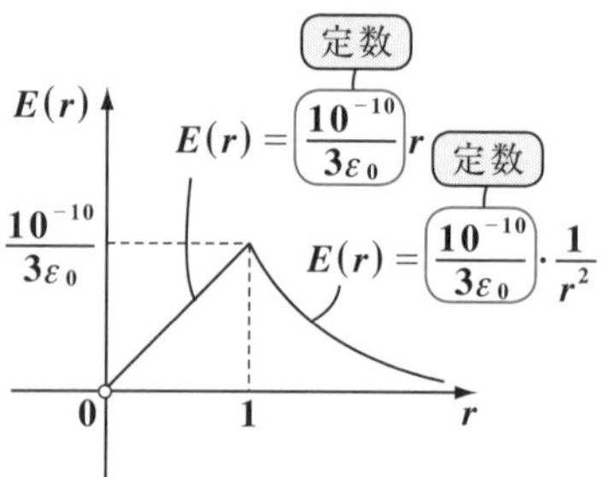

(i) $0<r\leqq 1$ と (ii) $1<r$ の 2 つの場合に分けて ϕ を求める。

(i) $0<r\leqq 1$ のとき，

$$\phi(r)=\int_r^{\infty}E(r)dr=\int_r^{1}E(r)dr+\int_1^{\infty}E(r)dr$$

$$= \frac{10^{-10}}{3\varepsilon_0}\int_r^1 r\,dr + \frac{10^{-10}}{3\varepsilon_0}\int_1^\infty \frac{1}{r^2}dr$$

$$= \frac{10^{-10}}{3\varepsilon_0}\left[\frac{1}{2}r^2\right]_r^1 + \frac{10^{-10}}{3\varepsilon_0}\left(\lim_{c\to\infty}\left[-\frac{1}{r}\right]_1^c\right)$$ ← これは無限積分なので極限の形で求める。

$$= \frac{10^{-10}}{6\varepsilon_0}(1^2 - r^2) + \frac{10^{-10}}{3\varepsilon_0}\left\{\lim_{c\to\infty}\left(-\frac{1}{c} + \frac{1}{1}\right)\right\}$$ （$c \to \infty$）

$$= \frac{10^{-10}}{6\varepsilon_0} - \frac{10^{-10}}{6\varepsilon_0}r^2 + \frac{10^{-10}}{3\varepsilon_0}$$

∴ 電位 $\phi(r) = -\frac{10^{-10}}{6\varepsilon_0}r^2 + \frac{10^{-10}}{2\varepsilon_0}$ ← 上に凸の r の 2 次関数

（$\frac{10^{-10}}{6\varepsilon_0}$：定数，$\frac{10^{-10}}{2\varepsilon_0}$：定数）

(ⅱ) $1 < r$ のとき，

$\phi(r) = \int_r^\infty E(r)dr =$ (エ) $= \frac{10^{-10}}{3\varepsilon_0}$ (オ)

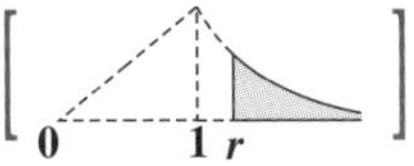

$$= \frac{10^{-10}}{3\varepsilon_0}\left\{\lim_{c\to\infty}\left(-\frac{1}{c} + \frac{1}{r}\right)\right\}$$ （$c \to \infty$）

∴ 電位 $\phi(r) = \frac{10^{-10}}{3\varepsilon_0}\cdot\frac{1}{r}$

（$\frac{10^{-10}}{3\varepsilon_0}$：定数）

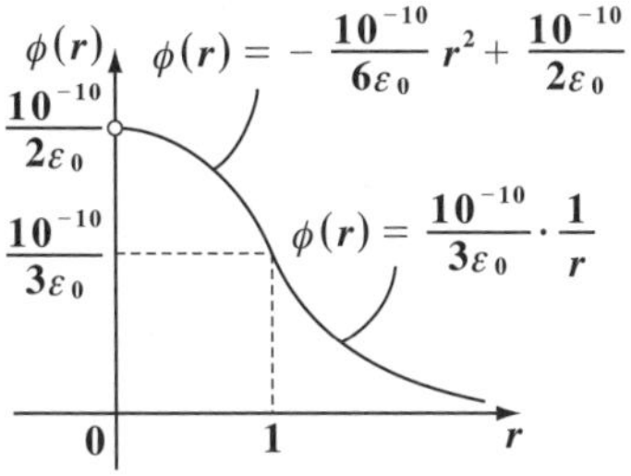

以上 (ⅰ)(ⅱ) より，r と電位 $\phi(r)$ の関係を表すグラフを右に示す。…………(答)

一般に，中心 O，半径 r の球面 S の内部で，中心 O に関して球対称に電荷 Q が分布しているとき，球面 S 上の任意の点の電場 $E(r)$ は，

$E(r) = \frac{1}{4\pi\varepsilon_0}\cdot\frac{Q}{r^2}$ と表せる。$\left(\because\ ガウスの法則\ 4\pi r^2\cdot E(r) = \frac{Q}{\varepsilon_0}\ より\right)$

これは，「S 内にある全電荷 Q が中心 O に集中したと考えた場合の電場に等しい。」

解答　(ア) $\frac{4}{3}\pi r^3\cdot 10^{-10}$　(イ) $\frac{4}{3}\pi\cdot 1^3\cdot 10^{-10}$ $\left(または，\frac{4}{3}\pi\cdot 10^{-10}\right)$　(ウ) $\int_r^\infty E(r)dr$

(エ) $\frac{10^{-10}}{3\varepsilon_0}\int_r^\infty \frac{1}{r^2}dr$ $\left(または，\int_r^\infty \frac{10^{-10}}{3\varepsilon_0}\cdot\frac{1}{r^2}dr\right)$　(オ) $\lim_{c\to\infty}\left[-\frac{1}{r}\right]_r^c$

演習問題 35　● 軸対称な電場と電位 ●

半径 $\mathbf{1(m)}$ の無限に長い円柱の内部に密度 $\mathbf{10^{-11}}$ $\mathbf{(C/m^3)}$ の電荷が一様に分布している。円柱の外部は真空であるとして，円柱の中心軸から距離 r における電位 $\phi(r)$ を，ポアソンの方程式の円柱座標表示を用いて求めよ。また，電場 $E(r)$ を求めよ。ただし，電位の基準を $r=2$ にとり，$\phi(2)=0$ として電位 $\phi(r)$ を求めよ。

ヒント！ 電荷が無限に伸びる円柱の内部に一様に分布しているので，電場 $\boldsymbol{E}$ は軸対称になる。よって，電位 ϕ は，軸からの距離 r だけの関数となり，$\phi(r)$ と表せる。したがって，$\phi(r)$ のラプラシアン $\nabla^2\phi$ の円柱座標表示：

$\nabla^2\phi = \frac{1}{r}\cdot\frac{\partial}{\partial r}\left(r\cdot\frac{\partial\phi}{\partial r}\right)+\frac{1}{r^2}\cdot\frac{\partial^2\phi}{\partial\theta^2}+\frac{\partial^2\phi}{\partial z^2}$ の右辺の第 2 項と第 3 項はいずれも 0 になる。（演習問題 33 参照）

解答＆解説

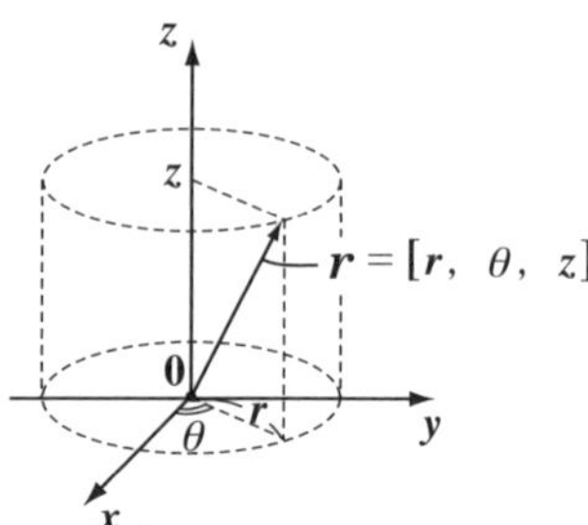

静電場において，電位 ϕ は次のポアソンの方程式の解となる。

$$\nabla^2\phi = \frac{\partial^2\phi}{\partial x^2}+\frac{\partial^2\phi}{\partial y^2}+\frac{\partial^2\phi}{\partial z^2} = -\frac{\rho}{\varepsilon_0} \quad \cdots\cdots①$$

①を，$\nabla^2\phi$ の円柱座標表示で書き直すと，

演習問題 33 より

$$\nabla^2\phi = \frac{1}{r}\cdot\frac{\partial}{\partial r}\left(r\cdot\frac{\partial\phi}{\partial r}\right)+\frac{1}{r^2}\cdot\frac{\partial^2\phi}{\partial\theta^2}+\frac{\partial^2\phi}{\partial z^2} = -\frac{\rho}{\varepsilon_0} \quad \cdots\cdots①'$$

ここで，電荷が円柱の内部で一様に分布しているので，電場 $\boldsymbol{E}$ は軸対称に，軸に対して垂直に生じている。よって，電位 ϕ は，方位角 θ や z 座標によらず，円柱の中心軸からの距離 r だけのスカラー値関数 $\phi(r)$ となる。

$\therefore \frac{\partial\phi}{\partial\theta}=0$ より，$\frac{\partial^2\phi}{\partial\theta^2}=\frac{\partial}{\partial\theta}\Big(\underbrace{\frac{\partial\phi}{\partial\theta}}_{0}\Big)=0$　同様に $\frac{\partial^2\phi}{\partial z^2}=0$ だから，①′は，

$$\nabla^2\phi = \frac{1}{r}\cdot\frac{\partial}{\partial r}\left(r\frac{\partial\phi}{\partial r}\right) = -\frac{\rho}{\varepsilon_0} \quad \cdots\cdots② \quad \text{となる。}$$

電荷の体積密度ρを中心軸からの距離rの関数として，$\rho(r)$で表すと，

$$\begin{cases}(\text{i})\ 0 < r \leqq 1 \text{ のとき，} \rho(r) = 10^{-11} \\ (\text{ii})\ 1 < r \text{ のとき，} \rho(r) = 0\end{cases}$$

← このとき，周りは真空だから

(i) $0 < r \leqq 1$ のとき，$\rho(r) = 10^{-11}$ より，②は，

$$\frac{1}{r}\cdot\frac{\partial}{\partial r}\left(r\,\frac{\partial\phi}{\partial r}\right) = -\frac{10^{-11}}{\varepsilon_0}$$

$$\frac{\partial}{\partial r}\left(r\,\frac{\partial\phi}{\partial r}\right) = -\frac{10^{-11}}{\varepsilon_0}\cdot r$$

両辺をrで積分して，

$$r\,\frac{\partial\phi}{\partial r} = -\frac{10^{-11}}{\varepsilon_0}\int r\,dr$$

$$= -\frac{10^{-11}}{2\varepsilon_0}r^2 + C_1$$

$$\frac{\partial\phi}{\partial r} = -\frac{10^{-11}}{2\varepsilon_0}r + \frac{C_1}{r}$$

(C_1：積分定数)

両辺をrで積分して，

$$\phi = -\frac{10^{-11}}{2\varepsilon_0}\int r\,dr + C_1\int\frac{1}{r}\,dr = -\frac{10^{-11}}{4\varepsilon_0}r^2 + C_1\log r + C_2 \quad\cdots\cdots③$$

(C_2：積分定数)

(ii) $1 < r$ のとき，$\rho(r) = 0$ より，②は，

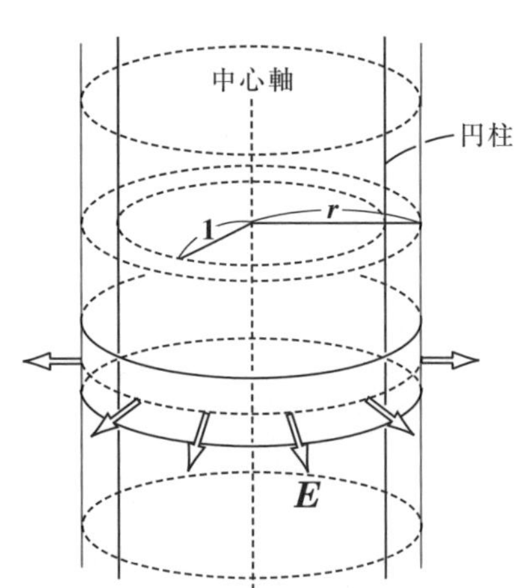

$$\frac{1}{r}\cdot\frac{\partial}{\partial r}\left(r\,\frac{\partial\phi}{\partial r}\right) = 0$$

$$\frac{\partial}{\partial r}\left(r\,\frac{\partial\phi}{\partial r}\right) = 0$$

両辺をrで積分して，

$$r\,\frac{\partial\phi}{\partial r} = C_3 \quad (C_3\text{：積分定数})$$

$$\frac{\partial\phi}{\partial r} = \frac{C_3}{r}$$

両辺をrで積分して，

$$\phi = C_3\int \frac{1}{r}dr = C_3\log r + C_4 \quad \cdots\cdots④ \quad (C_4：積分定数)$$

以上(ⅰ)(ⅱ)より，

$$\begin{cases} (\text{i})\ 0 < r \leqq 1 \text{ のとき，} \phi(r) = -\dfrac{10^{-11}}{4\varepsilon_0}r^2 + C_1\log r + C_2 \quad \cdots\cdots③ \\ (\text{ii})\ 1 < r \text{ のとき，} \phi(r) = C_3\log r + C_4 \quad \cdots\cdots④ \end{cases}$$

円柱の内部に一様に分布した電荷によって生じる電場 $\boldsymbol{E}$ は円柱の中心軸に関して対称だから，円柱座標の方位角 θ と縦座標の z には無関係で実質的に 1 次元の r のみの関数になる。よって，静電場 $\boldsymbol{E}$ は軸に対して垂直な方向のベクトルとなるので，電場はスカラー E で考えてよい。そして，$\boldsymbol{E} = -\mathrm{grad}\,\phi$ の関係も，

$$E(r) = -\frac{d\phi(r)}{dr} \iff \phi(r) = -\int E(r)dr \quad \cdots\cdots⑤$$ と表せる。

次の 4 つの境界条件で，積分定数 C_1，C_2，C_3，C_4 を決定する。

・まず本問において，$0 < r < \infty$ において，電場 E は連続に変化するので，⑤の関係より，ϕ は連続かつ滑らかな関数となる。

よって，$r = 0$ において ϕ は有限な値をとる。←1つ目の境界条件

ここで，③式で，$C_1 \neq 0$ とすると，$r \to +0$ の極限をとれば，

$$\lim_{r\to+0}\phi(r) = \lim_{r\to+0}\left(-\frac{10^{-11}}{4\varepsilon_0}r^2 + C_1\log r + C_2\right) = \pm\infty$$ と発散する。

（$r^2 \to +0$，$r \to +0$，$\log r \to -\infty$）

よって，$C_1 = 0$ である。したがって，③より，

$$(\text{i})\ 0 < r \leqq 1 \text{ のとき，} \phi(r) = -\frac{10^{-11}}{4\varepsilon_0}r^2 + C_2 \quad \cdots\cdots③'$$ となる。

・円柱の表面，つまり $r = 1$ のときも $\phi(r)$ は連続より，←2つ目の境界条件

$$\phi(1) = \lim_{r\to 1+0}\phi(r) \qquad \therefore -\frac{10^{-11}}{4\varepsilon_0}\cdot 1^2 + C_2 = \lim_{r\to 1+0}(C_3\log r + C_4) = C_4 \text{ より，}$$

（$\phi(1)$：③′の r に 1 を代入したもの，$\phi(r)$：④の $\phi(r)$ のこと，$r \to 1$，$\log r \to 0$）

$$C_4 = C_2 - \frac{10^{-11}}{4\varepsilon_0} \quad \cdots\cdots⑥$$

・また，$r=2$ で $\phi=0$ だから，④より，←（3つ目の境界条件）

$\phi(2)=C_3\log 2+C_4=0 \qquad \therefore C_4=-C_3\log 2$ ……⑦

⑦を④と⑥に代入して，

(ⅱ) $1<r$ のとき，$\phi(r)=C_3\log r-C_3\log 2=C_3\log\dfrac{r}{2}$ ……④′

$-C_3\log 2=C_2-\dfrac{10^{-11}}{4\varepsilon_0} \qquad \therefore C_2=\dfrac{10^{-11}}{4\varepsilon_0}-C_3\log 2$ ………⑥′

・$\phi'(r)=\dfrac{d\phi}{dr}\ (=-E(r))$ は $r=1$ で連続より，←（4つ目の境界条件）

$\underline{\phi'(1)}=\lim_{r\to 1+0}\underline{\phi'(r)}$

（③′を r で微分後，$r=1$ を代入）（④′を r で微分）

（③′より，(ⅰ) $0<r\leqq 1$ のとき，$\phi'(r)=-\dfrac{10^{-11}}{2\varepsilon_0}r$
④′より，(ⅱ) $1<r$ のとき，$\phi'(r)=\dfrac{C_3}{r}$ となる。）

$-\dfrac{10^{-11}}{2\varepsilon_0}\cdot 1=\lim_{r\to 1+0}\dfrac{C_3}{r}=C_3$ （$r \to 1+0$）

$\therefore C_3=-\dfrac{10^{-11}}{2\varepsilon_0}$ ……⑧ 　　⑧を⑥′に代入して，

$C_2=\dfrac{10^{-11}}{4\varepsilon_0}+\dfrac{10^{-11}}{2\varepsilon_0}\log 2=\dfrac{10^{-11}}{4\varepsilon_0}(2\log 2+1)$ ……⑨

以上⑧，⑨を③′，④′に代入して，

(ⅰ) $0<r\leqq 1$ のとき，$\phi(r)=-\dfrac{10^{-11}}{4\varepsilon_0}r^2+\dfrac{10^{-11}}{4\varepsilon_0}(2\log 2+1)$ ………(答)

(ⅱ) $1<r$ のとき，$\phi(r)=-\dfrac{10^{-11}}{2\varepsilon_0}\log\dfrac{r}{2}=\dfrac{10^{-11}}{2\varepsilon_0}\log\dfrac{2}{r}$ ……………(答)

（$\log\dfrac{r}{2}=(\log r-\log 2)=-(\log 2-\log r)$）

(ⅰ)(ⅱ)の各 $\phi(r)$ を r で微分して -1 倍したものが電場 $E(r)$ より，

(ⅰ) $0<r\leqq 1$ のとき，

$$E(r)=-\frac{d\phi(r)}{dr}=-\frac{d}{dr}\left\{-\frac{10^{-11}}{4\varepsilon_0}r^2+\frac{10^{-11}}{4\varepsilon_0}(2\log 2+1)\right\}=\frac{10^{-11}}{2\varepsilon_0}r$$

……(答)

(ⅱ) $1<r$ のとき，

$$E(r)=-\frac{d\phi(r)}{dr}=-\frac{d}{dr}\left\{\frac{10^{-11}}{2\varepsilon_0}(\log 2-\log r)\right\}=\frac{10^{-11}}{2\varepsilon_0}\cdot\frac{1}{r}$$ ……(答)

ここでは，ポアソンの方程式の円柱座標表示を用いて電位 $\phi(r)$ と電場 $E(r)$ を求めた。以下では，ガウスの法則を用いた別解を示す。

別解

電荷は軸対称に分布するので，(i) $0 < r \leqq 1$ と，(ii) $1 < r$ の 2 つに場合分けして，それぞれにガウスの法則を適用しよう。

右図に示すように，円柱と中心軸を共有する高さ l，半径 r の円筒面(閉曲面)をとって考える。

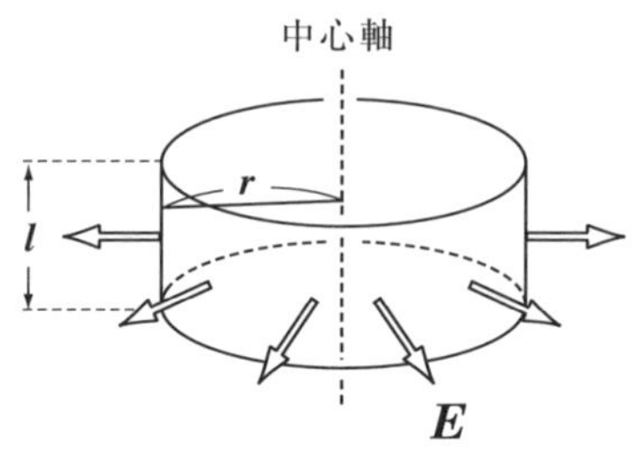

無限に伸びる円柱の内部に電荷が一様に分布するので，円筒面の側面からのみ，この側面に (ア) に一定の大きさの電場 E が出ている。

(i) $0 < r \leqq 1$ のとき，

ガウスの法則より，

$$2\pi rl \cdot E(r) = \frac{\text{(イ)}}{\varepsilon_0}$$

$$\therefore \text{電場 } E(r) = \frac{10^{-11}}{2\varepsilon_0} r \quad \cdots\cdots\cdots(\text{答})$$

(i) $0 < r \leqq 1$ のとき

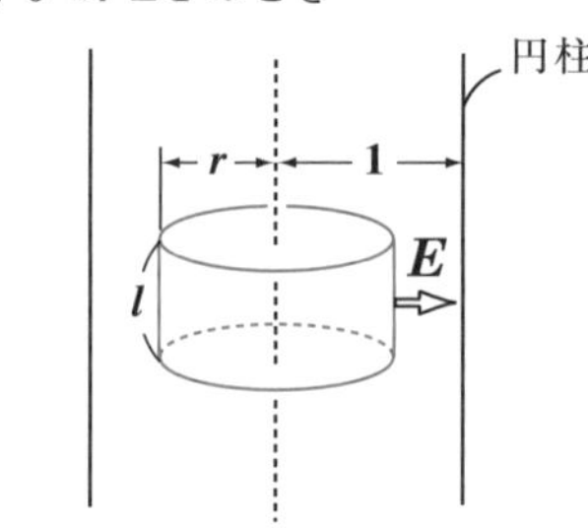

(ii) $1 < r$ のとき，

ガウスの法則より，

$$2\pi rl \cdot E(r) = \frac{\text{(ウ)}}{\varepsilon_0}$$

$$\therefore \text{電場 } E(r) = \frac{10^{-11}}{2\varepsilon_0} \cdot \frac{1}{r} \quad \cdots\cdots(\text{答})$$

(ii) $1 < r$ のとき

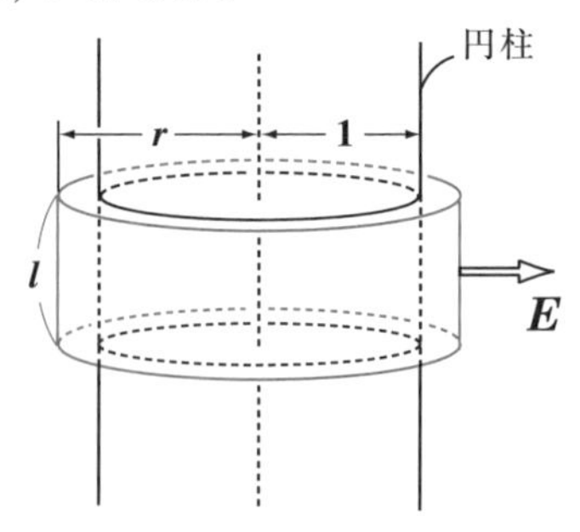

以上(i)(ii)より，r と電場 $E(r)$ の関係を表すグラフを右に示す。

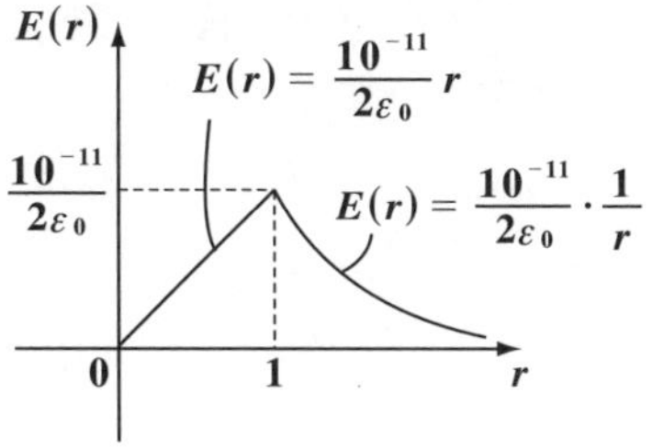

電荷分布は円柱の中心軸に関して対称であり，電位の基準を $r=2$ におくので，電位 $\phi(r)$ は，

$\phi(r)=$ (エ) □

$$=\int_r^2 E(r)dr$$

で計算される。

(i) $0<r\leqq 1$ のとき，

$$\phi(r)=\int_r^2 E(r)dr=\int_r^1 E(r)dr+\int_1^2 E(r)dr$$

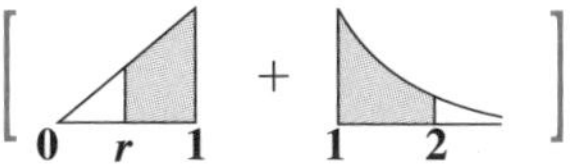

$$=\frac{10^{-11}}{2\varepsilon_0}\int_r^1 r\,dr+\frac{10^{-11}}{2\varepsilon_0}\int_1^2\frac{1}{r}dr$$

$$=\frac{10^{-11}}{2\varepsilon_0}\left[\frac{1}{2}r^2\right]_r^1+\frac{10^{-11}}{2\varepsilon_0}[\log r]_1^2$$

$$=\frac{10^{-11}}{4\varepsilon_0}(1-r^2)+\frac{10^{-11}}{2\varepsilon_0}(\log 2-\underbrace{\log 1}_{0})$$

$\therefore\ \phi(r)=-\dfrac{10^{-11}}{4\varepsilon_0}r^2+\dfrac{10^{-11}}{4\varepsilon_0}(2\log 2+1)$ となる。 ……………(答)

(ii) $1<r$ のとき，

$$\phi(r)=\int_r^2 E(r)dr=\frac{10^{-11}}{2\varepsilon_0}\int_r^2\frac{1}{r}dr=\frac{10^{-11}}{2\varepsilon_0}[\log r]_r^2=\frac{10^{-11}}{2\varepsilon_0}\underbrace{(\log 2-\log r)}_{\log\frac{2}{r}}$$

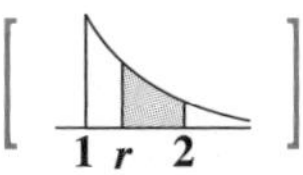

$\therefore\ \phi(r)=\dfrac{10^{-11}}{2\varepsilon_0}\log\dfrac{2}{r}$ となる。 ……………………………………(答)

解答 (ア) 垂直　(イ) $\pi r^2 l\cdot 10^{-11}$　(ウ) $\pi\cdot 1^2\cdot l\cdot 10^{-11}$　(エ) $-\int_2^r E(r)dr$

演習問題 36　● 電気双極子 ●

xy 座標平面上の 2 点 $\mathrm{A}(a,\ 0)$，$\mathrm{B}(-a,\ 0)$ にそれぞれ $+q(C)$ と $-q(C)$ の点電荷を置いた。a に比べて十分遠い距離の点 $\mathrm{P}(x,\ y)$ における電位 ϕ を求めよ。ただし，a は微小な正の数とし，$a \ll \sqrt{x^2+y^2}$ とする。

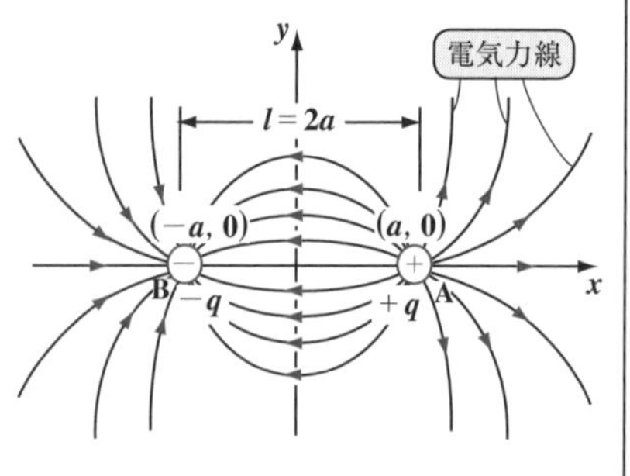

ヒント！　まず，点 P における電位 ϕ は，電荷 $+q(C)$ による電位と，電荷 $-q(C)$ による電位の和（重ね合わせ）として求まる。次に，$\boldsymbol{E} = -\nabla\phi$ より，電位 ϕ から電場 $\boldsymbol{E}$ を求める。この電気双極子は，大きさ $p = ql = q\cdot 2a$ のモーメントをもつ。

解答＆解説

この電気双極子による電位 ϕ は，点 $(a,\ 0)$ にある $+q(C)$ の電荷による電位 ϕ_+ と，点 $(-a,\ 0)$ にある $-q(C)$ の電荷による電位 ϕ_- との和により求まるので，

$\phi = \phi_+ + \phi_-$ ……①　となる。

図（ii）に示すように，$\mathrm{AP} = r_1$，$\mathrm{BP} = r_2$ とおき，さらに，点 $\mathrm{P}(x,\ y)$ を極座標 $\mathrm{P}(r,\ \theta)$ で表すことにすると，

$x = r\cos\theta$，$y = r\sin\theta$ となる。

図（i）

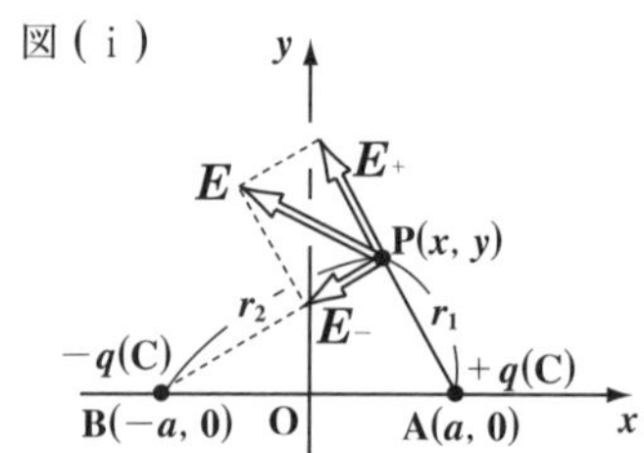

$a \fallingdotseq 0$ より，2 点 A，B はもっと原点に近い点であり，また，$a \ll \mathrm{OP}$ としている。

図（ii）

$$\phi_+ = \frac{1}{4\pi\varepsilon_0}\cdot\frac{q}{r_1},\qquad \phi_- = \frac{1}{4\pi\varepsilon_0}\cdot\frac{(-q)}{r_2}$$

を①に代入して，

$$\phi = \frac{1}{4\pi\varepsilon_0}\cdot\frac{q}{r_1} - \frac{1}{4\pi\varepsilon_0}\cdot\frac{q}{r_2} = \frac{q}{4\pi\varepsilon_0}\left(\frac{1}{r_1} - \frac{1}{r_2}\right) \cdots ②$$

ここで，余弦定理を $\triangle\mathrm{OAP}$，$\triangle\mathrm{OBP}$ に用いて，

$$\begin{cases} {r_1}^2 = r^2 + a^2 - 2ra\cos\theta \\ {r_2}^2 = r^2 + a^2 - 2ra\cos(\pi-\theta) = r^2 + a^2 + 2ra\cos\theta \end{cases}$$

← $\cos(\pi-\theta) = -\cos\theta$

また，一般に $\alpha \fallingdotseq 0$ のとき，近似式：$(1 \pm \alpha)^{\lambda} \fallingdotseq 1 \pm \lambda\alpha$ が成り立つことも利用すると，

(ⅰ) $\dfrac{1}{r_1} = (r^2 + a^2 - 2ra\cos\theta)^{-\frac{1}{2}} = \left\{r^2\left(1 + \dfrac{a^2}{r^2} - \dfrac{2a}{r}\cos\theta\right)\right\}^{-\frac{1}{2}}$

$\dfrac{a^2}{r^2} \fallingdotseq 0$ （$\because a \ll r$）

$$\fallingdotseq r^{-1}\left(1 - \frac{2a}{r}\cos\theta\right)^{-\frac{1}{2}}$$

$\dfrac{2a}{r}\cos\theta = \alpha$

$(1-\alpha)^{\lambda} \fallingdotseq 1 - \lambda\alpha$

$$\fallingdotseq \frac{1}{r}\cdot\left\{1 - \left(-\frac{1}{2}\right)\cdot\frac{2a}{r}\cos\theta\right\}$$

$$= \frac{1}{r}\cdot\left(1 + \frac{a}{r}\cos\theta\right)$$

となる。同様に，

(ⅱ) $\dfrac{1}{r_2} = (r^2 + a^2 + 2ra\cos\theta)^{-\frac{1}{2}} \fallingdotseq \dfrac{1}{r}\left(1 - \dfrac{a}{r}\cos\theta\right)$

以上(ⅰ)(ⅱ)を②に代入して，求める点 $\mathbf{P}(x,\ y)$ における電位 ϕ は，

$$\phi = \frac{q}{4\pi\varepsilon_0}\left(\frac{1}{r_1} - \frac{1}{r_2}\right) = \frac{q}{4\pi\varepsilon_0}\cdot\frac{1}{r}\left\{\left(1 + \frac{a}{r}\cos\theta\right) - \left(1 - \frac{a}{r}\cos\theta\right)\right\}$$

$$= \frac{q\cdot 2a}{4\pi\varepsilon_0}\cdot\frac{\cos\theta}{r^2}$$

$q \cdot 2a = p$

$$= \frac{p\cos\theta}{4\pi\varepsilon_0 r^2}$$

（ただし，電気双極子モーメント：$p = q\cdot 2a$）

$$= \frac{p\cdot r\cos\theta}{4\pi\varepsilon_0 r^3}$$

$r\cos\theta = x$

分子・分母に r をかけた。

$$= \frac{px}{4\pi\varepsilon_0 r^3}$$

$$= \frac{px}{4\pi\varepsilon_0(x^2 + y^2)^{\frac{3}{2}}}$$

となる。……………………………………………………(答)

演習問題 37　● 導体と静電場 (Ⅰ) ●

原点 **O** に正の電荷 Q(C) の点電荷を置き，それを中心 **O**，内径 a，外径 b の導体球殻 A で囲む。A の内部と外部の空間が真空のとき，中心 **O** から距離 $r(>0)$ の点における電場 $E(r)$ と電位 $\phi(r)$ を求めよ。

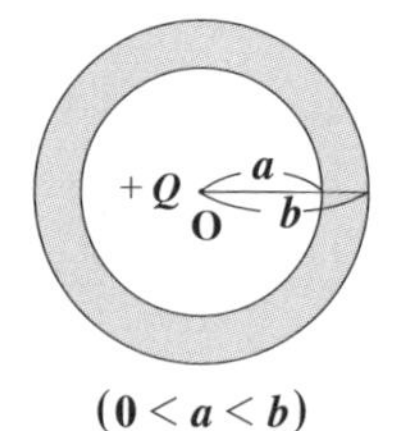

$(0<a<b)$

ヒント！ r の範囲を (ⅰ) $0<r\leqq a$，(ⅱ) $a<r<b$，(ⅲ) $b\leqq r$ の 3 つの場合に分ける。球殻の内側には電場は存在しないので，(ⅱ) のとき，$E(r)=0$ となる。(ⅰ) と (ⅲ) の場合，ガウスの法則を用いて電場 E を求め，球対称モデルより電場 ϕ は，$\phi=\int_r^{\infty}E(r)dr$ で計算できる。

解答＆解説

(ⅰ) $0<r\leqq a$，(ⅱ) $a<r<b$，(ⅲ) $b\leqq r$ に場合分けして考えると，まず (ⅱ) のとき，導体内に電場は存在しないので，$E(r)=0$ となる。

次に，中心 **O** にある点電荷 $+Q$(C) により，導体球殻 A の内面に誘導された電荷を Q' とおくと，(ⅱ) のとき，半径 r の同心球面内の電荷が $Q+Q'$(C) より，ガウスの法則を用いて，

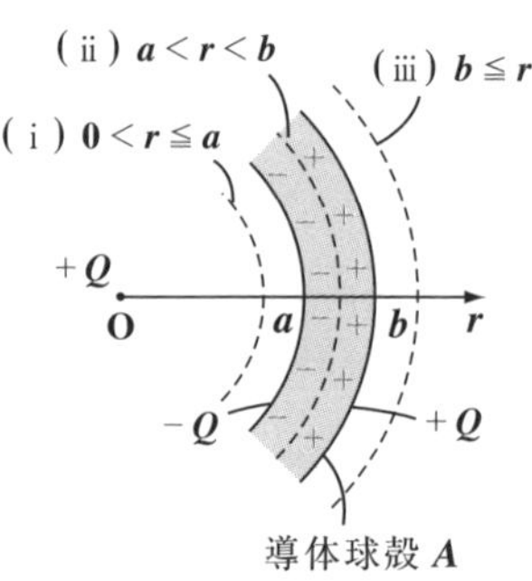

$$4\pi r^2\cdot \underset{E(r)}{0}=\frac{Q+Q'}{\varepsilon_0}\qquad \therefore Q+Q'=0 \text{ より，} Q'=-Q \text{ となる。}$$

よって，A の内面には $-Q$(C) の電荷が分布するので，その分 A の外面には $+Q$(C) の電荷が分布することになる。

よって，(ⅰ) $0<r\leqq a$，(ⅲ) $b\leqq r$ のいずれにおいても，半径 r の球面の内部にある電荷は Q(C) で等しいので，ガウスの法則を用いると，

$$4\pi r^2\cdot E(r)=\frac{Q}{\varepsilon_0}\qquad \therefore E(r)=\frac{Q}{4\pi\varepsilon_0}\cdot\frac{1}{r^2} \text{ となる。}$$

(ⅲ) $b\leqq r$ のとき，半径 r の球面の内側にある電荷は，$Q-\cancel{Q}+\cancel{Q}=Q$(C) となるからね。

以上をまとめると，電場 $E(r)$ は次のようになる。

$$\begin{cases} (\text{i})\ 0 < r \leqq a \text{ のとき，} E(r) = \dfrac{Q}{4\pi\varepsilon_0}\cdot\dfrac{1}{r^2} \\ (\text{ii})\ a < r < b \text{ のとき，} E(r) = 0 \\ (\text{iii})\ b \leqq r \text{ のとき，} E(r) = \dfrac{Q}{4\pi\varepsilon_0}\cdot\dfrac{1}{r^2} \end{cases}$$

………(答)

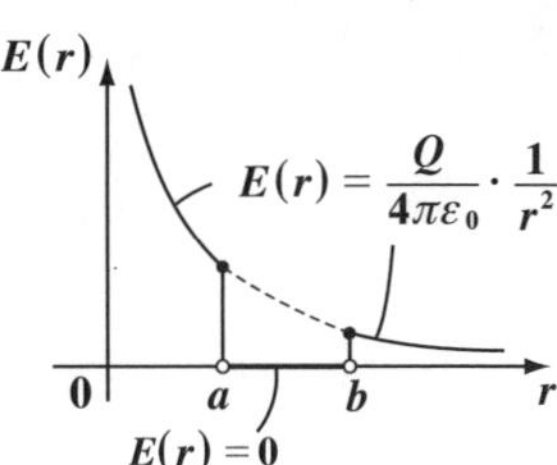

次に，この結果を用いて，電位 $\phi(r)$ を求める。

(ⅰ) $0 < r \leqq a$ のとき，

$$\phi(r) = \int_r^\infty E(r)dr = \int_r^a E(r)dr + \int_b^\infty E(r)dr$$

無限積分は極限で求める。

$$= \frac{Q}{4\pi\varepsilon_0}\left(\int_r^a \frac{1}{r^2}dr + \int_b^\infty \frac{1}{r^2}dr\right) = \frac{Q}{4\pi\varepsilon_0}\left\{\left[-\frac{1}{r}\right]_r^a + \lim_{\lambda\to\infty}\left[-\frac{1}{r}\right]_b^\lambda\right\}$$

$$= \frac{Q}{4\pi\varepsilon_0}\left\{-\frac{1}{a} + \frac{1}{r} + \lim_{\lambda\to\infty}\left(-\frac{1}{\lambda} + \frac{1}{b}\right)\right\} = \frac{Q}{4\pi\varepsilon_0}\left(\frac{1}{r} - \frac{1}{a} + \frac{1}{b}\right) \cdots(\text{答})$$

(ⅱ) $a < r < b$ のとき，

$$\phi(r) = \int_r^\infty E(r)dr = \int_b^\infty E(r)dr = \frac{Q}{4\pi\varepsilon_0}\int_b^\infty \frac{1}{r^2}dr$$

定数

$$= \frac{Q}{4\pi\varepsilon_0}\left(\lim_{\lambda\to\infty}\left[-\frac{1}{r}\right]_b^\lambda\right) = \frac{Q}{4\pi\varepsilon_0}\left\{\lim_{\lambda\to\infty}\left(-\frac{1}{\lambda} + \frac{1}{b}\right)\right\} = \frac{Q}{4\pi\varepsilon_0}\cdot\frac{1}{b} \cdots(\text{答})$$

(ⅲ) $b \leqq r$ のとき，

$$\phi(r) = \int_r^\infty E(r)dr = \frac{Q}{4\pi\varepsilon_0}\int_r^\infty \frac{1}{r^2}dr$$

$$= \frac{Q}{4\pi\varepsilon_0}\left(\lim_{\lambda\to\infty}\left[-\frac{1}{r}\right]_r^\lambda\right)$$

$$= \frac{Q}{4\pi\varepsilon_0}\left\{\lim_{\lambda\to\infty}\left(-\frac{1}{\lambda} + \frac{1}{r}\right)\right\} = \frac{Q}{4\pi\varepsilon_0}\cdot\frac{1}{r} \cdots\cdots(\text{答})$$

$\phi = \frac{Q}{4\pi\varepsilon_0}\left(\frac{1}{r} - \frac{1}{a} + \frac{1}{b}\right)$

導体球殻内で ϕ は一定

$\phi = \frac{Q}{4\pi\varepsilon_0}\cdot\frac{1}{r}$

演習問題 38　　● 導体と静電場 (Ⅱ) ●

右図に示すように，原点 **O** を中心とする半径 a の導体球 A と，内径 b，外径 c の導体球殻 B があり，空間はすべて真空とする。ここで，導体球 A に正の電荷 Q_1(C)，導体球殻 B に正の電荷 Q_2(C) を与えたとき，中心 **O** から距離 $r(>0)$ の点における電場 $E(r)$ と電位 $\phi(r)$ を求めよ。

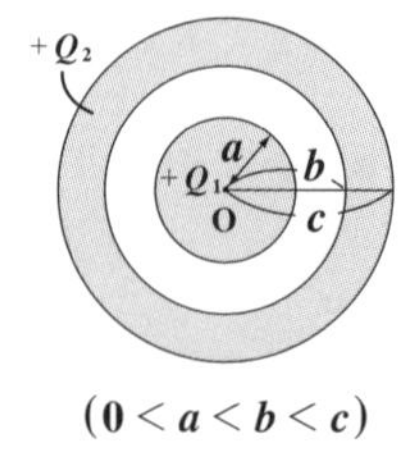

$(0<a<b<c)$

ヒント！ 導体内部の電場は **0** であることに注意して，ガウスの法則を用いる。球対称性より，電場 ϕ は $\phi=\int_r^\infty E(r)dr$ で計算できる。

解答＆解説

導体内に電場は存在しないので，

(ⅰ) $0\leqq r<a$，(ⅲ) $b<r<c$ のとき，

$E(r)=0$　となる。

次，導体球 A に与えた電荷 $+Q_1$(C) により，導体球殻 B の内面に誘導された電荷を $Q_2{}'$ とおくと，(ⅲ) $b<r<c$ のとき，$E(r)=0$ より，ガウスの定理を用いて，

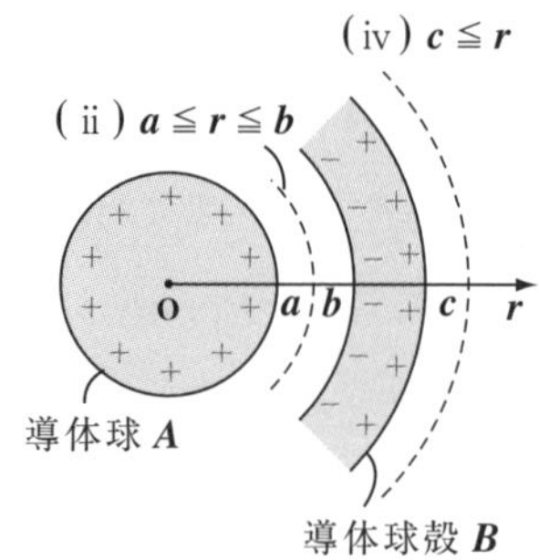

$$4\pi r^2\cdot \underset{E(r)}{0}=\frac{\overset{\text{半径 }r\text{ の同心球面内の全電荷 }Q}{Q_1+Q_2{}'}}{\varepsilon_0}\qquad \therefore Q_1+Q_2{}'=0 \text{ より，} Q_2{}'=-Q_1 \text{ となる。}$$

これより，B の内面に $-Q_1$(C) の電荷が分布するので，その分，B の外面には Q_1(C) の電荷が誘導される。これと初めに与えられた電荷 Q_2(C) との計 Q_1+Q_2(C) の電荷が B の外面に分布することになる。

電荷分布が球対称より，電場は中心 **O** より放射状に出て，同心球面上ではすべて同じ大きさをとるので，ガウスの法則を用いて，

(ⅱ) $a\leqq r\leqq b$ のとき，

$$4\pi r^2\cdot E(r)=\frac{Q_1}{\varepsilon_0}\qquad \therefore E(r)=\frac{Q_1}{4\pi\varepsilon_0}\cdot\frac{1}{r^2} \text{ となる。}$$

(iv) $c \leqq r$ のとき,

$$4\pi r^2 \cdot E(r) = \frac{Q_1+Q_2}{\varepsilon_0} \qquad \therefore E(r) = \frac{Q_1+Q_2}{4\pi\varepsilon_0}\cdot\frac{1}{r^2}$$ となる。

以上をまとめると，電場 $E(r)$ は次のようになる。

$$\begin{cases} (\text{i})\ 0 \leqq r < a \text{ のとき，} E(r) = 0 \\ (\text{ii})\ a \leqq r \leqq b \text{ のとき，} E(r) = \dfrac{Q_1}{4\pi\varepsilon_0}\cdot\dfrac{1}{r^2} \\ (\text{iii})\ b < r < c \text{ のとき，} E(r) = 0 \\ (\text{iv})\ c \leqq r \text{ のとき，} E(r) = \dfrac{Q_1+Q_2}{4\pi\varepsilon_0}\cdot\dfrac{1}{r^2} \end{cases}$$

$E(r)$
$E(r) = \dfrac{Q_1}{4\pi\varepsilon_0}\cdot\dfrac{1}{r^2}$
$E(r) = \dfrac{Q_1+Q_2}{4\pi\varepsilon_0}\cdot\dfrac{1}{r^2}$
0　a　b　c　r
$E(r) = 0$

………(答)

球対称性より，電位 ϕ は，$\phi = \int_r^{\infty} E(r)dr$ で求めることができる。

(i) $0 \leqq r < a$ のとき，$E(r) = 0$

$$\phi(r) = \int_r^{\infty} E(r)dr = \int_a^b E(r)dr + \int_c^{\infty} E(r)dr$$

[0　r　a　b　c　r]

無限積分は極限で求める。

$$= \frac{Q_1}{4\pi\varepsilon_0}\int_a^b \frac{1}{r^2}dr + \frac{Q_1+Q_2}{4\pi\varepsilon_0}\int_c^{\infty}\frac{1}{r^2}dr = \frac{Q_1}{4\pi\varepsilon_0}\left[-\frac{1}{r}\right]_a^b + \frac{Q_1+Q_2}{4\pi\varepsilon_0}\left(\lim_{\lambda\to\infty}\left[-\frac{1}{r}\right]_c^{\lambda}\right)$$

$$= \frac{Q_1}{4\pi\varepsilon_0}\left(\frac{1}{a}-\frac{1}{b}\right) + \frac{Q_1+Q_2}{4\pi\varepsilon_0}\left\{\lim_{\lambda\to\infty}\left(\frac{1}{c}-\frac{1}{\lambda}\right)\right\}$$

($\lambda \to \infty$)

$$= \frac{Q_1}{4\pi\varepsilon_0}\left(\frac{1}{a}-\frac{1}{b}\right) + \frac{Q_1+Q_2}{4\pi\varepsilon_0}\cdot\frac{1}{c}$$ (定数) ………………………………(答)

(ii) $a \leqq r \leqq b$ のとき,

$$\phi(r) = \int_r^{\infty} E(r)dr = \int_r^b E(r)dr + \int_c^{\infty} E(r)dr$$

[a r b　c　r]

$$= \frac{Q_1}{4\pi\varepsilon_0}\int_r^b \frac{1}{r^2}dr + \frac{Q_1+Q_2}{4\pi\varepsilon_0}\int_c^{\infty}\frac{1}{r^2}dr = \frac{Q_1}{4\pi\varepsilon_0}\left[-\frac{1}{r}\right]_r^b + \frac{Q_1+Q_2}{4\pi\varepsilon_0}\left(\lim_{\lambda\to\infty}\left[-\frac{1}{r}\right]_c^{\lambda}\right)$$

$$= \frac{Q_1}{4\pi\varepsilon_0}\left(\frac{1}{r}-\frac{1}{b}\right) + \frac{Q_1+Q_2}{4\pi\varepsilon_0}\left\{\lim_{\lambda\to\infty}\left(\frac{1}{c}-\frac{1}{\lambda}\right)\right\}$$

($\lambda \to \infty$)

$$= \frac{Q_1}{4\pi\varepsilon_0}\left(\frac{1}{r}-\frac{1}{b}\right) + \frac{Q_1+Q_2}{4\pi\varepsilon_0}\cdot\frac{1}{c}$$ ………………………………(答)

(iii) $b < r < c$ のとき，

$$\phi(r) = \int_r^{\infty} E(r)dr = \int_c^{\infty} E(r)dr$$

$$= \frac{Q_1 + Q_2}{4\pi\varepsilon_0}\int_c^{\infty}\frac{1}{r^2}dr = \frac{Q_1 + Q_2}{4\pi\varepsilon_0}\left(\lim_{\lambda\to\infty}\left[-\frac{1}{r}\right]_c^{\lambda}\right)$$

$$= \frac{Q_1 + Q_2}{4\pi\varepsilon_0}\left\{\lim_{\lambda\to\infty}\left(\frac{1}{c} - \frac{1}{\lambda}\right)\right\} = \frac{Q_1 + Q_2}{4\pi\varepsilon_0}\cdot\frac{1}{c} \text{ (定数) } \cdots\cdots\cdots\cdots\text{(答)}$$

(iv) $c \leqq r$ のとき，

$$\phi(r) = \int_r^{\infty} E(r)dr$$

$$= \frac{Q_1 + Q_2}{4\pi\varepsilon_0}\int_r^{\infty}\frac{1}{r^2}dr = \frac{Q_1 + Q_2}{4\pi\varepsilon_0}\left(\lim_{\lambda\to\infty}\left[-\frac{1}{r}\right]_r^{\lambda}\right)$$

$$= \frac{Q_1 + Q_2}{4\pi\varepsilon_0}\left\{\lim_{\lambda\to\infty}\left(\frac{1}{r} - \frac{1}{\lambda}\right)\right\} = \frac{Q_1 + Q_2}{4\pi\varepsilon_0}\cdot\frac{1}{r} \quad \cdots\cdots\cdots\cdots\text{(答)}$$

以上 (i) ～ (iv) より，r と電位 $\phi(r)$ の関係を表すグラフを下に示す。

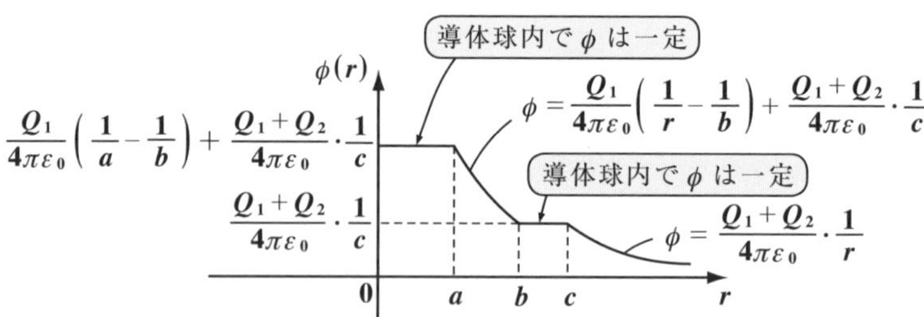

演習問題 39　● 導体と静電場 (Ⅲ) ●

原点 **O** を中心とする半径 $a = 2(\mathrm{m})$ の導体球に正の電荷 $Q = 10^{-7}(\mathrm{C})$ を与える。球の外部を真空とするとき，球の中心 **O** から距離 r の点における電場 $E(r)$ と電位 $\phi(r)$ を求めよ。

ヒント！ 与えられた電荷は導体の表面にのみ分布する。また，導体内部には電場は存在せず，電気力線は球対称に導体球の表面から生じる。

解答＆解説

(ⅱ) $2 \leqq r$ のとき

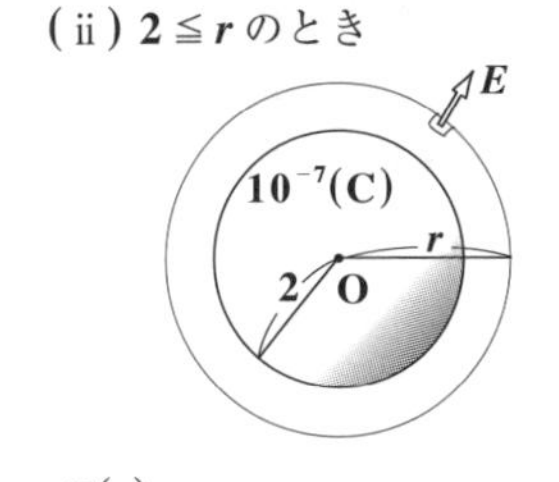

(ⅰ) $0 \leqq r < 2$ のとき，$E(r) = $ (ア) ……(答)

(ⅱ) $2 \leqq r$ のとき，ガウスの法則を用いると，

(イ) $\cdot E(r) = $ (ウ)

$\therefore E(r) = \dfrac{10^{-7}}{4\pi\varepsilon_0}\cdot\dfrac{1}{r^2}$ となる。…………(答)

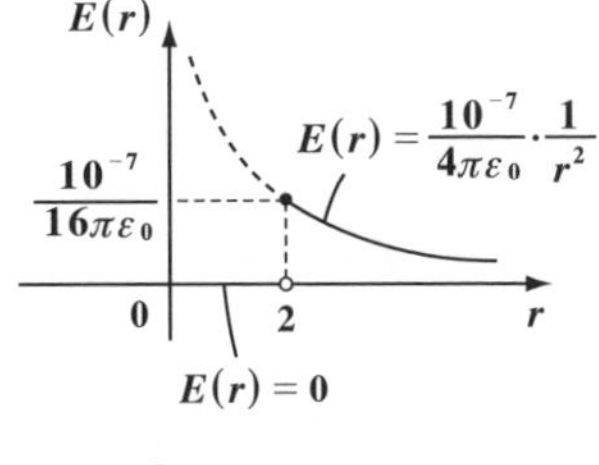

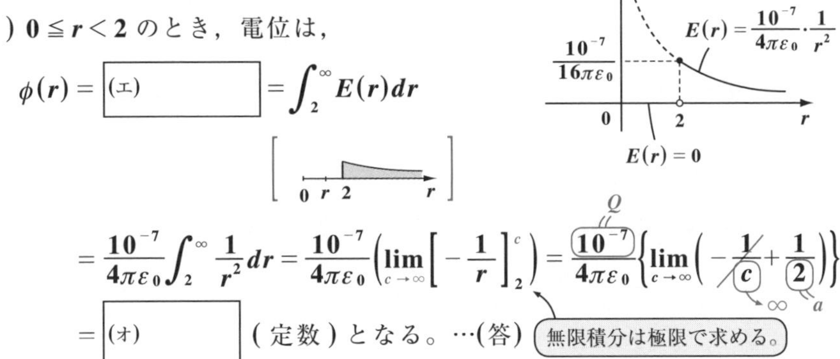

(ⅰ) $0 \leqq r < 2$ のとき，電位は，

$$\phi(r) = \boxed{(エ)} = \int_2^\infty E(r)dr$$

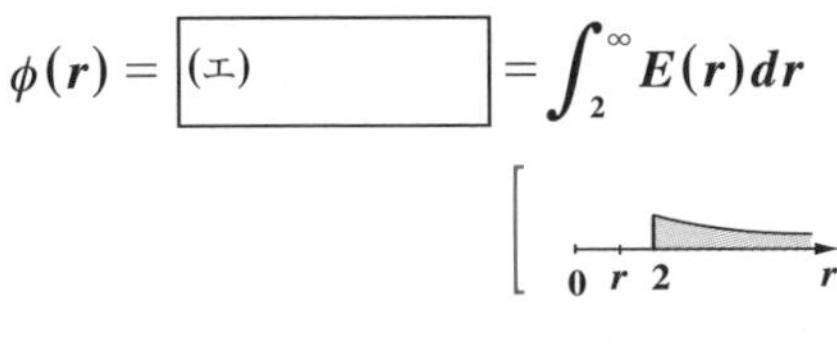

$$= \frac{10^{-7}}{4\pi\varepsilon_0}\int_2^\infty \frac{1}{r^2}dr = \frac{10^{-7}}{4\pi\varepsilon_0}\left(\lim_{c\to\infty}\left[-\frac{1}{r}\right]_2^c\right) = \frac{10^{-7}}{4\pi\varepsilon_0}\left\{\lim_{c\to\infty}\left(-\frac{1}{c}+\frac{1}{2}\right)\right\}$$

（10^{-7} は Q，$c \to \infty$，2 は a）

$= $ (オ) (定数) となる。…(答)　無限積分は極限で求める。

(ⅱ) $2 \leqq r$ のとき，電位は，

$$\phi(r) = \boxed{(エ)} = \frac{10^{-7}}{4\pi\varepsilon_0}\int_r^\infty \frac{1}{r^2}dr = \frac{10^{-7}}{4\pi\varepsilon_0}\left(\lim_{c\to\infty}\left[-\frac{1}{r}\right]_r^c\right) = \frac{10^{-7}}{4\pi\varepsilon_0}\left\{\lim_{c\to\infty}\left(-\frac{1}{c}+\frac{1}{r}\right)\right\}$$

（$c \to \infty$）

$= \dfrac{10^{-7}}{4\pi\varepsilon_0}\cdot\dfrac{1}{r}$ となる。……(答)

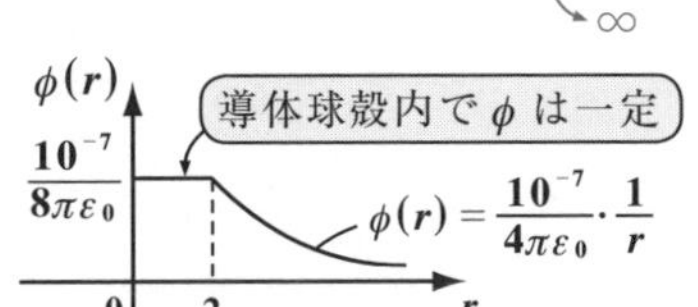

解答　(ア) 0　(イ) $4\pi r^2$　(ウ) $\dfrac{10^{-7}}{\varepsilon_0}$　(エ) $\displaystyle\int_r^\infty E(r)dr$　(オ) $\dfrac{10^{-7}}{8\pi\varepsilon_0}$

演習問題 40　● 導体平板の鏡像法 ●

接地された表面が平らな無限に広い導体の平板から，距離 $L=2(\mathrm{m})$ の位置の点 **P** に正の点電荷 $Q=10^{-10}(\mathrm{C})$ を置いたとき，

(1) この点電荷が導体から受けるクーロン力の大きさを求めよ。

(2) この導体平板の表面上の電場の大きさ E の分布を調べよ。

(3) この導体平板の表面上の電荷の分布 (面密度 σ) を調べよ。

ヒント！ 導体平板の表面の電位 ϕ が $\phi=0$ となることから，鏡像法を使う。

解答＆解説

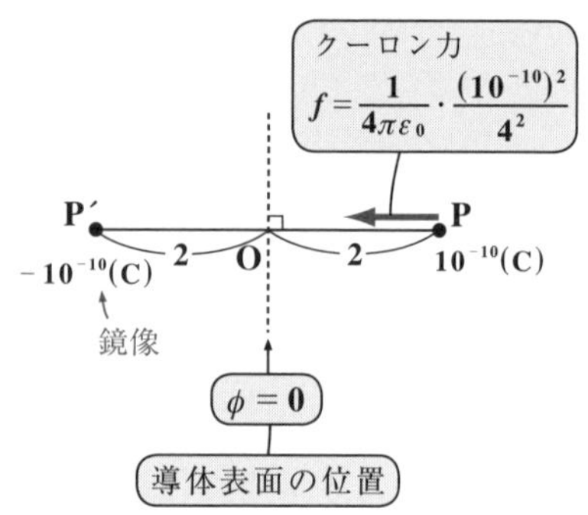

(1) 導体表面の電位が $\phi=0$ より，鏡像法を用いると，これは導体を取り去って，右図のように鏡像 $-Q=-10^{-10}(\mathrm{C})$ を導体表面に関して，**P** と反対側の点 **P´** に置いたモデルと等価になる。よって，点電荷 $Q=10^{-10}(\mathrm{C})$ が導体から受けるクーロン力は，$2L=2\times2=4(\mathrm{m})$ だけ離れた鏡像の点電荷 $-Q=-10^{-10}(\mathrm{C})$ から受ける引力に等しい。この力の大きさを f とおくと，

$$f=\frac{1}{4\pi\varepsilon_0}\cdot\frac{10^{-10}\cdot10^{-10}}{4^2}=\frac{10^{-20}}{64\pi\varepsilon_0}\ (\mathrm{N})$$ ……………………………………(答)

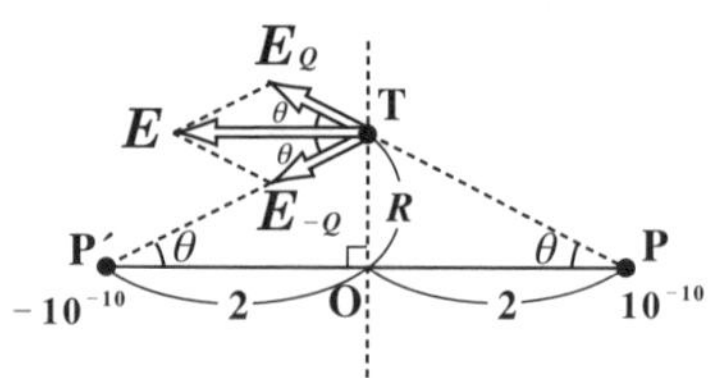

(2) 右図に示すように，点 **P** から導体平板の表面に下した垂線の足を **O** とおき，この表面上の点で **O** から $R(\geqq 0)$ だけ離れた点 **T** における電場を E とおくと，これは $Q=10^{-10}(\mathrm{C})$ による電場 E_Q と鏡像 $-Q=-10^{-10}(\mathrm{C})$ による電場 E_{-Q} の重ね合わせ (和) により，

$E=E_Q+E_{-Q}$ となる。

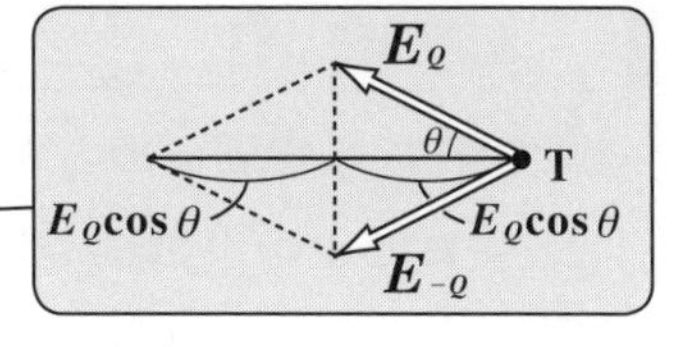

ここで，$\angle\mathrm{OPT}=\theta$ とおくと，

電場 $\boldsymbol{E}$ の大きさ E は，

$E=2E_Q\cos\theta$ ……① となる。

(ただし，$E_Q=\|\boldsymbol{E}_Q\|$ とする。)

ここで，

$$\begin{cases} E_Q=\dfrac{1}{4\pi\varepsilon_0}\cdot\dfrac{10^{-10}}{R^2+2^2}=\dfrac{1}{4\pi\varepsilon_0}\cdot\dfrac{10^{-10}}{R^2+4} \\ \cos\theta=\dfrac{2}{\sqrt{R^2+2^2}}=\dfrac{2}{\sqrt{R^2+4}} \end{cases}$$

を①に代入して，

$$E=2\cdot\frac{1}{4\pi\varepsilon_0}\cdot\frac{10^{-10}}{R^2+4}\cdot\frac{2}{\sqrt{R^2+4}}$$

$$=\frac{10^{-10}}{\pi\varepsilon_0(R^2+4)^{\frac{3}{2}}}\ (\mathrm{N/C})$$ ……② $(R\geqq 0)$ となる。……………………(答)

電場 E は，O からの距離 R の関数として，その分布が②式で与えられる。

(3) 導体表面上の電場の大きさ E の分布が②で与えられるので，この表面上の電荷の分布 (面密度 σ) は，$E=\dfrac{\sigma}{\varepsilon_0}$ より，（公式）

$$\sigma=\varepsilon_0 E=\varepsilon_0\cdot\frac{10^{-10}}{\pi\varepsilon_0(R^2+4)^{\frac{3}{2}}}$$

$$=\frac{10^{-10}}{\pi(R^2+4)^{\frac{3}{2}}}\ (\mathrm{C/m^2})$$ となる。 ……………………………………(答)

演習問題 41　● 導体球殻の鏡像法 ●

接地された半径 a の厚さの薄い導体球殻の中で，中心 O から L だけ離れた点 P に正の点電荷 Q(C) を置いたとき，この点電荷が導体球殻から受けるクーロン力の大きさ f を求めよ。(ただし, $0 < L < a$ とする。)

ヒント！ 導体球殻の表面の電位 ϕ が $\phi = 0$ となることから，鏡像法を使おう。

解答＆解説

図 1(ⅰ) に示すように，接地された半径 a の導体球殻の中心 O から L だけ離れた点 P に正の点電荷 Q(C) を置く。(ただし，$0 < L < a$)

このとき，静電誘導により，導体球殻の表面には負の電荷が分布するが，この表面の電位 ϕ は，$\phi =$ (ア) となる。そこで，鏡像法の利用を考える。

図 1

(ⅰ)

a　O　L　P　+Q　(接地)　導体球

(ⅱ)

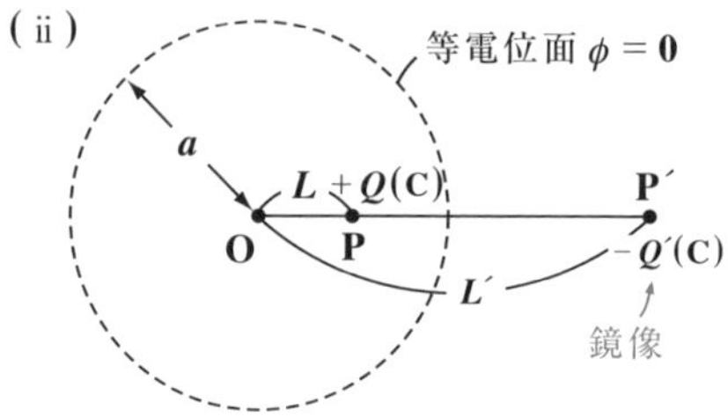

図 1(ⅱ) に示すように，まず導体球殻を取り去り，球殻の外部のある位置に，負の点電荷 $-Q'$(C) を置いて，元の導体球殻表面上のすべての点の電位 ϕ が $\phi =$ (ア) をみたすようにすればよい。

球の対称性，また元の導体球殻面上の負の電荷の分布の仕方から，鏡像である負の点電荷 $-Q'$(C) は，直線 OP 上の O から L' だけ離れた点 P′ に存在すると考えられる。

(ただし，$a < L'$)

これから，まず，L' と $-Q'$(C) を定めよう。図 2(ⅰ) に示すように，$\phi = 0$ の等電位面 (元の導体

図 2

(ⅰ)

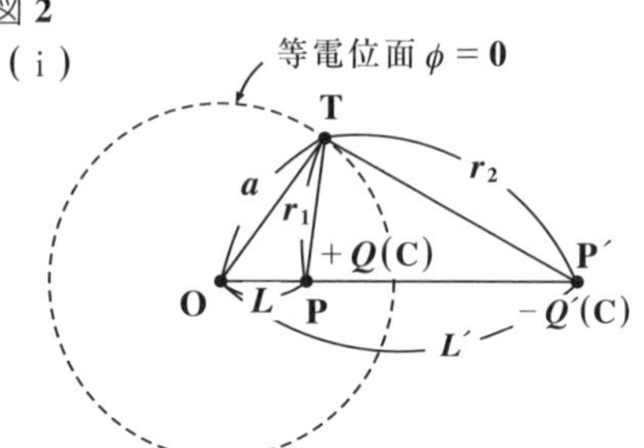

球殻面）上に点Tをとり，
$PT = r_1$，$P'T = r_2$ とおくと，2点P，P′にそれぞれ置かれた2つの点電荷 Q(C) と $-Q'$(C) により得られる点Tにおける電位 ϕ は，重ね合わせの原理より，

図2

$$\phi = \frac{1}{4\pi\varepsilon_0}\left(\boxed{(イ)\qquad\qquad}\right) \quad \cdots\cdots ①$$

となる。この点Tは球面上の任意の点なので，Tが球面上を動けば，r_1 と r_2 も変化するが，①の電位 ϕ は恒等的に0でなければならない。
そのためには，Tが動いて，r_1 と r_2 が変化しても，比例関係，すなわち，$r_2 = kr_1$ ……②（k：正の定数）を保ちながら変化しなければならない。
実際に，②を①に代入すると，

$$\phi = \frac{1}{4\pi\varepsilon_0}\left(\frac{Q}{r_1} - \frac{Q'}{kr_1}\right) = \underbrace{\frac{1}{4\pi\varepsilon_0}}_{定数} \cdot \underbrace{\frac{1}{r_1}}_{変数}\underbrace{\left(Q - \frac{Q'}{k}\right)}_{これを恒等的に0とすればいい。} \text{ となる。}$$

ここで，変数 r_1 がどんなに変化しても，$Q - \dfrac{Q'}{k} = 0$，すなわち，
$Q' = kQ$ ……③ となるように Q' をとれば，球面上の電位 ϕ は恒等的に0となって条件をみたす。
では，②の条件をみたすためには，図2(ii)に示すように，2つの三角形△TOP′と△POTが相似であればよい。つまり，$\underbrace{L' : a = a : L}_{(i)} = r_2 : r_1$（$a : L = r_2 : r_1$ が (ii)）
となれば，r_1 と r_2 は比例関係になるからである。

(i) $L' : a = a : L$ より，$LL' = a^2$ $\quad \therefore L' = \dfrac{a^2}{L}$ ……④

(ii) $a : L = r_2 : r_1$ より，$Lr_2 = ar_1$ $\quad \therefore r_2 = \underbrace{\dfrac{a}{L}}_{k(定数)} r_1$ ……⑤

②と⑤を比較して，比例定数 $k = \dfrac{a}{L}$ と求まるので，これを③に代入して，
$Q' = \dfrac{a}{L}Q$ ……③′ となる。

以上より，導体球殻の鏡像法においては，

$$\begin{cases}(\text{I})\ 直線\mathbf{OP}上に,\mathbf{O}から\ \boxed{(ウ)\quad}\ (=L' \cdots ④)の位置に点\mathbf{P}'をとり, \\ (\text{II})\ この点\mathbf{P}'に鏡像として,負の点電荷\ \boxed{(エ)\quad}\ (=-Q')を置けばよい。\end{cases}$$

よって，単体球殻の内側で，中心 **O** から $L(<a)$ だけ離れた点電荷 $+Q$(**C**) が，導体球殻から受けるクーロン力は，図 **3** に示すように，

図 **3**

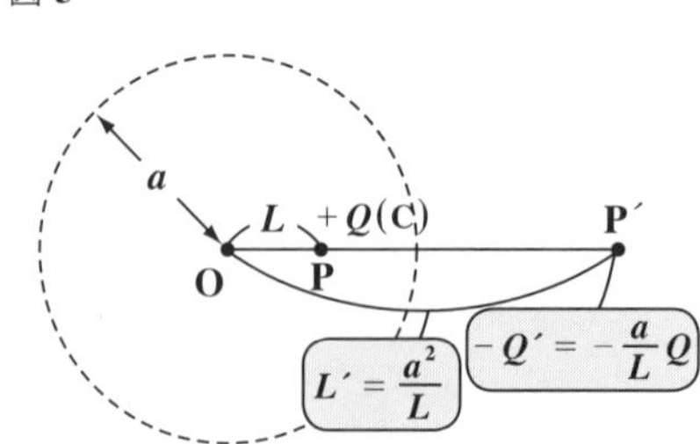

$\boxed{(オ)\quad}$ だけ離れた鏡像 $\boxed{(カ)\quad}$ から受ける引力に等しいので，この大きさを f とおくと，

$$f=\frac{1}{4\pi\varepsilon_0}\cdot\frac{QQ'}{(L'-L)^2}=\frac{1}{4\pi\varepsilon_0}\cdot\frac{Q\cdot\frac{a}{L}Q}{\left(\frac{a^2}{L}-L\right)^2}$$

$$=\frac{1}{4\pi\varepsilon_0}\cdot\frac{Q^2aL}{(a^2-L^2)^2}$$ となる。……………………………(答)

同様に，点電荷 $+Q$(**C**) を導体球殻の外側の点 **P** においたとき，鏡像 $-Q'$(**C**) を直線 **OP** 上，導体球殻の内側の点 **P**´ に置いて，$+Q$(**C**) が導体球殻から受けるクーロン力 f を求めることができる。その結果は，$-Q'=-\frac{a}{L}Q$，$L'=\frac{a^2}{L}$ となり，本問と変わらないので，f も全く同一の式として求まる。

解答　(ア) 0　(イ) $\frac{Q}{r_1}-\frac{Q'}{r_2}$　(ウ) $\frac{a^2}{L}$　(エ) $-\frac{a}{L}Q$

(オ) $L'-L$ $\left(\text{または, } \frac{a^2}{L}-L\right)$　(カ) $-Q'$ $\left(\text{または, } -\frac{a}{L}Q\right)$

演習問題 42 ●導体球の電気容量●

電気容量 C が (1) $C = 0.05(\mu\text{F})$，(2) $C = 0.1(\text{F})$ の導体球の半径 a をそれぞれ求めよ。$\left(\text{ただし，} \frac{1}{4\pi\varepsilon_0} = 9\times10^9(\text{Nm}^2/\text{C}^2) \text{とする。}\right)$

ヒント！ 半径 a の導体球に正の電荷 $Q(\text{C})$ を与えたとき，導体球(の内部および表面)の電位 ϕ は，$\phi = \frac{1}{4\pi\varepsilon_0}\cdot\frac{Q}{a}$ となる。(演習問題 39 参照)
これと，$Q = C\phi$ の公式を使う。(C：導体の電気容量)

解答＆解説

単独の導体に電荷 Q を与えると，この導体の電位 ϕ は Q に比例し，

$Q = C\phi$ ……① (C：電気容量) と表せる。

ここで，半径 a の導体球に電荷 $+Q(\text{C})$ を与えると，導体球の電位 ϕ は，

$\phi = \frac{1}{4\pi\varepsilon_0}\cdot\frac{Q}{a}$ ……② となる。

②を変形して，

$Q = \underbrace{4\pi\varepsilon_0 a}_{C}\cdot\phi$ ……②′ となるので，②′と①を比較して，半径 a の導体球の電気容量 C は，

$C = 4\pi\varepsilon_0 a$ ……③ となる。

③より，導体球の半径 a を電気容量 C で表すと，

$a = \underbrace{\frac{1}{4\pi\varepsilon_0}}_{9\times10^9(\text{Nm}^2/\text{C}^2)} C = 9\times10^9\cdot C(\text{m})$ ……④ となる。

(1) 電気容量 $C = 0.05(\mu\text{F})$ の導体球の半径 a は，④より，

$a = 9\times10^9\times\underline{5\times10^{-8}} = 450(\text{m})$ となる。 ……………………………(答)

$1(\mu\text{F}) = 10^{-6}(\text{F})$ より，$0.05(\mu\text{F}) = 5\times10^{-2}(\mu\text{F}) = 5\times10^{-8}(\text{F})$

(2) 電気容量 $C = 0.1(\text{F})$ の導体球の半径 a は，④より，

$a = 9\times10^9\times1\times10^{-1} = 9\times10^8(\text{m}) = 9\times10^5(\text{km})$ となる。 ………(答)

演習問題 43　●平行平板コンデンサーの公式●

1 枚の平面導体板に $+Q(C)$ の電荷を与えると，この導体平板に対して垂直に左右に，$E=\frac{\sigma}{2\varepsilon_0}$ と，$-E=-\frac{\sigma}{2\varepsilon_0}$ (σ：電荷の面密度) の電場が生じる。(演習問題 **17(P40)**)　このことを使って，面積 S，間隔 d の平行平板コンデンサーの **2** つの極板に $+Q(C)$ と $-Q(C)$ の電荷を与えたとき，次の各公式が成り立つことを確かめよ。

(1) $Q=CV$ ←（蓄えられる電気量 Q は電圧 (電位差) V に比例する。）

(2) $E=\frac{V}{d}$ ←（電場 E は電圧 V の傾きに等しい。）

(3) $C=\frac{\varepsilon_0 S}{d}$ ←（電気容量 C は面積 S に比例し，間隔 d に反比例する。）

(4) $U=\frac{1}{2}CV^2$ ←（静電エネルギー U は $\frac{1}{2}QE\cdot d$ で与えられる。）

ヒント！ (2) 極板間の電場 E を，極板に垂直な方向に積分して，V を E で表す。これに，$E=\frac{\sigma}{\varepsilon_0}=\frac{Q}{\varepsilon_0 S}$ を代入すれば，(1)，(3) の公式が求まる。(4) は，$+Q(C)$，$-Q(C)$ に帯電した **2** 枚の極板を，間隔 $x \fallingdotseq 0$ の状態から所定の $x=d$ にまで広げていくのに要する仕事を計算すればいいんだね。

解答＆解説

図 **1**(ⅰ)(ⅱ) に示すように，面積 S の薄い導体平板にそれぞれ $+Q(C)$ と $-Q(C)$ の電荷を与えると，この導体平板には面密度 $\sigma=\frac{Q}{S}$ と，$-\sigma=-\frac{Q}{S}$ の電荷分布が生じ，これにより，$E_1=\frac{\sigma}{2\varepsilon_0}$ と，$-E_1=-\frac{\sigma}{2\varepsilon_0}$ の極板に垂直な電場ができる。

（演習問題 **17(P40)** の結果より）

図 **1** 平行平板コンデンサー

(ⅰ)　$-E_1$　$E_1=\frac{\sigma}{2\varepsilon_0}$

(ⅱ)　$E_1=\frac{\sigma}{2\varepsilon_0}$　$-E_1$

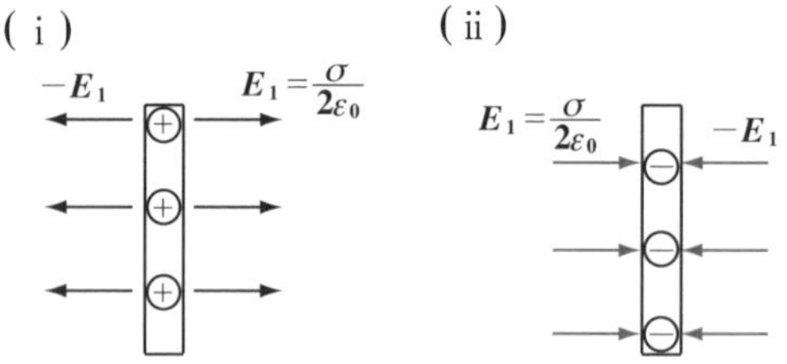

ここで，図 1(iii) に示すように，これら 2 枚の導体平板を間隔 d を取って対置させると，2 つの平板の左右外側の電場は互いに打ち消し合って，$E=0$ となり，極板間のみ一定の電場 $E=2E_1=2\cdot\dfrac{\sigma}{2\varepsilon_0}$，

すなわち，$E=$ (ア) $=\dfrac{Q}{\varepsilon_0 S}$ …①

が残る。(図 1 (iv))

図 1

(iii)

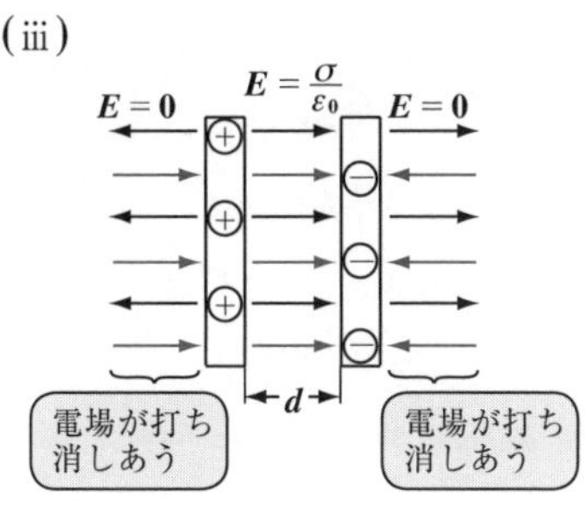

(iv) 平行平板コンデンサー

$E=\dfrac{\sigma}{\varepsilon_0}$ (一定)

$+Q(\mathrm{C})$　$-Q(\mathrm{C})$

ϕ_1　$\phi_2=0$

ここで，$+Q(\mathrm{C})$，$-Q(\mathrm{C})$ を与えられたそれぞれの極板の電位を $\phi_1(\mathrm{V})$，$\phi_2(\mathrm{V})$ とおき，ϕ_2 を基準電位

$\phi_2=$ (イ) とおけば，電位差 V は，

$V=\phi_1-\underset{0}{\underline{\phi_2}}=\phi_1$ となる。

ここで，電場 E の向きに x 軸をとり，$+Q(\mathrm{C})$ に帯電した極板の位置を 0 とおくと，電場 $E=$ (ア) $=\dfrac{Q}{\varepsilon_0 S}$ (一定)

のグラフは，図 1(iv) のようになる。

これから，電位 ϕ_1(電圧 V) を求めると，電場は x 軸方向のみの 1 次元モデルとなっているので，

$$\phi_1=V=-\int_d^0 E\,dx=\int_0^d \underset{\text{定数}}{E}\,dx=\left[Ex\right]_0^d=Ed \text{ となる。}$$

よって，$V=Ed$ より，公式 (2) $E=\dfrac{V}{d}$ ……② が導ける。……………(終)

また，②に $E=\dfrac{Q}{\varepsilon_0 S}$ ……① を代入すると，

$\dfrac{Q}{\varepsilon_0 S}=\dfrac{V}{d}$ より，$Q=\underbrace{\dfrac{\varepsilon_0 S}{d}}_{C(\text{定数})}V$ となる。これより，$C=$ (ウ) とおくと，

公式 (1) $Q = CV$ と，公式 (3) $C = \frac{\varepsilon_0 S}{d}$ が導かれる。……………………(終)

次に，コンデンサーに蓄えられる静電エネルギー U を，$+Q$(C) と $-Q$(C) に帯電した 2 枚の極板を間隔 $x \fallingdotseq 0$ の状態から，$x =$ (エ) にまでゆっくりと広げていくのに要する仕事として求めてみよう。

図 2 平行平板コンデンサーの静電エネルギー U

(i) 初めの状態

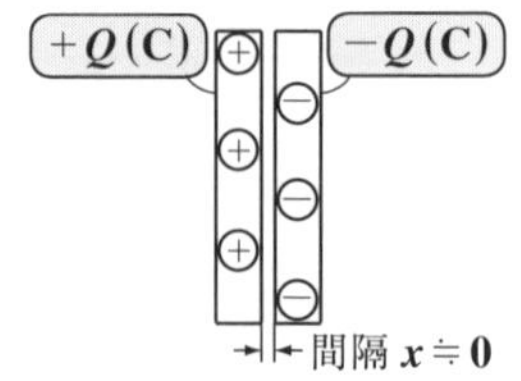

図 2(i) に示すように，$+Q$(C) に帯電した極板を固定して，$-Q$(C) に帯電した極板をゆっくりと右へ移動させる。

このとき，$-Q$(C) の極板を，$+Q$(C) の極板が作る電場 $\frac{1}{2}E$ により，$-f = -\frac{1}{2}EQ$ の力に逆らって $f = \frac{1}{2}EQ$ (一定) の力で (エ) だけ動かすことになるので，これに要する仕事 $W = f \cdot d = \frac{1}{2}EQ \cdot d$ が平行平板コンデンサーの静電エネルギー U になる。

$$\therefore U = W = \frac{1}{2}Q\underbrace{E \cdot d}_{V} = \frac{1}{2}\underbrace{QV}_{CV} = \frac{1}{2}CV^2$$

となって，静電エネルギーの公式 (4) $U = \frac{1}{2}CV^2$ も導けた。……………(終)

(ii) 力 $f = \frac{1}{2}EQ$ で d だけ移動

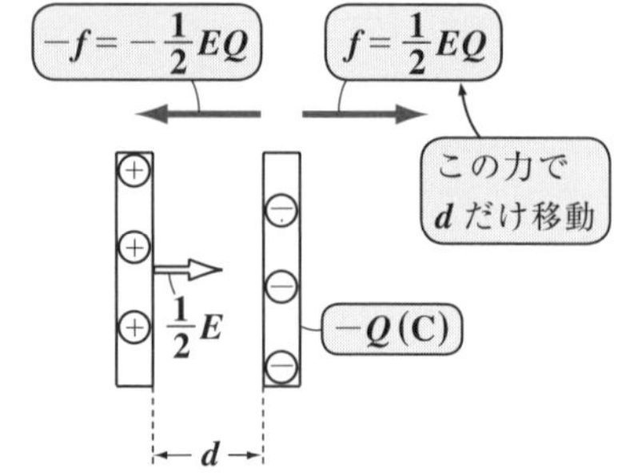

$E = \frac{\sigma}{\varepsilon_0} = \frac{Q}{\varepsilon_0 S}$ より，$Q = \varepsilon_0 ES$ …③

③を $U = \frac{1}{2}QE \cdot d$ に代入して，

$$U = \frac{1}{2}(\varepsilon_0 ES)E \cdot d = \underbrace{\frac{1}{2}\varepsilon_0 E^2}_{u_e} \cdot Sd$$

$\therefore u_e = \frac{1}{2}\varepsilon_0 E^2 \left(= \frac{U}{Sd}\right)$ は，**静電場** E **のエネルギー密度**を表す。（Sd：極板間の体積）

解答　(ア) $\frac{\sigma}{\varepsilon_0}$　(イ) 0　(ウ) $\frac{\varepsilon_0 S}{d}$　(エ) d

演習問題 44　● 平行平板コンデンサーの極板間に働く引力 ●

面積 S，間隔 d の平行平板コンデンサーの 2 つの極板に，$+Q$(C) と $-Q$(C) の電荷を与えたとき，この両極板間に働くクーロン力の大きさ f を求めよ。

ヒント！ 演習問題 43 で導いたように，2 枚の極板は，$f=\frac{1}{2}EQ$ の大きさの力を及ぼし合っている。そして，極板間の電場は $E=\frac{\sigma}{\varepsilon_0}=\frac{Q}{\varepsilon_0 S}$ なんだね。

解答＆解説

$+Q$(C) と $-Q$(C) をそれぞれ与えられた 2 枚の極板の間には，

電場 $E=\frac{\sigma}{\varepsilon_0}=\frac{Q}{\varepsilon_0 S}$ …① が生じている。

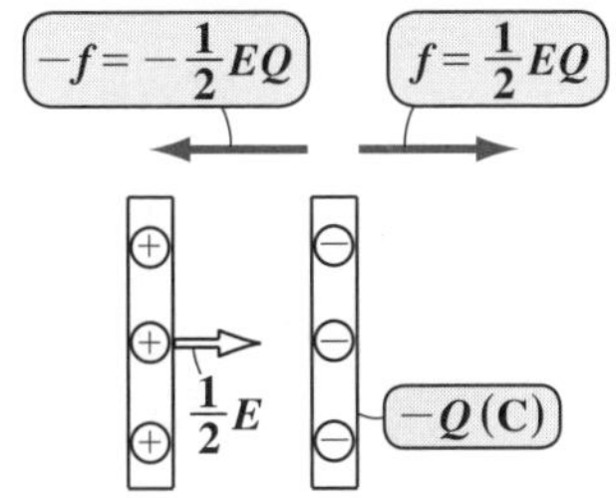

ここで，$+Q$(C) に帯電した極板を固定して，$-Q$(C) に帯電した極板をゆっくりと動かすとき，$+Q$(C) の極板が $-Q$(C) の極板に及ぼす力は右図に示すように，$-f=-\frac{1}{2}E\cdot Q$ となる。

これに逆って，$f=\frac{1}{2}EQ$ …② の力で動かすことになるので，この力

$f=\frac{1}{2}EQ$ …② が，両極板間に働く引力（クーロン力）の大きさになる。

②に①を代入して，この力は，

$f=\frac{1}{2}EQ=\frac{1}{2}\cdot\frac{Q}{\varepsilon_0 S}\cdot Q=\frac{Q^2}{2\varepsilon_0 S}$ となる。 ……………………………………(答)

> $E=\frac{\sigma}{\varepsilon_0}=\frac{Q}{\varepsilon_0 S}$ より，$Q=\varepsilon_0 ES$　これを $f=\frac{1}{2}EQ$ に代入すると，
>
> $f=\frac{1}{2}EQ=\frac{1}{2}E\cdot\varepsilon_0 ES=\underbrace{\frac{1}{2}\varepsilon_0 E^2}_{u_e}\cdot S$ が導ける。よって，極板間に働くクーロン力の大きさ f は，静電場 E のもつエネルギー密度 $u_e\left(=\frac{1}{2}\varepsilon_0 E^2\right)$ と極板の面積 S との積 $f=u_e\cdot S$ で表されるんだね。

演習問題 45　● 平板コンデンサーの電気容量 ●

右図のように，1 辺の長さが a と b の長方形の 2 枚の導体平板を，4 隅の間隔が d_0，d_0+h，d_0+h，d_0 となるように向き合わせた。このコンデンサーの電気容量 C を求めよ。

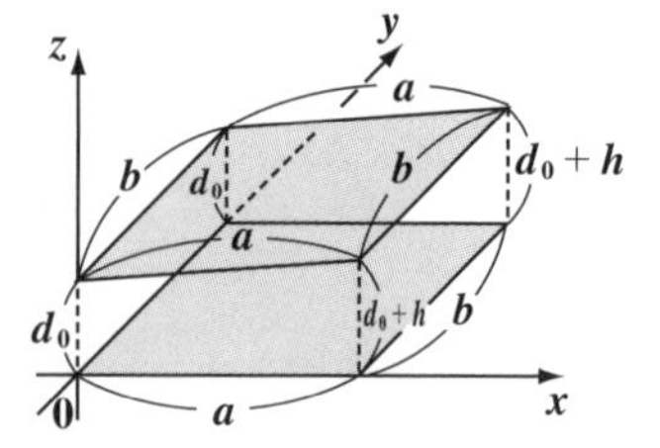

(ただし，d_0 は a，b より十分小さく，h は d_0 より十分小さいものとする。また，下の極板は，xy 平面上にあるものとし，極板以外の空間はすべて真空であるものとする。)

ヒント！ 導体平板内の電位は一定より，極板間の電場 E が極板間隔が広がるに従って変化する。よって，E は，x の関数として $E(x)$ とおける。電場が変化するのだから，極板上の電荷の面密度 σ も x の関数となり，$\sigma(x)$ とおける。$\sigma(x)$ を $E(x)$ で表し，それを下の極板全体にわたって積分した式が極板上の電荷 Q を与える。さらに，この積分の式に，$E(x)=\dfrac{V}{d(x)}$ を代入して，Q と V の関係を求めればいい。ここで，V は極板間の電位差 (一定) であり，$d(x)$ は，x の位置での極板間隔を表すものとする。

解答＆解説

上の極板に $+Q(C)$，下の極板に $-Q(C)$ の電荷を帯電させるとき，導体極板内の電位は変わらないので，極板上の電荷の面密度 σ と，極板間の電場 E は共に x の関数となる。よって，$\sigma(x)$，$E(x)$ と表せる。$h \ll a$ より，

図 1

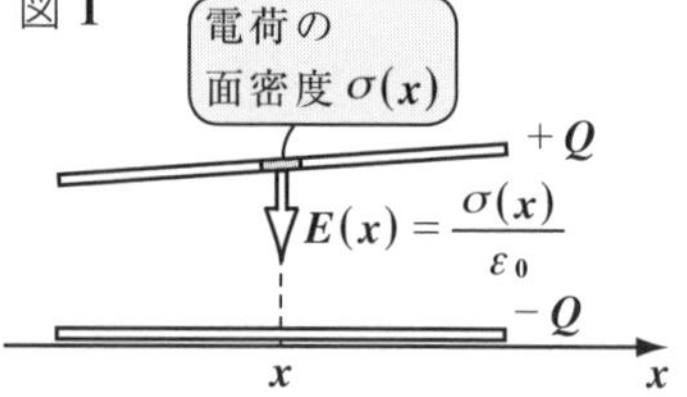

2 枚の極板はほぼ平行だから，電場は極板に垂直としてよい。よって，図 1 に示すように，極板間の電場 $E(x)$ と電荷の面密度 $\sigma(x)$ の関係式は，

$E(x)=\dfrac{\sigma(x)}{\varepsilon_0}$ （公式） となる。　$\therefore\ \sigma(x)=\varepsilon_0 E(x)$ ……①

ここで，極板の $[x,\ x+\Delta x]$ における部分の電荷を ΔQ とおくと，この部分は微小な横幅 Δx，縦 b の長方形の導体板で，この部分の電荷の面密度

$\sigma(x)$ は一定としてよい。よって，この部分の電荷 ΔQ は，

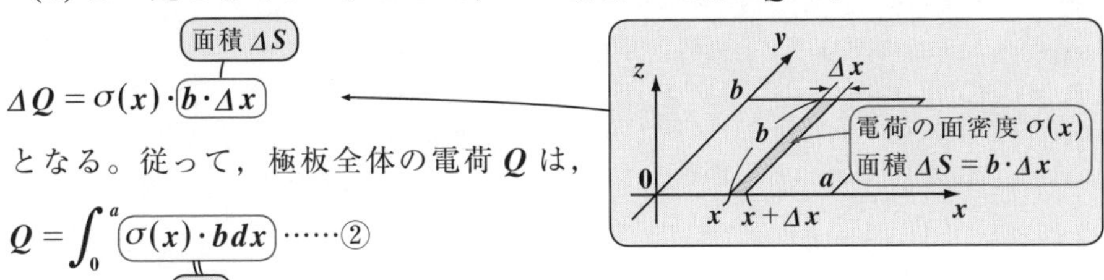

$$\Delta Q = \sigma(x)\cdot \underbrace{b\cdot\Delta x}_{\text{面積}\,\Delta S}$$

となる。従って，極板全体の電荷 Q は，

$$Q = \int_0^a \underbrace{\sigma(x)\cdot b\,dx}_{dQ} \quad \cdots\cdots ②$$

①を②に代入して，

$$Q = \int_0^a \varepsilon_0 E(x)\cdot b\,dx = \varepsilon_0 b\int_0^a E(x)\,dx \quad \cdots\cdots ②'$$

ここで，極板間の電位差 V(一定) と電場 $E(x)$ との関係は，図 2 より，

図 2　V と $E(x)$ の関係

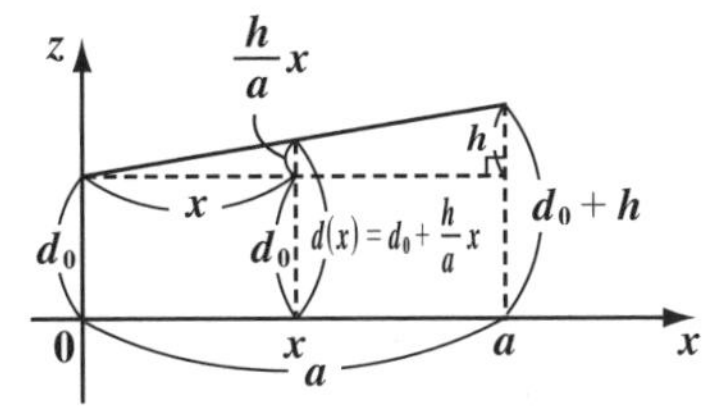

$$E(x) = \frac{V}{\underbrace{d_0 + \frac{h}{a}x}_{d(x)\,:\,\text{極板間の距離}}} \quad \leftarrow \boxed{E(x) = \frac{V}{d(x)}}$$

$$\therefore\ E(x) = \frac{aV}{ad_0 + hx} \quad \cdots\cdots ③$$

③を②′に代入して，

$$Q = \varepsilon_0 b\int_0^a \frac{aV}{ad_0 + hx}dx = \varepsilon_0 abV\int_0^a \frac{1}{ad_0 + hx}dx$$

$$= \varepsilon_0 abV\left[\frac{1}{h}\log\underbrace{(ad_0 + hx)}_{\oplus}\right]_0^a$$

$$= \frac{\varepsilon_0 abV}{h}\{\log(ad_0 + ah) - \log ad_0\} = \frac{\varepsilon_0 abV}{h}\log\frac{\cancel{a}d_0 + \cancel{a}h}{\cancel{a}d_0}$$

$$\therefore\ Q = \overbrace{\frac{\varepsilon_0 ab}{h}\log\left(1 + \frac{h}{d_0}\right)}^{C\,(\text{電気容量})}\cdot V$$

より，求める電気容量 C は $Q = CV$ と比較して，

$$C = \frac{\varepsilon_0 ab}{h}\log\left(1 + \frac{h}{d_0}\right)\ (\text{F})$$

となる。……………………………………………………(答)

> $C = \dfrac{\varepsilon_0 \overbrace{ab}^{S\,:\,\text{極板の面積}}}{d_0}\cdot\dfrac{d_0}{h}\log\left(1 + \dfrac{h}{d_0}\right) = \dfrac{\varepsilon_0 S}{d_0}\log\left(1 + \dfrac{h}{d_0}\right)^{\frac{d_0}{h}}$ と変形し，$\xi = \dfrac{h}{d_0}$ とおくと，
>
> $h \to 0$ のとき，$\xi \to 0$　$\therefore\ \lim\limits_{h\to 0} C = \lim\limits_{\xi\to 0}\dfrac{\varepsilon_0 S}{d_0}\log\underbrace{(1+\xi)^{\frac{1}{\xi}}}_{e} = \dfrac{\varepsilon_0 S}{d_0}\underbrace{\log e}_{1} = \dfrac{\varepsilon_0 S}{d_0}$
>
> となるんだね。

演習問題 46　● 相反定理の証明 ●

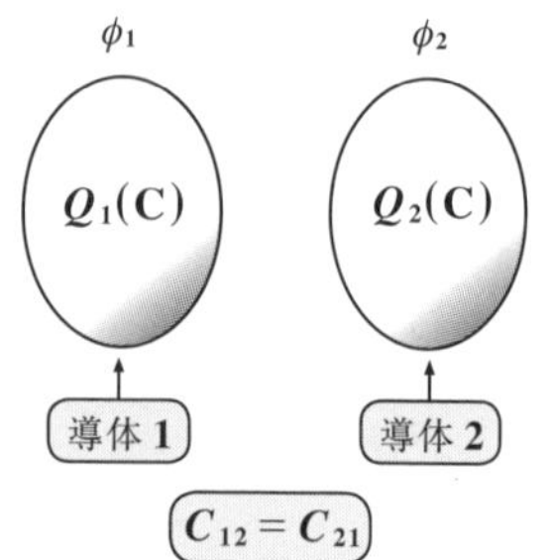

右図に示すように，導体 1，2 に Q_1(C) と Q_2(C) を与え，それぞれの電位が ϕ_1，ϕ_2 になったとき，次式が成り立つ。

$$\begin{bmatrix} Q_1 \\ Q_2 \end{bmatrix} = \begin{bmatrix} C_{11} & C_{12} \\ C_{21} & C_{22} \end{bmatrix} \begin{bmatrix} \phi_1 \\ \phi_2 \end{bmatrix} \quad \cdots\cdots(*1)$$

(＊1) の電気容量係数 C_{11}，C_{12}，C_{21}，C_{22} は，導体の形状や位置関係で決まる定数だが，C_{12} と C_{21} の間には，導体の条件によらず，

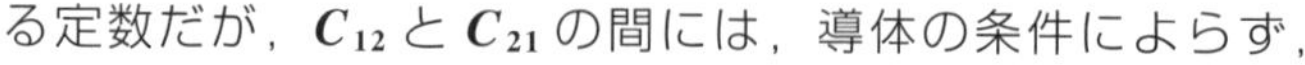

$C_{12}=C_{21}$ …(＊2) が成り立つ。(電気容量係数の相反定理)

(＊2) を，導体の静電エネルギーの公式 $U=\frac{1}{2}Q\phi$ を用いて導け。

ヒント！ 電気容量 C の導体が Q(C) に帯電したときもつ静電エネルギー U は，$U=\frac{Q^2}{2C}$ となる。(演習問題 48)　これと，$Q=C\phi$ (ϕ：導体の電位) より，$U=\frac{1}{2}Q\phi$ を得る。すると，本問のコンデンサーの静電エネルギーは，$U=\frac{1}{2}(Q_1\phi_1+Q_2\phi_2)$ となる。これに (＊1) から求まる ϕ_1, ϕ_2 の式を代入して，U を Q_1 と Q_2 の式で表す。ここで，導体 1 の電荷を Q_1 から $Q_1+\Delta Q_1$ へ微小量 ΔQ_1 だけ変えたときの U の変化分 ΔU を，2 通りの方法で表すことを考える。

解答＆解説

> 単独の導体に電荷 Q を与えると，この導体の電位 ϕ は Q に比例する：$Q=C\phi$ (C：電気容量)

導体 1 と 2 のもつ静電エネルギー U は，

$$U=\frac{1}{2}(Q_1\phi_1+Q_2\phi_2) \quad \cdots\cdots ①$$

となる。(＊1) の右辺に現れる 2 行 2 列の行列 $\begin{bmatrix} C_{11} & C_{12} \\ C_{21} & C_{22} \end{bmatrix}$ の行列式

$\Delta=C_{11}C_{22}-C_{12}C_{21} \neq 0$ のとき，(＊1) の両辺に左から逆行列

$\begin{bmatrix} C_{11} & C_{12} \\ C_{21} & C_{22} \end{bmatrix}^{-1}$ をかけて，

$$\begin{bmatrix}\phi_1\\ \phi_2\end{bmatrix}=\frac{1}{\Delta}\begin{bmatrix}C_{22} & -C_{12}\\ -C_{21} & C_{11}\end{bmatrix}\begin{bmatrix}Q_1\\ Q_2\end{bmatrix}\quad(\Delta=C_{11}C_{22}-C_{12}C_{21}\ (\neq 0))$$

$\begin{bmatrix}a & b\\ c & d\end{bmatrix}^{-1}=\frac{1}{\Delta}\begin{bmatrix}d & -b\\ -c & a\end{bmatrix}$
(ただし，$\Delta=ad-bc\neq 0$)

$$\therefore\begin{cases}\phi_1=\dfrac{1}{\Delta}(C_{22}Q_1-C_{12}Q_2)\\ \phi_2=\dfrac{1}{\Delta}(-C_{21}Q_1+C_{11}Q_2)\end{cases}\quad\cdots\cdots②$$

②を①に代入して，

$$U=\frac{1}{2}(Q_1\phi_1+Q_2\phi_2)=\frac{1}{2\Delta}\{Q_1(C_{22}Q_1-C_{12}Q_2)+Q_2(-C_{21}Q_1+C_{11}Q_2)\}$$

$$=\frac{1}{2\Delta}\{C_{22}Q_1{}^2+C_{11}Q_2{}^2-(C_{12}+C_{21})Q_1Q_2\}$$

← これを $U=U(Q_1,\ Q_2)$ とみる。

ここで，導体 1 の電荷を Q_1 から $Q_1+\Delta Q_1$ に，微小量 ΔQ_1 だけ変化させると，U の変化分 ΔU は近似的に，

$$\Delta U=\frac{\partial U(Q_1,\ Q_2)}{\partial Q_1}\cdot\Delta Q_1$$

となる。これに，

Q_2，C_{22}，C_{11}，C_{12}，C_{21} は定数扱い。

$$\frac{\partial U(Q_1,\ Q_2)}{\partial Q_1}=\frac{1}{2\Delta}\cdot\frac{\partial}{\partial Q_1}\{C_{22}Q_1{}^2+C_{11}Q_2{}^2-(C_{12}+C_{21})Q_1Q_2\}$$

$$=\frac{1}{2\Delta}\{2C_{22}Q_1-(C_{12}+C_{21})Q_2\}=\frac{1}{\Delta}\left\{C_{22}Q_1-\frac{C_{12}+C_{21}}{2}Q_2\right\}$$

を代入して，

$$\Delta U=\frac{1}{\Delta}\left\{C_{22}Q_1-\frac{C_{12}+C_{21}}{2}Q_2\right\}\cdot\Delta Q_1\quad\cdots\cdots③$$

となる。

この ΔU は，$\phi_\infty=0$ の無限遠から微小電荷 ΔQ_1 を運ぶのに要する仕事 $\Delta W=\phi_1\cdot\Delta Q_1$ に等しいので，

$\Delta U=\phi_1\cdot\Delta Q_1$ となる。これに②の第 1 式を代入して，

$$\Delta U=\frac{1}{\Delta}(C_{22}Q_1-C_{12}Q_2)\cdot\Delta Q_1\quad\cdots\cdots③'$$

③と③′ の右辺の第 2 項を比較して，

$$\frac{C_{12}+C_{21}}{2}=C_{12},\quad C_{12}+C_{21}=2\cdot C_{12}$$

$\therefore\ C_{12}=C_{21}$ ……$(*2)$ が導かれる。………………………………………(終)

演習問題 47　● コンデンサーの電気容量 ●

右図に示すように，導体 **1** に $+Q$(C)，導体 **2** に電荷 $-Q$(C) を与えたとする。このコンデンサーについて，電荷 Q と電位差 $V(=\phi_1-\phi_2)$ との間に

$Q=CV$ ……(＊3)

が成り立つことを示せ。

(C：コンデンサーの電気容量)

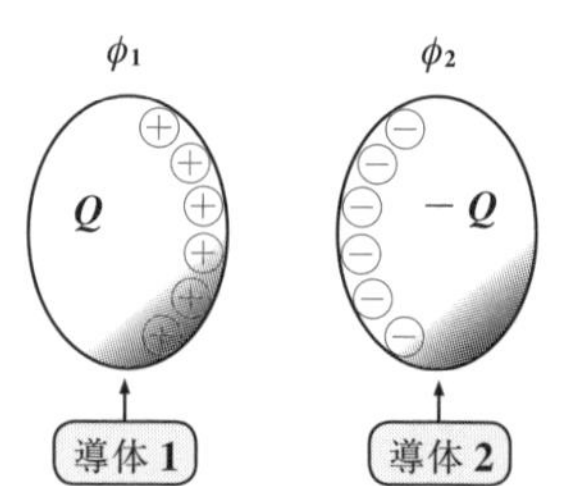

ヒント！ 導体 **1** と **2** の電位：$\phi_1=\frac{1}{\Delta}(C_{22}Q_1-C_{12}Q_2)$ と $\phi_2=\frac{1}{\Delta}(-C_{21}Q_1+C_{11}Q_2)$ $(\Delta=C_{11}C_{22}-C_{12}C_{21})$ に，$Q_1=Q$，$Q_2=-Q$，$C_{12}=C_{21}$ (相反定理) を代入して，電位差 $V=\phi_1-\phi_2$ を求める。(演習問題 **46** 参照)

解答＆解説

導体 **1** と導体 **2** の電位をそれぞれ ϕ_1，ϕ_2 とおくと，

$$\begin{cases}\phi_1=\frac{1}{\Delta}(C_{22}Q+C_{12}Q)=\frac{1}{\Delta}(C_{22}+C_{12})Q\\ \phi_2=\frac{1}{\Delta}(-\underset{C_{12}}{\underline{C_{21}}}Q-C_{11}Q)=-\frac{1}{\Delta}(C_{12}+C_{11})Q\end{cases}$$

となる。(ただし，$\Delta=C_{11}C_{22}-C_{12}{}^2\neq0$)

これより，導体 **1** と **2** の電位差 $V=\phi_1-\phi_2$ は，

$$V=\frac{1}{\Delta}(C_{22}+C_{12}+C_{12}+C_{11})Q=\frac{C_{11}+C_{22}+2C_{12}}{C_{11}C_{22}-C_{12}{}^2}\cdot Q$$

よって，$C_{11}+C_{22}+2C_{12}\neq0$ として，

$$Q=\boxed{\overset{C}{\frac{C_{11}C_{22}-C_{12}{}^2}{C_{11}+C_{22}+2C_{12}}}}\cdot V$$ となる。

よって，コンデンサーの電荷 Q と電位差 V の関係式は，

$$C=\frac{C_{11}C_{22}-C_{12}{}^2}{C_{11}+C_{22}+2C_{12}}$$ ← コンデンサーの電気容量

として，$Q=CV$ ……(＊3) と表される。 ……………………………………(終)

演習問題 48 ●コンデンサーの静電エネルギー●

電気容量 C のコンデンサーの 2 つの導体 1 と 2 に，それぞれ Q(C) と $-Q$(C) ($Q>0$) の電荷を与えたとき，このコンデンサーのもつ静電エネルギー U を求めよ。

ヒント！ このコンデンサーの 2 つの導体に電荷 Q，$-Q$ を蓄えるには，導体 2 から導体 1 へ電荷 Q を電場に逆って移さなければならない。2 つの極板を帯電していない状態から $\pm Q$ に帯電した状態にするために，2 から 1 の極板へ電荷を少しずつ運べばよい。この仕事が静電エネルギー U となる。

解答＆解説

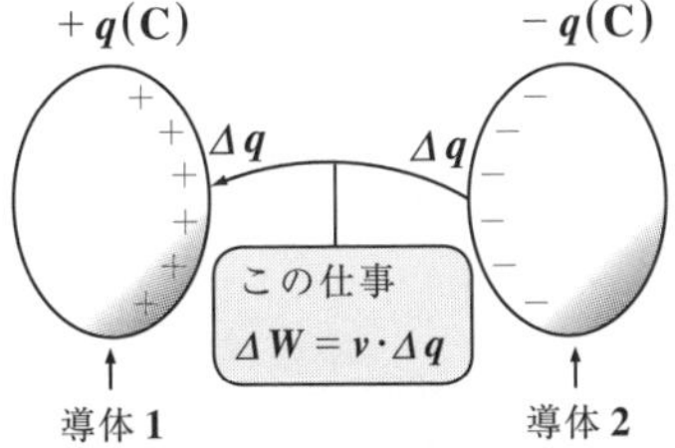

$\pm q$(C) ← 変数
v(V) ← 変数
C(F) ← 定数

初めコンデンサーは帯電していないが，導体 2 から導体 1 に次々に微小電荷 Δq が運ばれるものとする。その途中経過として，右図に示すように 1 と 2 がそれぞれ q(C)，$-q$(C) ($0 \leqq q \leqq Q$) で電位差 v(V) の状態であったとすると，電気容量が C より，

$v=$ (ア) となる。← $q = Cv$

このとき，さらに 2 から 1 へ微小電荷 Δq を運ぶのに要する仕事 ΔW は，

$\Delta W=$ (イ) となる。← v は，2 から 1 へ単位電荷 1(C) を運ぶのに要する仕事

この右辺を，q について区間 [(ウ)] で積分したものが，このコンデンサーが Q(C)，$-Q$(C) に帯電するのに要した仕事であり，これが $\pm Q$(C) に帯電したコンデンサーの静電エネルギー U となる。

$$\therefore U = W = \int_0^Q v\,dq = \frac{1}{C}\int_0^Q q\,dq = \frac{1}{C}\left[\frac{1}{2}q^2\right]_0^Q$$

$$= \frac{Q^2}{2C} \quad \cdots\cdots(\text{答})$$

← これは，$Q = CV$ より，$U = \frac{1}{2}QV = \frac{1}{2}CV^2$ とも表される。

解答 (ア) $\frac{q}{C}$ (イ) $v \cdot \Delta q$ (ウ) 0，Q

演習問題 49　●同心球殻がもつ静電エネルギー●

右図に示すような中心を O とする半径 a の薄い導体球殻 A と半径 b の薄い導体球殻 B がある。A に $+Q$(C) の電荷を与えたとき，この A と B の系が周囲の空間に作る静電場の全静電エネルギー U を求めよ。(ただし，導体球殻 B は接地されているものとし，導体以外の空間はすべて真空とする。)

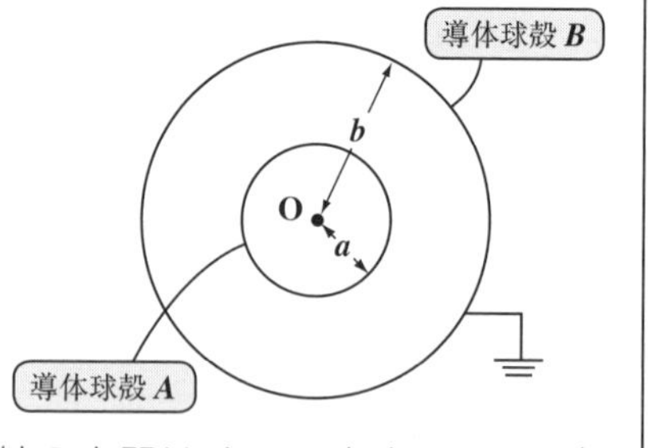

ヒント！ ガウスの法則より，中心 O からの距離 r の関数として電場 $E(r)$ を求め，静電場のエネルギー密度 u_e を計算する。その u_e を積分して U を求めればいい。

解答＆解説

導体球殻 A に正の電荷 $+Q$(C) を与えれば，これにより導体球殻 B には静電誘導により，負の電荷 $-Q$(C) が分布することになる。

球対称により，中心 O からの距離を r とおくと，ガウスの法則を用いて，(ⅰ) $0 \leqq r < a$，および (ⅲ) $b \leqq r$ のとき，電場の大きさ $E(r)$ は $E(r)=0$ となる。（半径 r の内部の電荷は 0）（半径 r の内部の電荷は $+Q-Q=0$(C) だから）

また，(ⅱ) $a \leqq r < b$ のとき，半径 r の球面の内部にある電荷は $+Q$(C) より，ガウスの法則を用いて，$4\pi r^2 \cdot E(r) = \dfrac{Q}{\varepsilon_0}$

$\therefore E(r) = \dfrac{Q}{4\pi\varepsilon_0 r^2}$ となる。よって，静電場のエネルギー密度 u_e は，

（公式 (P100)）

$$u_e = \frac{1}{2}\varepsilon_0 E^2 = \frac{1}{2}\varepsilon_0 \cdot \left(\frac{Q}{4\pi\varepsilon_0 r^2}\right)^2 = \frac{Q^2}{32\pi^2\varepsilon_0} \cdot \frac{1}{r^4}$$

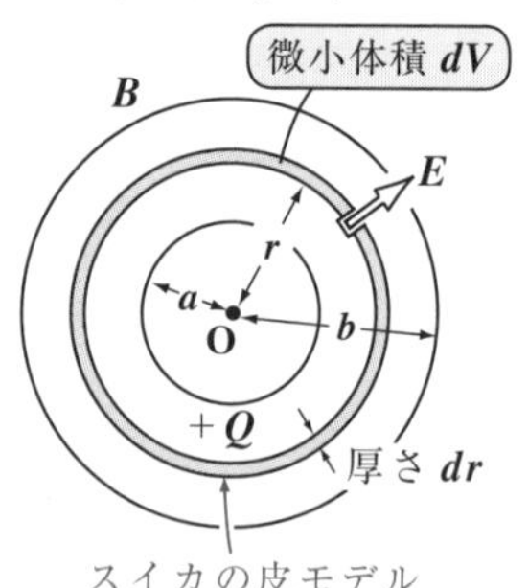

スイカの皮モデル

ここで，右図に示すように，微小体積 dV は，半径 r の球面の面積に微小な厚さ dr をかけたものより，$dV = 4\pi r^2 dr$　よって，静電エネルギー U は，

$$U = \frac{Q^2}{32\pi^2\varepsilon_0}\int_a^b \frac{1}{r^4} \cdot 4\pi r^2 dr = \frac{Q^2}{8\pi\varepsilon_0}\int_a^b r^{-2} dr$$

$$= \frac{Q^2}{8\pi\varepsilon_0}\left[-\frac{1}{r}\right]_a^b = \frac{Q^2}{8\pi\varepsilon_0}\left(\frac{1}{a} - \frac{1}{b}\right)$$ となる。……………………………(答)

演習問題 50 ● 物質中のマクスウェルの方程式 (I) の導出 ●

真空と誘電体の系での電束密度 $\boldsymbol{D}=\varepsilon_0\boldsymbol{E}+\boldsymbol{P}$ に対して，マクスウェルの方程式：$\mathbf{div}\boldsymbol{D}=\rho$ ……(＊1) (ρ：真電荷の体積密度) を導け。

ヒント！ 分極ベクトル $\boldsymbol{P}=\boldsymbol{p}\eta$ (P33 参照) が誘電体表面と垂直でない場合，誘電体表面上の微小な面積要素 dS における分極電荷の面密度 σ_P は，$\sigma_P=\boldsymbol{P}\cdot\boldsymbol{n}=P\cos\theta$ と表せる。($\boldsymbol{n}$：dS に垂直で内側から外側に向かう単位法線ベクトル，θ：$\boldsymbol{P}$ と $\boldsymbol{n}$ のなす角) これを誘電体の表面全体で面積分した $\iint_S \boldsymbol{P}\cdot\boldsymbol{n}dS$ が，表面 S を通して出ていく分極電荷となるから，この -1 倍したものが，誘電体の内側に残ることになる。この積分にガウスの発散定理を用いて，変形していく。演習問題 21 (P46) と同様の流れだね。

解答＆解説

図 1 $\sigma_p=\boldsymbol{P}\cdot\boldsymbol{n}$

誘電体表面に生じる分極電荷の面密度 σ_P は分極ベクトル $\boldsymbol{P}$ が誘電体の表面と垂直である場合，

$\sigma_P=$ (ア) ($P=\|\boldsymbol{P}\|$) と表される。

図 1 に示すように，一般に $\boldsymbol{P}$ と誘電体表面とが垂直でない場合，誘電体表面上の微小な面積要素 dS に垂直で内側から外側に向かう単位法線ベクトルを $\boldsymbol{n}(\|\boldsymbol{n}\|=1)$ とおくと，この面積要素における分極電荷の面密度 σ_P は，次のように表される。

$\sigma_P=$ (イ) $=P\cos\theta$ …① (θ：$\boldsymbol{P}$ と $\boldsymbol{n}$ のなす角)

$\boldsymbol{P}\cdot\boldsymbol{n}=P_n$ と表すこともある。

ここで，この①を誘電体の表面全体で積分した

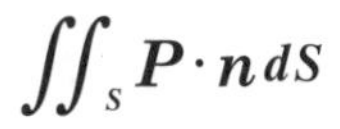

$$\iint_S \boldsymbol{P}\cdot\boldsymbol{n}dS$$

は，図 2 に示すように，誘電体にかかる電場 $\boldsymbol{E}_1$ が，

(i) $\boldsymbol{E}_1=\mathbf{0}$ のときは，

図 2 $Q_p=-\iint_S \boldsymbol{P}\cdot\boldsymbol{n}\,dS$

(i) $\boldsymbol{E}_1=\mathbf{0}$ のとき (ii) $\boldsymbol{E}_1\neq\mathbf{0}$ のとき

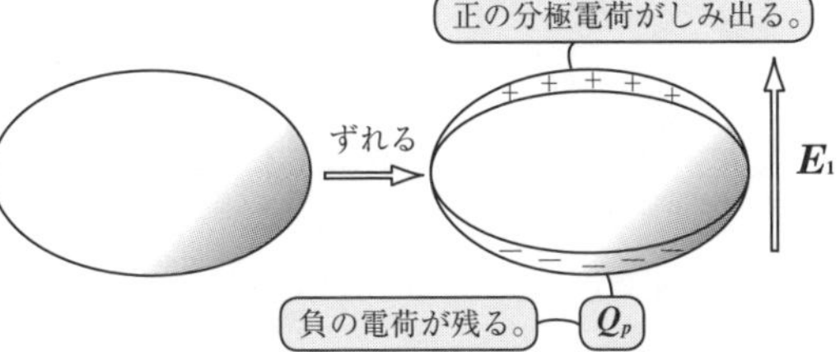

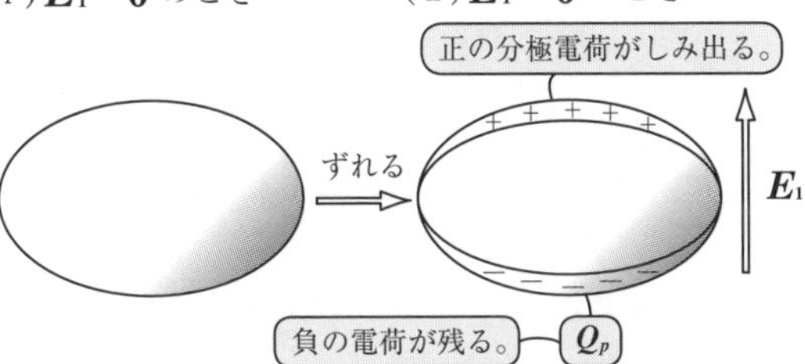

$\boldsymbol{P}=\boldsymbol{0}$ より，$\boldsymbol{0}$ となるが，

(ii) $\boldsymbol{E}_1 \neq \boldsymbol{0}$ のとき，誘電分極が起こり，表面 S を通して電荷 $\iint_S \boldsymbol{P}\cdot\boldsymbol{n}dS$ が出ていくことになる。図 2(ii) に示すように，その分この誘電体内には，その (ウ) 倍の分極電荷が残ることになる。

これを Q_p とおくと，

ガウスの発散定理 $\iint_S \boldsymbol{f}\cdot\boldsymbol{n}dS = \iiint_V \mathrm{div}\boldsymbol{f}dV$

$Q_p = -\iint_S \boldsymbol{P}\cdot\boldsymbol{n}dS$ …② と表せる。

ここで，②の右辺にガウスの発散定理を用いると，

$Q_p = -\iiint_V \mathrm{div}\boldsymbol{P}dV$ ……②′ となる。

次に，誘電体の全体の中の微小な体積要素 ΔV について考えよう。

この ΔV の中の分極電荷を ΔQ_p とおくと，②′ は，

$\Delta Q_p = -\mathrm{div}\boldsymbol{P}\cdot\Delta V$ となる。よって，分極電荷の体積密度を ρ_p とおくと，$\rho_p = \dfrac{\Delta Q_p}{\Delta V}$ より，

(エ) ……③ が導かれる。

ここで，真空中においては，

演習問題 21(P49)

(オ) ……(＊1)′ （ρ：真電荷の体積密度）が成り立つが，

“真空と誘電体を併せた系” で考える場合，(＊1)′ の右辺の分子に分極電荷の体積密度 ρ_p も加えなければならない。よって，(＊1)′ は，

(カ) ……(＊1)″ となる。これを変形して，

$\varepsilon_0 \mathrm{div}\boldsymbol{E} = \rho + \rho_p$ 　　 $\mathrm{div}(\varepsilon_0\boldsymbol{E}) + \mathrm{div}\boldsymbol{P} = \rho$ （∵③より）

$\varepsilon_0 \mathrm{div}\boldsymbol{E} = \mathrm{div}(\varepsilon_0\boldsymbol{E})$，$\rho_p = -\mathrm{div}\boldsymbol{P}$ （③より），$\mathrm{div}(\varepsilon_0\boldsymbol{E}) + \mathrm{div}\boldsymbol{P} = \mathrm{div}(\varepsilon_0\boldsymbol{E}+\boldsymbol{P})$

$\mathrm{div}(\varepsilon_0\boldsymbol{E}+\boldsymbol{P}) = \rho$ 　　よって，真空と誘電体を併せた系においても

$\varepsilon_0\boldsymbol{E}+\boldsymbol{P} = \boldsymbol{D}$ ← “真空と誘電体の系” での電束密度

ガウスの法則の微分形

マクスウェルの方程式(I)：$\mathrm{div}\boldsymbol{D} = \rho$ ……(＊1) が成り立つ。……(終)

（ρ：真電荷の体積密度）

$(*1)$ の両辺を領域 V で体積分してみると，

$$\iiint_V \mathrm{div}\boldsymbol{D}\,dV = \iiint_V \rho\,dV$$

$\iiint_V \mathrm{div}\boldsymbol{D}\,dV = \iint_S \boldsymbol{D}\cdot\boldsymbol{n}\,dS$ （ガウスの発散定理）

$\iiint_V \rho\,dV = Q$（真電荷）

$$\iint_S \boldsymbol{D}\cdot\boldsymbol{n}\,dS = Q(\text{真電荷})$$ ← ガウスの法則の積分形

$\boldsymbol{D}\cdot\boldsymbol{n} = D_n$ （$\boldsymbol{D}$ の $\boldsymbol{n}$ 方向の成分）

ここで，$\boldsymbol{D}$ の単位法線ベクトル $\boldsymbol{n}$ 方向の成分を D_n とおくと，

$$\iint_S D_n dS = Q$$

さらに，点電荷を中心とする球面上の電束密度のように，D_n が一定のとき，

D

D_n

Q

$$D_n \iint_S dS = Q \text{ より，}$$

$\iint_S dS = S$ （閉曲面の面積（誘電体の表面積））

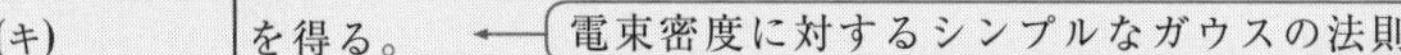

(キ) ［　　　　］ を得る。 ← 電束密度に対するシンプルなガウスの法則

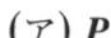

解答　(ア) $\boldsymbol{P}$　(イ) $\boldsymbol{P}\cdot\boldsymbol{n}$　(ウ) -1　(エ) $\rho_p = -\mathrm{div}\boldsymbol{P}$

(オ) $\mathrm{div}\boldsymbol{E} = \dfrac{\rho}{\varepsilon_0}$　(カ) $\mathrm{div}\boldsymbol{E} = \dfrac{\rho+\rho_p}{\varepsilon_0}$　(キ) $SD_n = Q$

演習問題 51　●誘電体中のクーロンの法則●

誘電率 ε の誘電体中の 2 つの点電荷 Q_1 (C)，Q_2 (C) の間に働く力の大きさ f をガウスの法則を用いて求めよ。(ただし，$Q_1 > 0$，$Q_2 > 0$ とする。)

ヒント！ 点電荷を中心とする球面上の電場 $\boldsymbol{E}$ や電束密度 $\boldsymbol{D}$ は，対称性により，その球面の法線の方向をもち，その球面上ではどこでも同じ大きさをもつ。よって，ガウスの法則において，$\boldsymbol{D}\cdot\boldsymbol{n} = D_n = D$ となる。($D = \|\boldsymbol{D}\|$)

解答＆解説

1 つの点電荷 Q(C) ($Q > 0$) を中心とする半径 r の球面上の電場 $\boldsymbol{E}(r)$ や電束密度 $\boldsymbol{D}(r)$ は，球面の法線方向に向き，球面上では等しい大きさをもつ。

よって，ガウスの法則：

$$\iint_S \boldsymbol{D}(r)\cdot\boldsymbol{n}\,dS = Q(\text{真電荷}) \quad \cdots\cdots①$$

を，この球面に適用すると，左辺は，

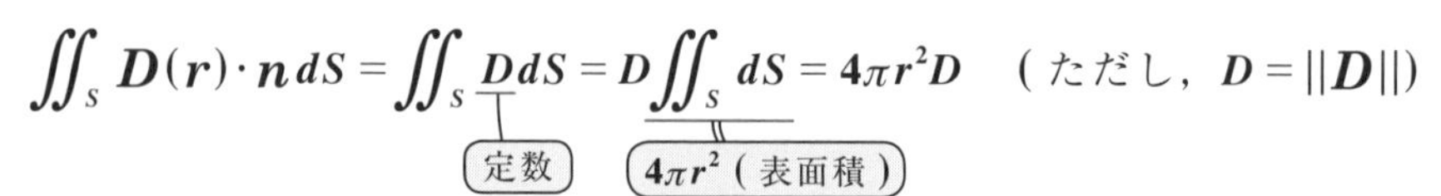

$$\iint_S \boldsymbol{D}(r)\cdot\boldsymbol{n}\,dS = \iint_S \underbrace{D}_{\text{定数}}dS = D\underbrace{\iint_S dS}_{4\pi r^2(\text{表面積})} = 4\pi r^2 D \quad (\text{ただし，} D = \|\boldsymbol{D}\|)$$

よって，ガウスの法則①より，

$4\pi r^2 \cdot D = Q$　　∴電束密度の大きさ $D = \dfrac{Q}{4\pi r^2}$ ……②

また，$\boldsymbol{D}(r) = \varepsilon\boldsymbol{E}(r)$ より，$D = \varepsilon E$ ……③　($E = \|\boldsymbol{E}\|$)

③を②に代入して，

$\varepsilon E = \dfrac{Q}{4\pi r^2}$　　∴電場の強さ $E = \dfrac{1}{4\pi\varepsilon}\cdot\dfrac{Q}{r^2}$ ……④　となる。

ここで，この誘電体の中に，2 つの点電荷 Q_1 と Q_2 が距離 r 隔ててあるときを考える。

まず，点電荷 Q_1 によって，r の距離の点にできる電場の強さ E は，④に $Q=Q_1$ を代入して，

$$E=\frac{1}{4\pi\varepsilon}\cdot\frac{Q_1}{r^2}$$

となる。これによって，点電荷 Q_2 に働く力の大きさ f は，

$$f=Q_2\cdot E=\frac{1}{4\pi\varepsilon}\cdot\frac{Q_1Q_2}{r^2}$$ ← 誘電体中のクーロンの法則

同様に，電荷 Q_2 により生じる電場によって，電荷 Q_1 が受ける力の大きさもこれと同じになる。

以上より，Q_1 と Q_2 の 2 つの点電荷に働く力の大きさ f は，

$$f=\frac{1}{4\pi\varepsilon}\cdot\frac{Q_1Q_2}{r^2}$$ となる。……………………………………………………(答)

↑ 誘電体中のクーロンの法則

④より，比誘電率 $\kappa\left(=\frac{\varepsilon}{\varepsilon_0}\right)$ の誘電体中の点電荷 Q による電場の大きさは，

$$E=\frac{1}{4\pi\varepsilon}\cdot\frac{Q}{r^2}=\frac{1}{\kappa}\cdot\frac{1}{4\pi\varepsilon_0}\cdot\frac{Q}{r^2}=\frac{1}{\kappa}\cdot E_0$$

($4\pi\varepsilon$ の ε = $\kappa\varepsilon_0$，$\frac{1}{4\pi\varepsilon_0}\cdot\frac{Q}{r^2}$ = E_0，$\frac{1}{\kappa}$：1 より小 ($\because \kappa>1$))

(E_0：真空中での電場の大きさ)

となるので，E_0 の $\frac{1}{\kappa}$ 倍に弱められていることが分かる。これは右図に示すように，点電荷 $+Q$(C) の周りに異符号の分極電荷が誘起したためである。

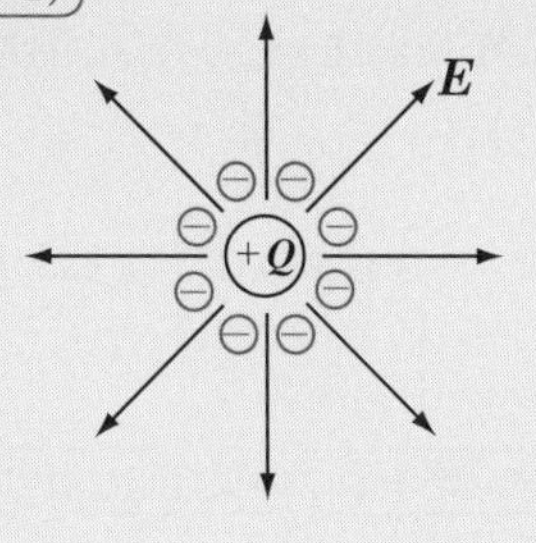

演習問題 52 ● 誘電体の境界面における境界条件 ●

右図のように，真空中を入射角 $\theta_0 = \frac{\pi}{6}$ で入ってきた電場 $\boldsymbol{E}_0$（または電束密度 $\boldsymbol{D}_0$）が，境界面を境に，誘電率 $\varepsilon_1 = \sqrt{3}\,\varepsilon_0$ の誘電体中で屈折角 θ_1 の電場 $\boldsymbol{E}_1$（または電束密度 $\boldsymbol{D}_1$）に変化したものとする。このとき，$\boldsymbol{E}_1$ の大きさ E_1 と屈折角 θ_1 を求めよ。（ε_0：真空の誘電率）

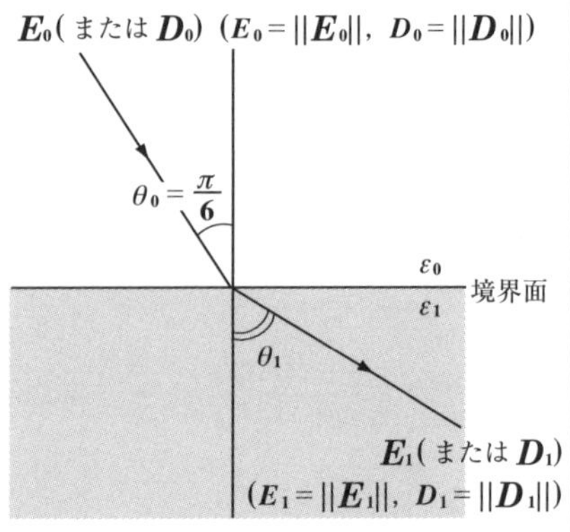

ヒント！ $\boldsymbol{E}_0$ と $\boldsymbol{E}_1$ の境界と平行な成分は等しく，$\boldsymbol{D}_0$ と $\boldsymbol{D}_1$ の境界面と垂直な成分が等しくなることを利用する。

解答＆解説

（Ⅰ）静電場において，

$$\oint_C \boldsymbol{E}\cdot d\boldsymbol{r} = 0 \quad \cdots\cdots①$$ となる。(P53)

図 1（ⅰ）に示すように，境界面をまたぐように，横 a，縦 $b(\fallingdotseq 0)$ の細長い周回積分路をとって，①の 1 周接線線積分を行うと，

$$\oint_C \boldsymbol{E}\cdot d\boldsymbol{r} = aE_1\sin\theta_1 - aE_0\sin\theta_0 = 0$$

［ ⟶ ⟵ ］

$b \fallingdotseq 0$ より，↓と↑の接線線積分は無視！

よって，$a(E_1\sin\theta_1 - E_0\sin\theta_0) = 0$ より，

$E_0\sin\theta_0 = E_1\sin\theta_1$ …② が成り立つ。

図 1（ⅱ）に示すように，②から，$\boldsymbol{E}_0$ と $\boldsymbol{E}_1$ の境界面と平行な成分は等しい。

図 1　$E_0\sin\theta_0 = E_1\sin\theta_1$

（ⅰ）$\oint_C \boldsymbol{E}\cdot d\boldsymbol{r} = 0$

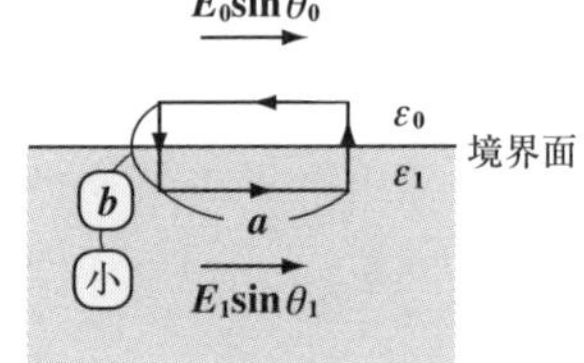

（ⅱ）

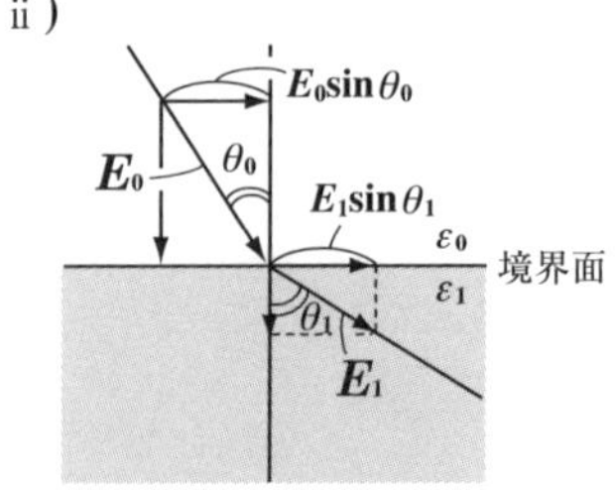

(Ⅱ) 境界面に真電荷はないので，
電束密度のガウスの法則より，

$$\iint_s \boldsymbol{D}\cdot\boldsymbol{n}\,dS = 0 \quad \cdots\cdots③$$

← P111
真電荷 0

となる。図 2(ⅰ) に示すように，境界面をまたぐように面積 S，高さ b ($\fallingdotseq 0$) の円柱面をとると，③より，

$$\iint_s \boldsymbol{D}\cdot\boldsymbol{n}\,dS = S\cdot(-D_0\cos\theta_0) + S\cdot D_1\cos\theta_1 = 0$$

$b\fallingdotseq 0$ より，側面での面積分は無視！

よって，$S(-D_0\cos\theta_0 + D_1\cos\theta_1) = 0$ より，
$D_0\cos\theta_0 = D_1\cos\theta_1$ …④ が成り立つ。
④から，図 2(ⅱ) に示すように，$\boldsymbol{D}_0$ と $\boldsymbol{D}_1$ の境界面と垂直な成分は等しい。

図 2 $D_0\cos\theta_0 = D_1\cos\theta_1$

(ⅰ) $SD_n = 0$

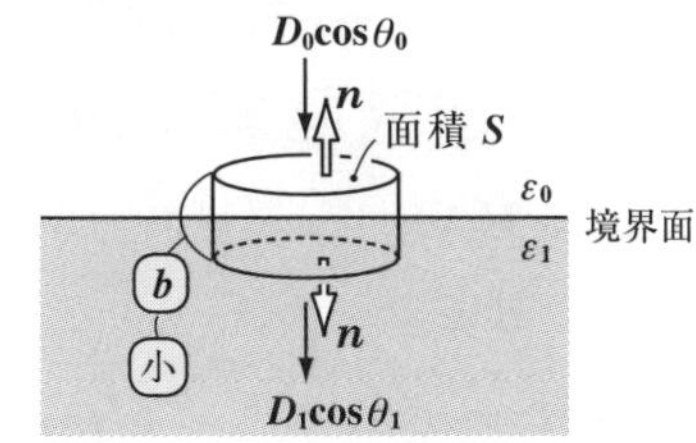

(ⅱ)

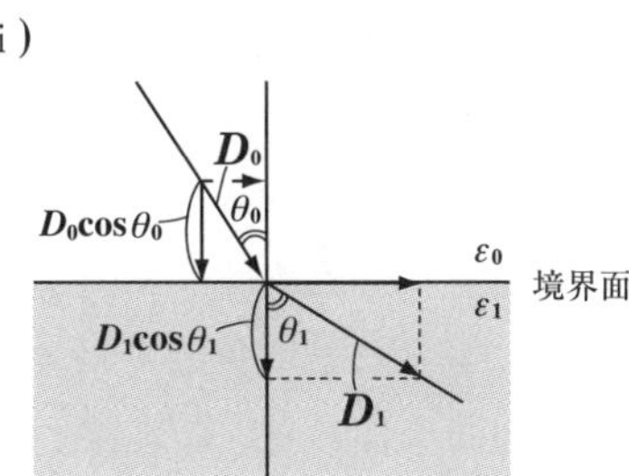

(Ⅰ)(Ⅱ) より，

$$\begin{cases} E_1\sin\theta_1 = E_0\sin\theta_0 & \cdots② \\ \underset{\varepsilon_1 E_1}{\underline{D_1}}\cos\theta_1 = \underset{\varepsilon_0 E_0}{\underline{D_0}}\cos\theta_0 & \cdots④ \end{cases}$$

④に $D_0 = \varepsilon_0 E_0$, $D_1 = \underset{\sqrt{3}\varepsilon_0}{\underline{\varepsilon_1}} E_1 = \sqrt{3}\varepsilon_0 E_1$ を代入して，

$$\sqrt{3}\cancel{\varepsilon_0}E_1\cos\theta_1 = \cancel{\varepsilon_0}E_0\cos\theta_0 \quad \cdots\cdots④' \qquad \therefore E_1\cos\theta_1 = \frac{1}{\sqrt{3}}E_0\cos\theta_0 \quad \cdots\cdots⑤$$

②^2 + ⑤^2 より，

$$E_1^2\underset{1}{\underline{(\sin^2\theta_1 + \cos^2\theta_1)}} = E_0^2\Big(\underset{\sin^2\frac{\pi}{6} = \frac{1}{4}}{\underline{\sin^2\theta_0}} + \frac{1}{3}\underset{\cos^2\frac{\pi}{6} = \frac{3}{4}}{\underline{\cos^2\theta_0}}\Big)$$

$$\therefore E_1^2 = \left(\frac{1}{4} + \frac{1}{\cancel{3}}\cdot\frac{\cancel{3}}{4}\right)E_0^2 = \frac{1}{2}E_0^2 \text{ より，} E_1 = \frac{1}{\sqrt{2}}E_0 \quad \cdots\cdots\cdots\cdots(\text{答})$$

また，② ÷ ⑤より，

$$\frac{\cancel{E_1}\sin\theta_1}{\cancel{E_1}\cos\theta_1} = \frac{\cancel{E_0}\sin\theta_0}{\frac{1}{\sqrt{3}}\cancel{E_0}\cos\theta_0}$$

屈折の法則：
$\dfrac{\tan\theta_0}{\tan\theta_1} = \dfrac{\varepsilon_0}{\varepsilon_1}$ より，$\tan\theta_1 = 1$

$$\therefore \tan\theta_1 = \sqrt{3}\cdot\tan\theta_0 = \sqrt{3}\tan\frac{\pi}{6} = \sqrt{3}\cdot\frac{1}{\sqrt{3}} = 1 \text{ より，}$$

屈折角 θ_1 は，$\theta_1 = \dfrac{\pi}{4}$ となる。…………………………(答)

講義 Lecture 3 定常電流と磁場

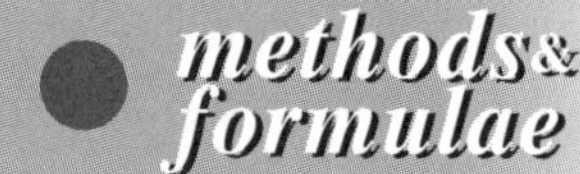

§1. 定常電流が作る磁場

電流 $I(\mathrm{A})$ は，導体断面を1秒間に通過する電気量のことであり，次式で表される。

(i) $I = \dfrac{dQ}{dt}$　　　　(ii) $I = vS\eta e$

（Q：電気量(C)，t：時刻(s)，v：自由電子の平均速度(m/s)，S：導体の断面積(m^2)，η：自由電子の単位体積当りの個数(m^{-3})，e：電気素量(C)）

また，単位面積あたりのベクトル表示の電流を**電流密度**と呼び，これを $\boldsymbol{i}$ で表す。電流 I は，この $\boldsymbol{i}$ でも表せる。図1に示すように，S を断面積とすると，S 上の微小面積 dS を通過する正味の微小電流 dI は，$dI = \boldsymbol{i}\cdot\boldsymbol{n}\,dS$ となる。よって，これを断面積 S 全体に渡って面積分したものが，S を通過する電流 I になる。

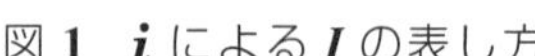
図1　$\boldsymbol{i}$ による I の表し方

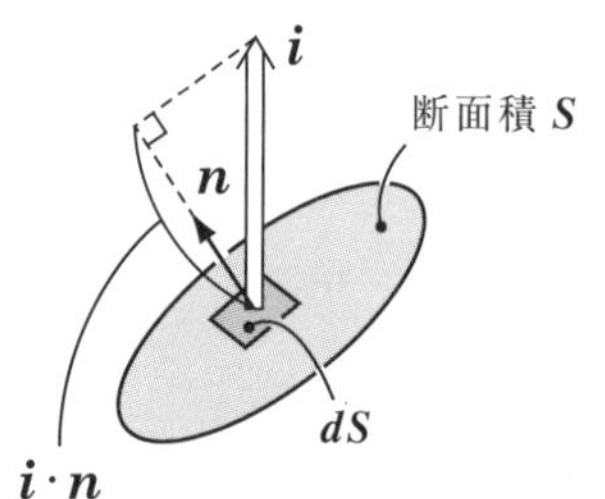

(iii) 電流 $I = \displaystyle\iint_S \boldsymbol{i}\cdot\boldsymbol{n}\,dS$

図2に示すように，電流密度 $\boldsymbol{i}$ は，電荷の体積密度 ρ と，電流の速度ベクトル $\boldsymbol{v}$ を用いて，

$\boldsymbol{i} = \rho\boldsymbol{v}$　と表すことができる。

さらに，電流密度 $\boldsymbol{i}$ と電荷の体積密度 ρ との間には，次の関係がある。

図2　電流密度 $\boldsymbol{i}$

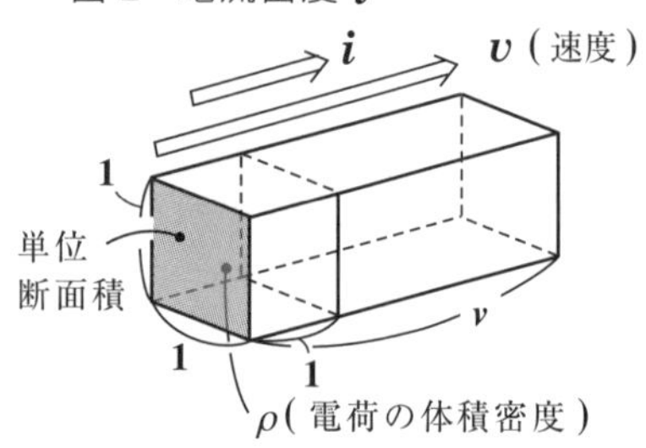

$$\mathrm{div}\,\boldsymbol{i} = -\frac{\partial\rho}{\partial t}$$

←演習問題57

この(＊)を**電荷の保存則**と呼び，物理の基本法則の1つである。

エルステッドは，電流の流れている導線に磁針を近づけると磁針が振れることから，電流の回りに**磁場**が発生していることを発見した。この発見を基に，アンペール，ビオ，サバール等は実験を重ね，**アンペールの法則**，および**ビオ・サバールの法則**を導いた。

ここで,定常電流が作る2つの磁場の公式を次に示す。

図3

(i)直線電流が作る磁場

$H = \frac{I}{2\pi a}$(アンペールの法則)

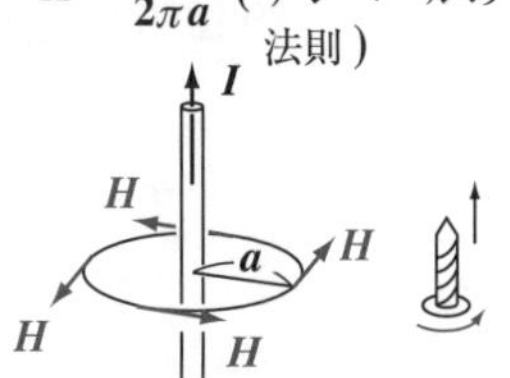

(ii)円形電流が作る磁場

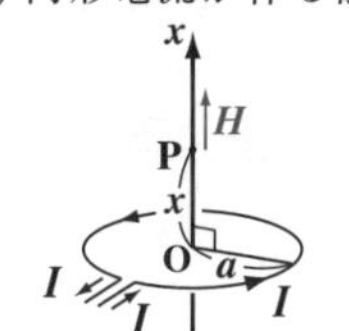

(i)無限に伸びた直線上の導線に定常電流 I (A) が流れているとき,導線から a (m) だけ離れた点に生じる磁場:

$$H = \frac{I}{2\pi a} \quad \cdots\cdots①$$ ←演習問題55参照

(ii)半径 a の円形状の導線に流れる定常電流 I (A) が,円の中心Oから中心軸上 x だけ離れた点に作る磁場:

$$H = \frac{Ia^2}{2(a^2+x^2)^{\frac{3}{2}}} \quad \cdots\cdots②$$ ←「電磁気学キャンパス・ゼミ」参照

①,②より,**磁場 H の単位は [A/m]** となる。

磁場 H は電場 $\boldsymbol{E}$ と同様ベクトル量なので,$\boldsymbol{H}$(A/m) と表す。ここで,図3(i)に示す高校物理の**アンペールの法則**(①式)は,磁場 $\boldsymbol{H}$ の次の2つの性質を表している。

(I) N 極だけや S 極だけといった単磁荷は存在しないので,磁場 $\boldsymbol{H}$ は湧き出しも吸い込みもなく,閉曲線(ループ)を描く。

(II) 磁場 $\boldsymbol{H}$ が描く閉曲線(ループ)の内部を,その磁場を生み出す定常電流が貫いている。

そして,この2つの $\boldsymbol{H}$ の性質から,次の2つのマクスウェルの方程式が導かれる。

$\mathrm{div}\,\boldsymbol{B} = 0$　　$\mathrm{rot}\,\boldsymbol{H} = \boldsymbol{i}$　　(演習問題58, 63, 64)

ソレノイド・コイルの中に鉄の棒などを入れると,磁力が強くなる。このように,同じ電流 I を流しても,鉄の棒などの有無によって,磁場の強さが大きく変化するので,静電場における電場 $\boldsymbol{E}$ と電束密度 $\boldsymbol{D}$ と同様に,静磁場においても磁場 $\boldsymbol{H}$ 以外に**磁束密度 $\boldsymbol{B}$** を導入する。真空中では $\boldsymbol{B}$ と $\boldsymbol{H}$ の間に,$\boldsymbol{B} = \mu_0 \boldsymbol{H}$ ……③ (大きさ:$B = \mu_0 H$ ……③′)の関係がある。

μ_0 は**真空の透磁率**と呼ばれる定数で,単位も含めて,

$\mu_0 = 4\pi \times 10^{-7}$ (N/A^2) と表せる。そして,鉄の棒などの物質をコイルに入れる場合は,新たにその物質の**透磁率** μ も使って,

$\boldsymbol{B} = \mu \boldsymbol{H}$ ……④ (大きさ:$B = \mu H$ ……④′)と表す。

"**磁束**"(または"**磁極**"または"**磁荷**")の単位は [Wb](ウェーバー) なので,磁束密度 $\boldsymbol{B}$ の単位は,[Wb/m^2] または [T](テスラ) である。

磁場において，単磁荷は存在しないが，ここで，N 極のみ，S 極のみの"単磁荷"または"単磁極"というものを想定すると，異種の単磁極同士は引き合い，同種の単磁極同士は反発し合うことが，**2** つの棒磁石を使って確認できる。

ここで，N 極や S 極の単磁極の単位として **[Wb]** を用いると，この引力や斥力 f は，これら単磁極の積に比例し，距離の **2** 乗に反比例し，静磁場においても，静電場でのクーロンの法則と同様の法則が成り立つことが分かる。真空中におけるこれら **2** つのクーロンの法則を対比して，下に示す。

●静磁場におけるクーロンの法則

$$f = k_m \frac{m_1 m_2}{r^2} \quad \cdots(\mathrm{a})$$

$\left(\begin{array}{l} f：クーロン力\ (\mathrm{N}) \\ m_1,\ m_2：単磁極\ (\mathrm{Wb}) \\ r：距離\ (\mathrm{m}) \end{array} \right)$

ここで，比例定数 k_m は，

$$k_m = \frac{1}{4\pi\mu_0} \ (\mathrm{A^2/N})$$

$\left(\begin{array}{l} \mu_0：真空の透磁率 \\ \mu_0 = 4\pi \times 10^{-7}\ (\mathrm{N/A^2}) \end{array} \right)$

●静電場におけるクーロンの法則

$$f = k \frac{q_1 q_2}{r^2} \quad \cdots(\mathrm{a})'$$

$\left(\begin{array}{l} f：クーロン力\ (\mathrm{N}) \\ q_1,\ q_2：電荷\ (\mathrm{C}) \\ r：距離\ (\mathrm{m}) \end{array} \right)$

ここで，比例定数 k は，

$$k = \frac{1}{4\pi\varepsilon_0} \ (\mathrm{Nm^2/C^2})$$

$\left(\begin{array}{l} \varepsilon_0：真空の誘電率 \\ \varepsilon_0 = \dfrac{1}{4\pi \times 10^{-7} \times c^2}\ (\mathrm{C^2/Nm^2}) \end{array} \right)$

さらに，真空の誘電率 $\varepsilon_0 = \dfrac{1}{4\pi \times 10^{-7} \times c^2}\ (\mathrm{C^2/Nm^2})$ と真空の透磁率 $\mu_0 = 4\pi \times 10^{-7}\ (\mathrm{N/A^2})$ の積をつくると，ε_0 と μ_0 の間に，

$\varepsilon_0 \mu_0 = \dfrac{1}{c^2}$ $\left(光速\ c = 2.998 \times 10^8\ (\mathrm{m/s}) \right)$ の関係がある。

また，$B = \mu_0 H$ …③′ から，$\left[\dfrac{\mathrm{Wb}}{\mathrm{m^2}}\right] = \left[\dfrac{\mathrm{N}}{\mathrm{A^2}} \cdot \dfrac{\mathrm{A}}{\mathrm{m}}\right] = \left[\dfrac{\mathrm{N}}{\mathrm{Am}}\right]$ より，

$[\mathrm{Wb}] = \left[\dfrac{\mathrm{Nm^2}}{\mathrm{Am}}\right] = [\mathrm{Nm/A}]$ となる。よって，磁場 H の単位は，

$[\mathrm{A/m}] = \left[\dfrac{\mathrm{A}}{\mathrm{m}}\right] = \left[\dfrac{\mathrm{N}}{\mathrm{Nm/A}}\right] = \left[\dfrac{\mathrm{N}}{\mathrm{Wb}}\right]$ となる。また，電束密度

$D\ (= \varepsilon_0 E)$ の単位は，$\Big[\underbrace{\dfrac{\mathrm{C^2}}{\mathrm{Nm^2}}}_{\varepsilon_0} \cdot \underbrace{\dfrac{\mathrm{N}}{\mathrm{C}}}_{E}\Big] = [\mathrm{C/m^2}]$ となる。

静磁場と静電場の単位には次のようなキレイな対応関係があり，覚えやすい。

●静磁場	●静電場
磁荷 $\boldsymbol{m}$ (Wb)	電荷 $\boldsymbol{q}$ (C)
磁場 $\boldsymbol{H}$ (N/Wb)	電場 $\boldsymbol{E}$ (N/C)
磁束密度 $\boldsymbol{B}$ (Wb/m^2)	電束密度 $\boldsymbol{D}$ (C/m^2)

§2. ビオ・サバールの法則とベクトル・ポテンシャル

エルステッドが電流の回りに磁場が発生していることを発見した後，ビオとサバールは精緻な実験の結果，**電流素片** $\boldsymbol{I d l}$ が空間内の任意の点に作る微小な磁場 $d\boldsymbol{H}$ が，次式で求められることを示した。

$$d\boldsymbol{H} = \frac{1}{4\pi}\cdot\frac{I d\boldsymbol{l}\times\boldsymbol{r}}{r^3} \quad \cdots(*)$$

これを，**ビオ・サバールの法則**という。図1に示すように，電流 I が流れる導線の長さ dl の微小な部分を考え，これをベクトル表示した $Id\boldsymbol{l}$ を電流素片と呼ぶ。$(dl = \|d\boldsymbol{l}\|)$

ここで，この $Id\boldsymbol{l}$ を始点として，位置ベクトル $\boldsymbol{r}$(大きさ $r = \|\boldsymbol{r}\|$) の点において，この電流素片 $Id\boldsymbol{l}$ によって作られる微小な磁場ベクトル $d\boldsymbol{H}$ が，その向きも含めて，$(*)$ のビオ・サバールの法則で求められる。

図1 ビオ・サバールの法則

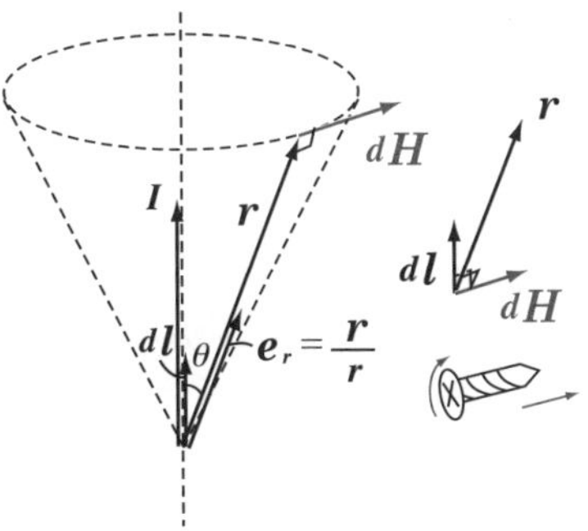

(I と $d\boldsymbol{l}$ は同じ向きにとる)

ここで，$\boldsymbol{r}$ と同じ向きの単位ベクトルを $\boldsymbol{e}_r \left(=\frac{\boldsymbol{r}}{r}\right)$ とおくと，$(*)$ は，

$$d\boldsymbol{H} = \frac{1}{4\pi}\cdot\frac{I}{r^2}\cdot d\boldsymbol{l}\times\underbrace{\frac{\boldsymbol{r}}{r}}_{\boldsymbol{e}_r}$$ より，$$d\boldsymbol{H} = \frac{1}{4\pi}\cdot\frac{Id\boldsymbol{l}\times\boldsymbol{e}_r}{r^2} \quad \cdots(*)'$$ となる。

さらに，$d\boldsymbol{l}$ と $\boldsymbol{e}_r$ (または $\boldsymbol{r}$) のなす角を θ とおくと，$(*)'$ の両辺の大きさは，

$$dH = \left\|\frac{1}{4\pi}\cdot\frac{I}{r^2}\cdot d\boldsymbol{l}\times\boldsymbol{e}_r\right\| = \frac{I}{4\pi r^2}\|d\boldsymbol{l}\times\boldsymbol{e}_r\| = \frac{I}{4\pi r^2}dl\sin\theta$$

$$\|d\boldsymbol{l}\|\cdot\|\boldsymbol{e}_r\|\sin\theta = dl\cdot\sin\theta \quad (\|d\boldsymbol{l}\| = dl,\ \|\boldsymbol{e}_r\| = 1)$$

$\therefore\ dH = \dfrac{I\sin\theta}{4\pi r^2}dl \quad \cdots(*)''$ となる。$d\boldsymbol{l} \perp \boldsymbol{r}$，すなわち$\theta = \dfrac{\pi}{2}$のとき，

$\sin\dfrac{\pi}{2} = 1$ より，

$dH = \dfrac{I}{4\pi r^2}dl \cdots(*)'''$ と簡単に表される。

$(*)''$ や $(*)'''$ は微分形なので，この両辺を導線の経路に沿って積分すれば，磁場の大きさ（強さ）が求まる。

(*ex*) 半径 a の円形状の導線に定常電流が流れているとき，円の中心に生じる磁場の大きさ H を求めよう。

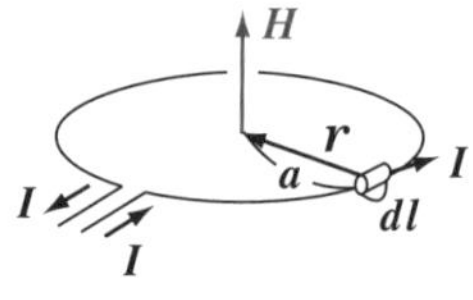

右図に示すように，電流素片 $Id\boldsymbol{l}$ が円の中心に作る微小な磁場 dH は，$d\boldsymbol{l} \perp \boldsymbol{r}$ かつ $\|\boldsymbol{r}\| = a$ より，$(*)'''$から，

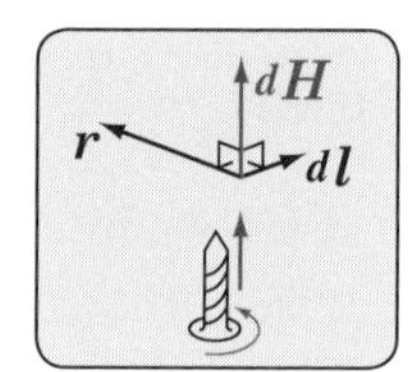

$$dH = \frac{I}{4\pi a^2}dl$$

よって，これを半径 a の円周に沿って積分して，求める磁場 H は，

$$H = \oint \underbrace{\frac{I}{4\pi a^2}}_{\text{定数}} dl = \frac{I}{4\pi a^2}\underbrace{\oint dl}_{2\pi a\,(\text{周長})}$$

$$= \frac{I}{4\pi a^2} \times 2\pi a = \frac{I}{2a} \quad \text{となる。}$$

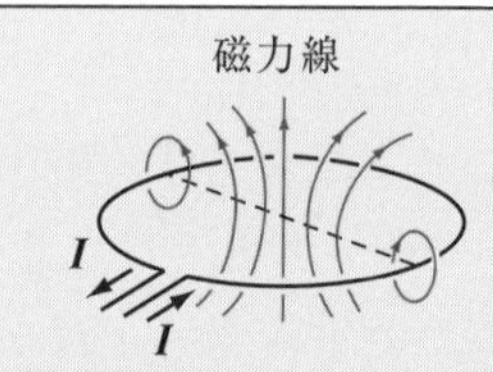

電気力線と同様に，磁場 $\boldsymbol{H}$ を接線とする曲線を**磁力線**と呼ぶ。円形電流やソレノイド・コイルに流れる電流が作る磁力線は，それらの中心軸に関して対称に生じる。

ビオ・サバールの法則：

$$d\boldsymbol{H} = \frac{1}{4\pi}\cdot\frac{Id\boldsymbol{l}\times\boldsymbol{r}}{r^3} \quad \cdots(*)$$

の中の $Id\boldsymbol{l}$ を変形すると，

$$Id\boldsymbol{l} = \underline{\boldsymbol{I}}\,dl = \boldsymbol{i}\,\underline{Sdl} = \boldsymbol{i}dV \cdots\cdots ①$$ となる。①を $(*)$ に代入して，

（$\boldsymbol{I}$：iS（$\boldsymbol{i}$：電流密度，S：断面積））
（Sdl：dV：微小体積）
（$d\boldsymbol{l}$ の代わりに I をベクトルにした）

導線の微小体積 dV を流れる電流素片 $\boldsymbol{i}dV$ が，$\boldsymbol{i}dV$ を始点として，位置ベクトル $\boldsymbol{r}$ の点に作る微小な磁場ベクトル $d\boldsymbol{H}$ は，

$d\boldsymbol{H} = \frac{1}{4\pi} \cdot \frac{\boldsymbol{i} \times \boldsymbol{r}}{r^3}\, dV \quad \cdots(**)$ で表される。（演習問題 **62** 参照）

電場 $\boldsymbol{E}$ について，$\boldsymbol{E}$ は電位 ϕ の勾配ベクトルから求められた。すなわち，

$\boldsymbol{E} = -\mathbf{grad}\,\phi = -\left[\frac{\partial\phi}{\partial x}, \frac{\partial\phi}{\partial y}, \frac{\partial\phi}{\partial z}\right]$ ……② と表された。そして，静電場において，$\mathbf{rot}\,\boldsymbol{E} = \mathbf{0}$ ……③ が成り立った。（演習問題 **23 (P52)**）

変動する電磁場においては，マクスウェルの方程式 $\mathbf{rot}\,\boldsymbol{E} = -\frac{\partial \boldsymbol{B}}{\partial t}$ が成り立つ。

②を③に代入すると，　$\mathbf{rot}\,(-\mathbf{grad}\,\phi) = \mathbf{0}$　　$-\underbrace{\mathbf{rot}\,(\mathbf{grad}\,\phi)}_{\mathbf{0}} = \mathbf{0}$ ……④（公式 **(P18)**）

ここで，公式：$\mathbf{rot}\,(\mathbf{grad}\,f) = \mathbf{0}$ は，任意のスカラー値関数 f について成り立つので，④は自動的に成り立つ式であることが分かる。つまり，スカラー値関数である ϕ の勾配ベクトルとして表される電場

$\boldsymbol{E} = -\mathbf{grad}\,\phi$ ……②は，渦なしの関係 $\mathbf{rot}\,\boldsymbol{E} = \mathbf{0}$ ……③を自動的に満たす。この電位 ϕ は静電場 $\boldsymbol{E}$ の背後にあるスカラー値関数なので，これを**スカラー・ポテンシャル**と呼ぶ。

これと同様に，定常電流による静磁場について，マクスウェルの方程式

$\mathrm{div}\,\boldsymbol{B} = 0$ ……$(*2)$ と $\boldsymbol{B} = \mu_0 \boldsymbol{H}$（真空の場合）から，$\mathrm{div}\,\boldsymbol{H} = 0$ ……$(*2)'$ が成り立つので，**P16** の公式 $\mathrm{div}\,(\mathbf{rot}\,\boldsymbol{f}) = 0$ ……⑤より，磁場 $\boldsymbol{H}$ の背後には何かあるベクトル値関数 $\boldsymbol{A}$ があり，$\boldsymbol{H}$ は，$\boldsymbol{H} = \mathbf{rot}\boldsymbol{A}$ ……⑥と表されるはずだ。⑥を $(*2)'$ に代入すると，⑤により，$\mathrm{div}\,(\mathbf{rot}\,\boldsymbol{A}) = 0$ が恒等的に成り立つからである。このベクトル値関数 $\boldsymbol{A}$ のことを，静磁場 $\boldsymbol{H}$ に対する**ベクトル・ポテンシャル**と呼ぶ。

そして，スカラー・ポテンシャル（電位）ϕ やベクトル・ポテンシャル $\boldsymbol{A}$ は共に一通りには決まらない。例えば，$\boldsymbol{E} = -\mathbf{grad}\,\phi$ をみたす電位 ϕ に，任意の定数 C をたしたものを $\phi_1 = \phi + C$ とおくと，この ϕ_1 も，

$-\mathbf{grad}\,\phi_1 = -\mathbf{grad}\,(\phi + C) = -\mathbf{grad}\,\phi - \underbrace{\mathbf{grad}\,C}_{\mathbf{0}} = -\mathbf{grad}\,\phi = \boldsymbol{E}$ となって，$\boldsymbol{E} = -\mathbf{grad}\,\phi_1$ をみたすからである。

同様に，ベクトル・ポテンシャル $\boldsymbol{A}$ が $\boldsymbol{H}=\mathbf{rot}\boldsymbol{A}$ をみたせば，これに任意のスカラー値関数 f の勾配ベクトル $\nabla f=\mathbf{grad}\,f$ をたしたものを $\boldsymbol{A}_1=\boldsymbol{A}+\mathbf{grad}\,f$ とおけば，この $\boldsymbol{A}_1$ も，

$$\mathbf{rot}\,\boldsymbol{A}_1=\mathbf{rot}\,(\boldsymbol{A}+\mathbf{grad}\,f)=\mathbf{rot}\,\boldsymbol{A}+\underbrace{\mathbf{rot}\,(\mathbf{grad}\,f)}_{0\ (\text{公式 (P16)})}=\mathbf{rot}\,\boldsymbol{A}=\boldsymbol{H}$$

となって，$\boldsymbol{H}=\mathbf{rot}\,\boldsymbol{A}_1$ をみたす。このように，ϕ や $\boldsymbol{A}$ は一意には決まらず，ある程度の任意性がある。

次に，定常電流による磁場に関するマクスウェルの方程式：

$\mathbf{rot}\,\boldsymbol{H}(\boldsymbol{r})=\boldsymbol{i}(\boldsymbol{r})$ に $\boldsymbol{H}(\boldsymbol{r})=\mathbf{rot}\,\boldsymbol{A}(\boldsymbol{r})$ を代入すると，

$$\underbrace{\mathbf{rot}(\mathbf{rot}\,\boldsymbol{A}(\boldsymbol{r}))}_{\nabla(\nabla\cdot\boldsymbol{A})-\nabla^2\boldsymbol{A}=\mathbf{grad}\,(\mathrm{div}\,\boldsymbol{A})-\Delta\boldsymbol{A}}=\boldsymbol{i}(\boldsymbol{r})$$

P16 の公式：
$\mathbf{rot}\,(\mathbf{rot}\,\boldsymbol{f})=\nabla(\nabla\cdot\boldsymbol{f})-\Delta\boldsymbol{f}$ より

$$\mathbf{grad}\,(\mathbf{div}\,\boldsymbol{A})-\Delta\boldsymbol{A}=\boldsymbol{i}(\boldsymbol{r})\ \cdots\cdots⑦$$

ここで，$\mathbf{div}\,\boldsymbol{A}=\mathbf{0}$ となるベクトル・ポテンシャル $\boldsymbol{A}$ を採用すると，⑦は，

$$\mathbf{grad}\,(\underbrace{\mathbf{div}\,\boldsymbol{A}}_{0})-\Delta\boldsymbol{A}=\boldsymbol{i}(\boldsymbol{r})\qquad\therefore\ \underbrace{\Delta\boldsymbol{A}}_{\left(\frac{\partial^2}{\partial x^2}+\frac{\partial^2}{\partial y^2}+\frac{\partial^2}{\partial z^2}\right)[A_1,\,A_2,\,A_3]}=-\boldsymbol{i}(\boldsymbol{r})\ \cdots\cdots⑧$$

$\boldsymbol{A}=[A_1,\ A_2,\ A_3]$，$\boldsymbol{i}=[i_1,\ i_2,\ i_3]$ とおくと，⑧式は次の **3** つの方程式を表すことになる。

$$\frac{\partial^2 A_1}{\partial x^2}+\frac{\partial^2 A_1}{\partial y^2}+\frac{\partial^2 A_1}{\partial z^2}=-i_1\ \cdots⑨\qquad \frac{\partial^2 A_2}{\partial x^2}+\frac{\partial^2 A_2}{\partial y^2}+\frac{\partial^2 A_2}{\partial z^2}=-i_2\ \cdots⑨'$$

$$\frac{\partial^2 A_3}{\partial x^2}+\frac{\partial^2 A_3}{\partial y^2}+\frac{\partial^2 A_3}{\partial z^2}=-i_3\ \cdots⑨''$$

ここで，$\dfrac{\partial^2 A_1(\boldsymbol{r})}{\partial x^2}+\dfrac{\partial^2 A_1(\boldsymbol{r})}{\partial y^2}+\dfrac{\partial^2 A_1(\boldsymbol{r})}{\partial z^2}=-i_1(\boldsymbol{r})\cdots\cdots⑨$ について，電流が流れていない領域上の点 $\boldsymbol{r}$ において，当然，電流密度 $\boldsymbol{i}(\boldsymbol{r})=\mathbf{0}$ だから，その x 成分 $i_1(\boldsymbol{r})$ は，$i_1(\boldsymbol{r})=0$　となる。この条件をみたすようなベクトル・ポテンシャル $\boldsymbol{A}(\boldsymbol{r})$ の x 成分 $A_1(\boldsymbol{r})$ は，

$$A_1(\boldsymbol{r})=\frac{1}{4\pi}\iiint_{V'}\frac{i_1(\boldsymbol{r}')}{\|\boldsymbol{r}-\boldsymbol{r}'\|}dV'\cdots\cdots⑩$$ となる。(演習問題 **65**，**66**)

(ただし，$\boldsymbol{r}'$ は，電流が流れている領域 V' 上の点の位置ベクトルを表し，$i_1(\boldsymbol{r}')$ はその点の電流密度 $\boldsymbol{i}(\boldsymbol{r}')$ の x 成分を表す。(図 **2** 参照))

同様に，$\boldsymbol{A}(\boldsymbol{r})$ の y 成分 $A_2(\boldsymbol{r})$，z 成分 $A_3(\boldsymbol{r})$ は，x 成分 $A_1(\boldsymbol{r})$ が満たす⑨式と同じ形の式⑨′，⑨″をそれぞれ満たすから，次式で表される。

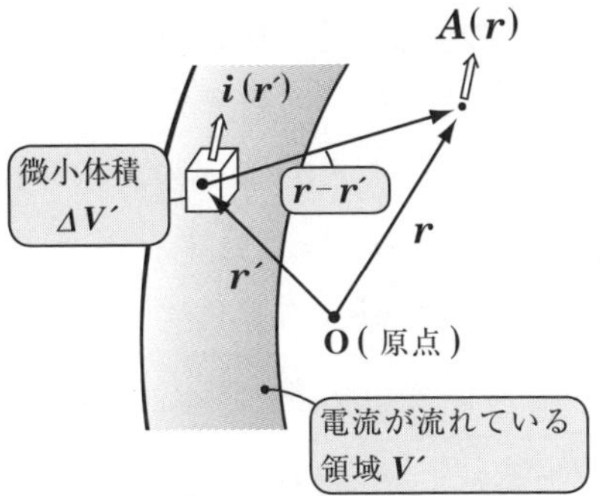

図 2　ベクトル・ポテンシャル $\boldsymbol{A}(\boldsymbol{r})$

$$A_2(\boldsymbol{r}) = \frac{1}{4\pi}\iiint_{V'} \frac{i_2(\boldsymbol{r}')}{\|\boldsymbol{r}-\boldsymbol{r}'\|}dV' \quad \cdots ⑪$$

$$A_3(\boldsymbol{r}) = \frac{1}{4\pi}\iiint_{V'} \frac{i_3(\boldsymbol{r}')}{\|\boldsymbol{r}-\boldsymbol{r}'\|}dV' \quad \cdots ⑫$$

⑩，⑪，⑫より，ベクトル・ポテンシャル $\boldsymbol{A}(\boldsymbol{r})$ は，

$$\boldsymbol{A}(\boldsymbol{r}) = [A_1(\boldsymbol{r}),\ A_2(\boldsymbol{r}),\ A_3(\boldsymbol{r})]$$

$$= \frac{1}{4\pi}\left[\iiint_{V'} \frac{i_1(\boldsymbol{r}')}{\|\boldsymbol{r}-\boldsymbol{r}'\|}dV',\ \iiint_{V'} \frac{i_2(\boldsymbol{r}')}{\|\boldsymbol{r}-\boldsymbol{r}'\|}dV',\ \iiint_{V'} \frac{i_3(\boldsymbol{r}')}{\|\boldsymbol{r}-\boldsymbol{r}'\|}dV'\right]$$

$$= \frac{1}{4\pi}\iiint_{V'} \frac{\overbrace{[i_1(\boldsymbol{r}'),\ i_2(\boldsymbol{r}'),\ i_3(\boldsymbol{r}')]}^{\boldsymbol{i}(\boldsymbol{r}')\ (\text{点 }\boldsymbol{r}'\text{ における電流密度})}}{\|\boldsymbol{r}-\boldsymbol{r}'\|}dV' = \frac{1}{4\pi}\iiint_{V'} \frac{\boldsymbol{i}(\boldsymbol{r}')}{\|\boldsymbol{r}-\boldsymbol{r}'\|}dV'$$

となる。例えば，十分に長い直線電流が作る磁場 $\boldsymbol{H}(\boldsymbol{r})$ は，まず，ベクトル・ポテンシャル $\boldsymbol{A}(\boldsymbol{r})$ を求めてから，$\boldsymbol{H}(\boldsymbol{r}) = \mathrm{rot}\,\boldsymbol{A}(\boldsymbol{r})\,[= \nabla\times\boldsymbol{A}(\boldsymbol{r})]$ を計算することによって求めることができる。（演習問題 67）

§3. アンペールの力とローレンツ力

一様な磁束密度 $\boldsymbol{B}$ $(=\mu_0\boldsymbol{H})$ の中を流れる（導線の）長さ l の定常電流 $\boldsymbol{I}$ に働く力 $\boldsymbol{f}$ を**アンペールの力**と呼び，

$\boldsymbol{f} = l\boldsymbol{I}\times\boldsymbol{B}$　で求められる。

"*Let it be.*" と覚えよう。

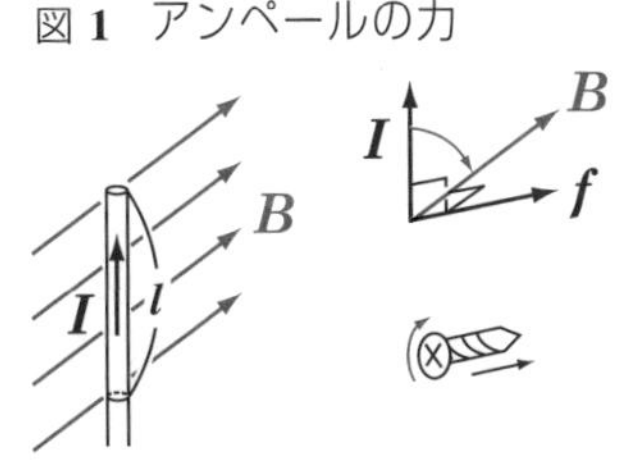

図 1　アンペールの力

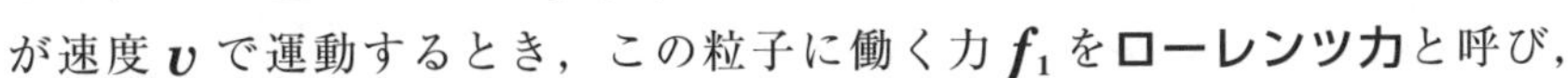

また，この $\boldsymbol{B}$ の中を $+q$ (C) の荷電粒子が速度 $\boldsymbol{v}$ で運動するとき，この粒子に働く力 $\boldsymbol{f}_1$ を**ローレンツ力**と呼び，

$\boldsymbol{f}_1 = q\boldsymbol{v}\times\boldsymbol{B}$　で表せる。

"*Queens are very beautiful.*" と覚えよう。

演習問題 53　●定常電流と磁場（Ⅰ）●

(1) 十分長い直線状の導線に，**4(A)** の定常電流が流れているとき，この導線から **10(cm)** 離れた点での磁場の強さ H**(A/m)** を求めよ。（ただし，円周率 $\pi = 3.14$ とせよ。）

(2) 半径 **15(cm)** の円形状の導線に **3(A)** の定常電流が流れているとき，円の中心 **O** から中心軸上 **20(cm)** の点における磁場の強さ H**(A/m)** を求めよ。

ヒント！ **(1)** 十分に長い直線状の導線に I**(A)** の定常電流が流れているとき，導線から a**(m)** だけ離れた点に出来る磁場の強さ H**(A/m)** は，$H = \dfrac{I}{2\pi a}$ で求まる。**(2)** 半径 a の円形状の導線に流れる定常電流 I**(A)** が，円の中心 **O** から中心軸上 x だけ離れた点に作る磁場の強さ H**(A/m)** は，$H = \dfrac{Ia^2}{2(a^2+x^2)^{\frac{3}{2}}}$ だね。

解答＆解説

(1)
$$H = \frac{I}{2\pi a} = \frac{4}{2\times 3.14\times 0.10} = 6.37\text{(A/m)}$$
……………………………（答）

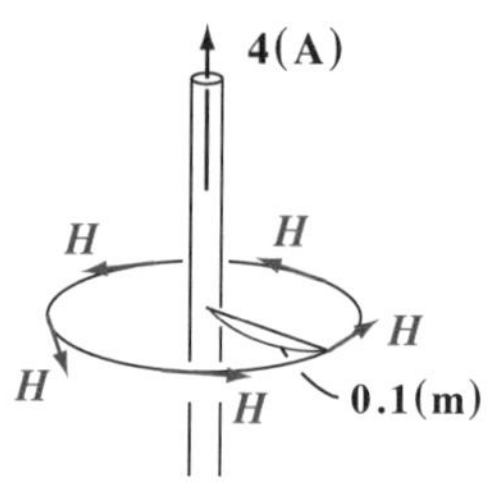

(2)
$$H = \frac{Ia^2}{2(a^2+x^2)^{\frac{3}{2}}} = \frac{3\times 0.15^2}{2(0.15^2+0.2^2)^{\frac{3}{2}}} = \frac{0.03375}{(0.0225+0.04)^{\frac{3}{2}}} = \frac{0.03375}{0.015625}$$
$$= 2.16\text{(A/m)}$$
……………………………（答）

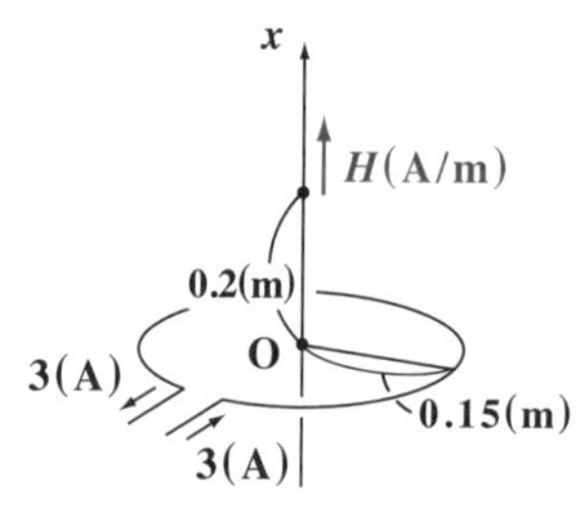

演習問題 54 ● 定常電流と磁場 (Ⅱ) ●

(1) 定常電流が流れる直線状の導線から **50(cm)** 離れた点での磁場の強さが **2(A/m)** のとき，導線を流れる電流 I**(A)** を求めよ。

(2) 半径 **35(cm)** の円形状の導線に **7(A)** の電流が流れているとき，円の中心に生じる磁場の強さ H**(A/m)** を求めよ。

(3) 巻数が **3000(1/m)** の十分に長いソレノイド・コイルに **5(A)** の電流が流れているとき，内部に生じる磁場の強さ H**(A/m)** を求めよ。

ヒント！ いずれも公式通り求めればいい。(3) は，$H = nI$ の公式を使う。

解答＆解説

(1) $H =$ (ア) より，(イ)　・　$= I$ ← アンペールの法則

円周の長さ　磁場　電流

$$\therefore I = 2\pi a \cdot H = 2 \times 3.14 \times 0.5 \times 2$$

$$= 6.28\text{(A)} \quad \cdots\cdots\cdots\cdots\cdots\cdots(答)$$

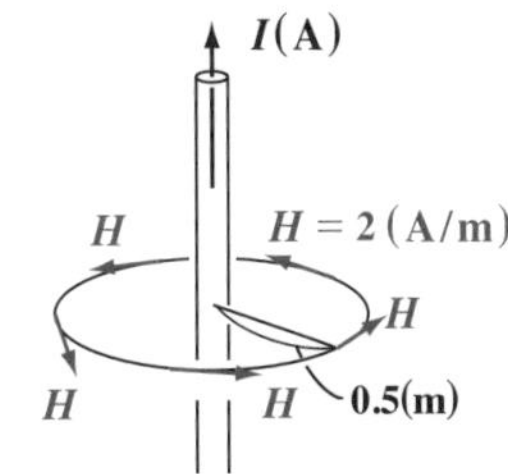

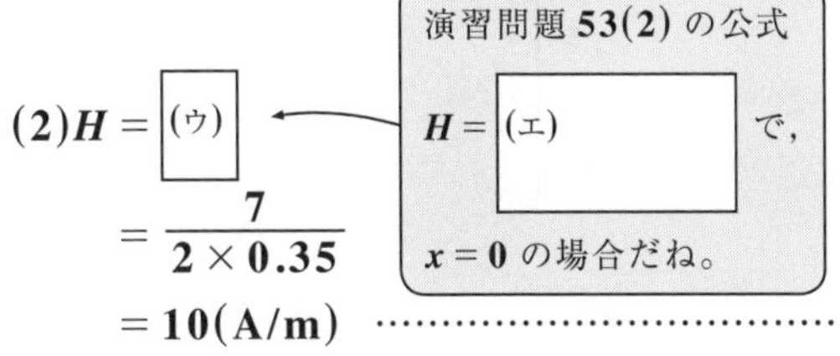

(2) $H =$ (ウ) ← 演習問題 53(2) の公式 $H =$ (エ) で，$x = 0$ の場合だね。

$$= \frac{7}{2 \times 0.35}$$

$$= 10\text{(A/m)} \quad \cdots\cdots\cdots\cdots\cdots\cdots(答)$$

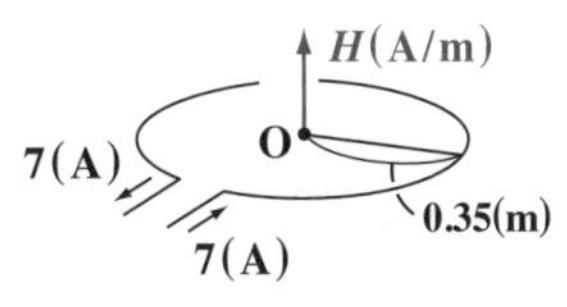

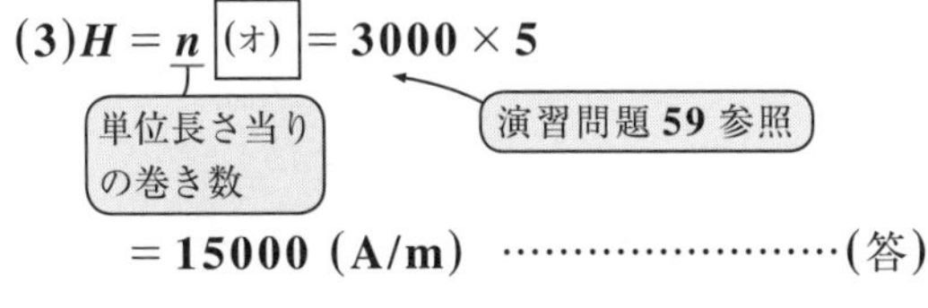

(3) $H = n$ (オ) $= 3000 \times 5$ ← 演習問題 59 参照

n：単位長さ当りの巻き数

$$= 15000\ \text{(A/m)} \quad \cdots\cdots\cdots\cdots(答)$$

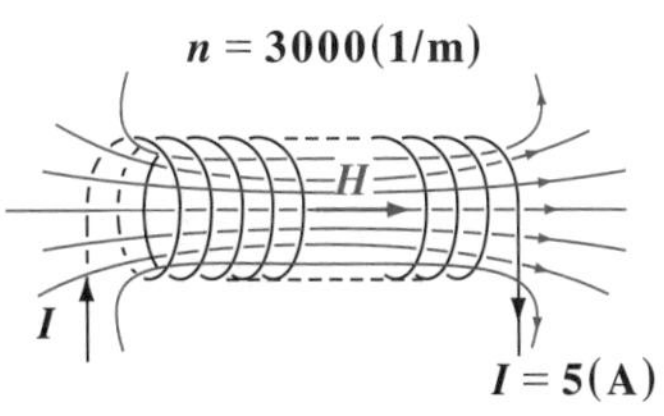

解答　(ア) $\dfrac{I}{2\pi a}$　(イ) $2\pi a \cdot H$　(ウ) $\dfrac{I}{2a}$

(エ) $\dfrac{Ia^2}{2(a^2 + x^2)^{\frac{3}{2}}}$　(オ) I

演習問題 55　● 直線状の電流が作る磁場 ●

右図のように，直線状の導線に定常電流 I が流れているとき，その1部分 AB が，導線から a だけ離れた点 P に作る磁場の大きさ H が，$H=\frac{I}{4\pi a}(\cos\theta_1+\cos\theta_2)$ となることを，ビオ・サバールの法則を用いて確かめよ。ただし，$\theta_1=\angle\mathrm{PAB}$，$\theta_2=\angle\mathrm{PBA}$ とする。

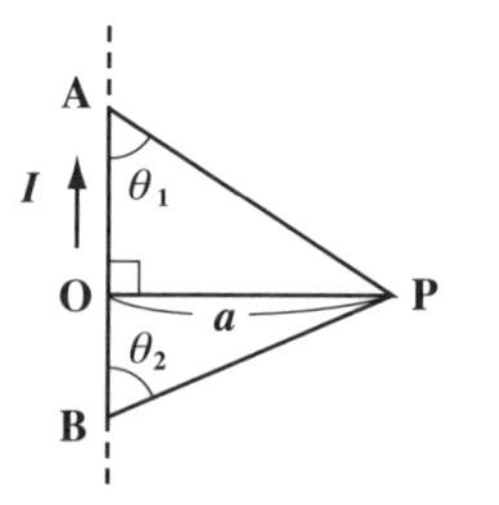

ヒント！ P から AB に下ろした垂線の足を O とし，O から AB 上 l だけ離れた点 R にある微小長さ dl の線分に流れる電流素片 $I\boldsymbol{dl}$ が点 P に作る磁場の大きさ dH を，$\angle\mathrm{PRA}=\theta$ とおいて，ビオ・サバールの法則より求めよう。

解答＆解説

右図に示すように，点 P から AB に下ろした垂線の足を O とし，O を原点とする l 軸を定める。l 軸上に点 R をとり，R の座標を l とし，$\mathrm{PR}=r$ とおく。

$\boldsymbol{dl}$ と $\boldsymbol{r}(=\overrightarrow{\mathrm{RP}})$ のなす角を θ とおくと，電流素片 $I\boldsymbol{dl}$ が点 P に作る磁場の大きさ dH は，

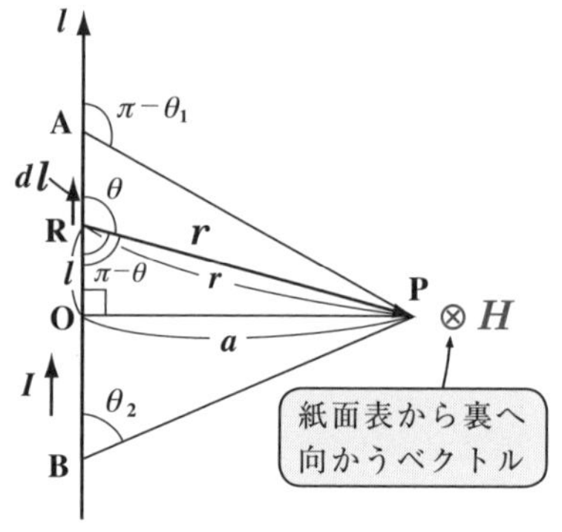

ビオ・サバールの法則より

$$dH=\frac{1}{4\pi}\cdot\boxed{(ア)\qquad}\quad\cdots\cdots①$$ となる。

右図より，$\underset{\sin\theta}{\sin(\pi-\theta)}=\frac{a}{r}$　　$\therefore\ r=\frac{a}{\sin\theta}$

$\underset{-\tan\theta}{\tan(\pi-\theta)}=\frac{a}{l}$　　$\therefore\ l=-\frac{a}{\tan\theta}$ より，$dl=\boxed{(イ)\qquad}$

$$\{(\tan\theta)^{-1}\}'=-(\tan\theta)^{-2}\cdot(\tan\theta)'=-\frac{\cos^2\theta}{\sin^2\theta}\cdot\frac{1}{\cos^2\theta}=-\frac{1}{\sin^2\theta}$$

よって，①は，

$$dH = \frac{1}{4\pi}\cdot\frac{Idl\cdot\sin\theta}{r^2} = \frac{1}{4\pi}\cdot\frac{I\cdot\dfrac{a}{\sin^2\theta}}{\left(\dfrac{a}{\sin\theta}\right)^2}\cdot\sin\theta\,d\theta$$

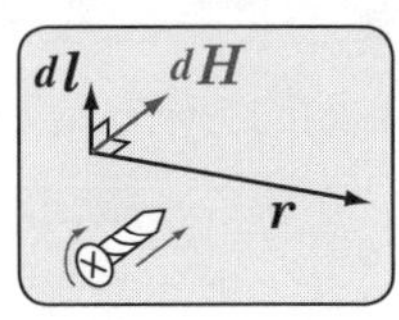

$$= \frac{I}{4\pi a}\sin\theta\,d\theta$$

これを $\theta=\theta_2$ から $\theta=$ (ウ) まで積分したものが，AB の部分を流れる電流が点 P に作る磁場の大きさ H となるので，

定数

$$H = \int_{\theta_2}^{(ウ)}\frac{I}{4\pi a}\sin\theta\,d\theta$$

$$= \frac{I}{4\pi a}\int_{\theta_2}^{(ウ)}\sin\theta\,d\theta$$

$$= \frac{I}{4\pi a}\left[-\cos\theta\right]_{\theta_2}^{(ウ)}$$

$$= \frac{I}{4\pi a}\{\cos\theta_2 - \underbrace{\cos(\pi-\theta_1)}_{-\cos\theta_1}\}$$

$\therefore\ H = \dfrac{I}{4\pi a}(\cos\theta_1+\cos\theta_2)$ となる。 ……………………………………(終)

この結果の $\theta_1\to 0$，$\theta_2\to 0$ の極限をとると，

$\cos\theta_1\to\cos 0 = 1$，$\cos\theta_2\to\cos 0 = 1$

よって，$H = \dfrac{I}{4\pi a}(\cos\theta_1+\cos\theta_2)\to\dfrac{I}{4\pi a}(1+1) = \dfrac{I}{2\pi a}$

これは，導線部 AB を上下に無限に伸ばした直線状の導線に定常電流 I が流れているとき，この導線から距離 a にある点 P に生じる磁場の大きさ H が，

$H = \dfrac{I}{2\pi a}$ であることを示す。

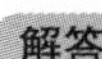
解答　(ア) $\dfrac{Idl\sin\theta}{r^2}$　(イ) $\dfrac{a}{\sin^2\theta}\,d\theta$　(ウ) $\pi-\theta_1$

演習問題 56　● 長方形状の電流が中心軸上に作る磁場 ●

右図のように，1 辺の長さ $2a$，$2b$ の長方形状の導線に定常電流 I が流れているとき，中心 O から x だけ離れた中心軸上の点 P に生じる磁場の大きさは，

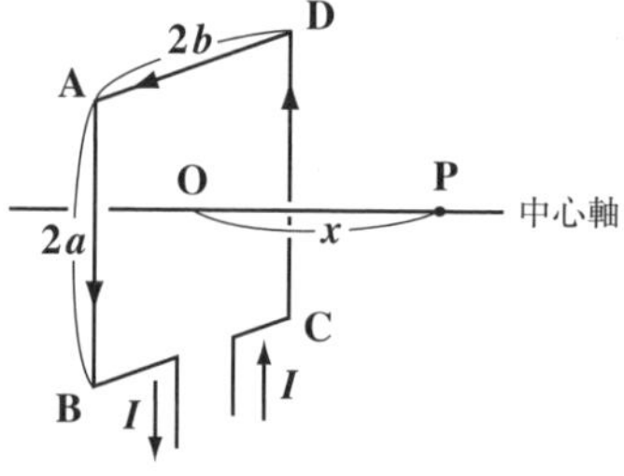

$$H=\frac{Iab}{\pi\sqrt{a^2+b^2+x^2}}\left(\frac{1}{a^2+x^2}+\frac{1}{b^2+x^2}\right)$$

となることを，演習問題 55 の結果：$H=\dfrac{I}{4\pi a}(\cos\theta_1+\cos\theta_2)$ を用いて確かめよ。

ヒント！ この長方形を ABCD とおく。辺 AB に流れる電流 I が点 P に作る磁場は，AB の中点を M として，平面 OPM 上にあり，$\overrightarrow{\mathrm{MP}}$ と直交する。これは， 辺 CD に流れる電流 I による P における磁場と中心軸に関して対称より，この 2 つの磁場の OM 方向の成分は打ち消される。2 辺 BC，DA が P に作る磁場についても同様だね。

解答＆解説

長方形状の回路を ABCD とし，中心 O から辺 AB に下ろした垂線の足を M とおくと，平面 MPO は辺 AB と直交するので，辺 AB から点 P までの距離は，MP となる。右図より，

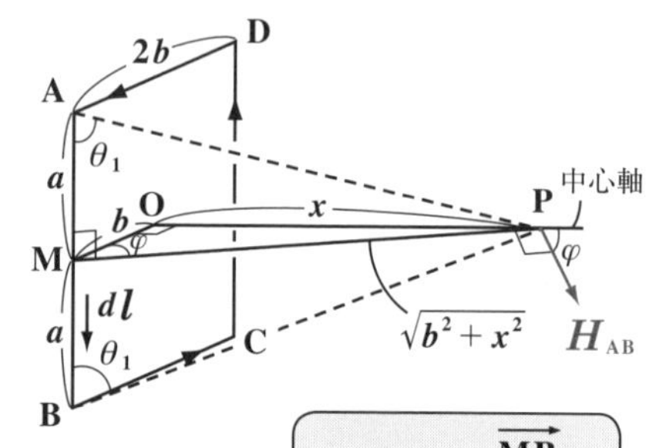

$$\mathrm{MP}=\sqrt{\mathrm{MO}^2+\mathrm{OP}^2}=\sqrt{b^2+x^2}\ \cdots\cdots①$$

演習問題 55 の結果：$H=\dfrac{I}{4\pi a}(\cos\theta_1+\cos\theta_2)$ …②

を，辺 AB が P に作る磁場 H_{AB} に適用すると，②の a は，$\mathrm{MP}=\sqrt{b^2+x^2}$ となる。また，②の θ_1 と θ_2 は，今回 $\theta_2=\theta_1$ $(\theta_1=\angle\mathrm{PAB})$ となる。

$$\therefore H_{AB} = \frac{I}{4\pi\sqrt{b^2+x^2}}(\cos\theta_1 + \cos\theta_1) = \frac{I\cos\theta_1}{2\pi\sqrt{b^2+x^2}} \quad \cdots\cdots③$$

ここで，$\cos\theta_1 = \frac{AM}{AP} = \frac{AM}{\sqrt{AM^2+MP^2}} = \frac{a}{\sqrt{a^2+b^2+x^2}}$ ……④

④を③に代入して，

$$H_{AB} = \frac{I}{2\pi\sqrt{b^2+x^2}} \underbrace{\left(\frac{a}{\sqrt{a^2+b^2+x^2}}\right)}_{\cos\theta_1} = \frac{Ia}{2\pi\sqrt{b^2+x^2}\sqrt{a^2+b^2+x^2}} \quad \cdots\cdots⑤$$

H_{AB} は，OMP 平面上にあり，$\overrightarrow{MP}$ と直交する。よって，下図に示すように，対称性より，H_{AB} と，辺 CD が点 P に作る磁場 H_{CD} の直線 MO に平行な成分は互いに打ち消し合い，中心軸方向の成分は，相等しい。よって，$\angle OMP = \varphi$ とおくと，右図より，H_{AB} の中心軸方向の成分は，

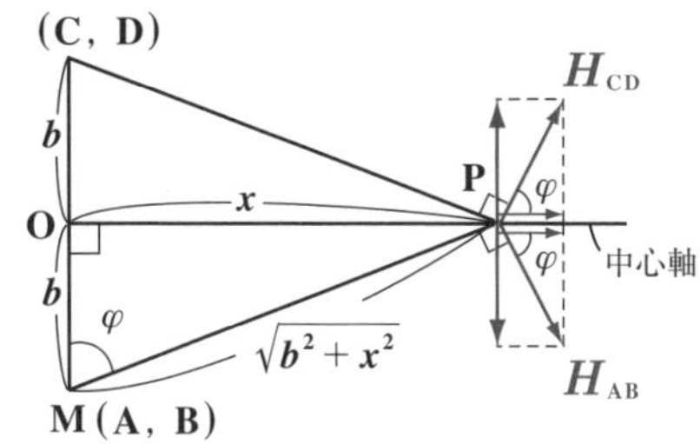

$$H_{AB} \cdot \cos\varphi = H_{AB} \cdot \frac{b}{\sqrt{b^2+x^2}} \quad \cdots\cdots⑥$$ となる。以上より，

$$\cos\varphi = \frac{OM}{MP} = \frac{b}{\sqrt{b^2+x^2}}$$

2 辺 AB と CD を流れる電流 I が P に作る磁場の大きさは，⑥の 2 倍となるので，

$$2H_{AB} \cdot \frac{b}{\sqrt{b^2+x^2}} \quad \cdots\cdots⑦$$

⑦に⑤を代入して，

$$2H_{AB} \cdot \frac{b}{\sqrt{b^2+x^2}} = \frac{Iab}{\pi(b^2+x^2)\sqrt{a^2+b^2+x^2}} \quad \cdots\cdots⑧$$

同様に，2 辺 BC と DA が P に作る磁場は，⑧の a と b を入れかえて，

$$\frac{Iba}{\pi(a^2+x^2)\sqrt{b^2+a^2+x^2}} \quad \cdots\cdots⑨$$

⑧＋⑨より，P に生じる磁場 H は，

$$H = \frac{Iab}{\pi\sqrt{a^2+b^2+x^2}}\left(\frac{1}{a^2+x^2} + \frac{1}{b^2+x^2}\right)$$ となる。……………………………(終)

長方形の中心に生じる磁場は，$x=0$ とおいて，$H = \frac{Iab}{\pi\sqrt{a^2+b^2}}\left(\frac{1}{a^2}+\frac{1}{b^2}\right) = \frac{I\sqrt{a^2+b^2}}{\pi ab}$ となる。

演習問題 57　● 電荷の保存則 ●

右図に示すように，導体中の任意の閉曲面 $\boldsymbol{S}$ で囲まれる領域 $\boldsymbol{D}$ 内のある時刻 t における電荷を $Q(t)$ とおくと，

$$Q(t)=\iiint_V \rho(\boldsymbol{r},\ t)dV$$

$\left(\rho(\boldsymbol{r},\ t)\text{：電荷の体積密度}\right)$

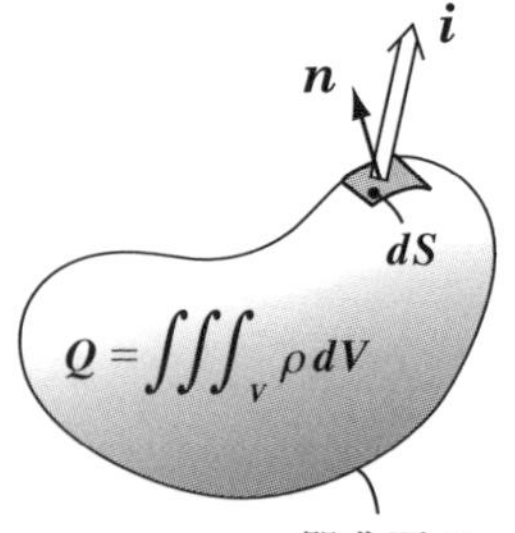

と表せる。この曲面 $\boldsymbol{S}$ 上の面積 dS の微小曲面を通って，$\boldsymbol{D}$ の内側から外側へ電流密度 $\boldsymbol{i}(\boldsymbol{r},\ t)$ で電流が流出していくものとする。このとき，電荷の保存則は，次の積分形と微分形で表せることを確かめよ。

・積分形：$\iint_S \boldsymbol{i}\cdot\boldsymbol{n}dS=-\iiint_V \frac{\partial\rho}{\partial t}dV$ ……$(*1)$

・微分形：$\mathrm{div}\,\boldsymbol{i}=-\frac{\partial\rho}{\partial t}$ ……$(*2)$　　$(\boldsymbol{n}$：dS の単位法線ベクトル$)$

ヒント！ 電荷の保存則は，最も基本的な物理法則の 1 つである。閉曲面 $\boldsymbol{S}$ に対する単位法線ベクトルを $\boldsymbol{n}(\boldsymbol{r})$ とおくと，$\boldsymbol{S}$ 上の微小面積 dS を単位時間当りに通過する電荷は，$\boldsymbol{i}\cdot\boldsymbol{n}dS$ となる。これを $\boldsymbol{S}$ 全体に渡って面積分したものは，単位時間に内側から外側に流出した全電荷となるんだね。

解答＆解説

導体の任意の閉曲面 $\boldsymbol{S}$ に対して，曲面に垂直な外向きの単位法線ベクトルを $\boldsymbol{n}(\boldsymbol{r})$ とおくと，単位時間に微小面積 dS を通って外へ流れ出る電荷は，$\boldsymbol{i}\cdot\boldsymbol{n}dS$ となる。よって，$\boldsymbol{S}$ から単位時間当たり外へ流出する全電荷は，面積分

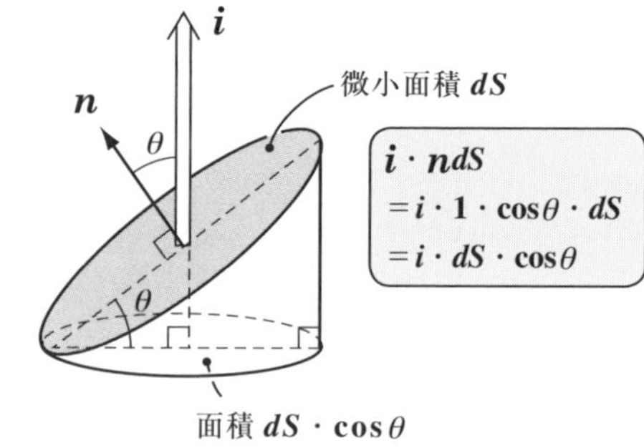

$\iint_S \boldsymbol{i}\cdot\boldsymbol{n}dS$ で求められる。

電荷の保存則より，S の内部の電荷 $Q(t) = \iiint_V \rho(\boldsymbol{r},\ t)dV$ は，この分だけ単位時間に減少することになる。

$$\therefore \iint_S \boldsymbol{i}\cdot\boldsymbol{n}dS = -\frac{dQ}{dt} = -\frac{\partial}{\partial t}\iiint_V \rho(\boldsymbol{r},\ t)dV$$

$$\therefore \iint_S \boldsymbol{i}\cdot\boldsymbol{n}dS = -\iiint_V \frac{\partial\rho}{\partial t}dV \quad \cdots\cdots(*1)$$

$\rho(\boldsymbol{r},\ t)$ は位置 $\boldsymbol{r}$ と時刻 t の 2 変数関数より，t での偏微分で表す。

これが，電荷の保存則を表す積分形である。 ……………………………(終)

ここで，$(*1)$ の左辺にガウスの発散定理を用いると，

$$\iint_S \boldsymbol{i}\cdot\boldsymbol{n}dS = \iiint_V \mathrm{div}\,\boldsymbol{i}dV \cdots\cdots ①$$

ガウスの発散定理
$\iint_S \boldsymbol{f}\cdot\boldsymbol{n}\,dS = \iiint_V \mathrm{div}\,\boldsymbol{f}\,dV$

①を $(*1)$ に代入して，

$$\iiint_V \mathrm{div}\,\boldsymbol{i}dV = -\iiint_V \frac{\partial\rho}{\partial t}dV \cdots\cdots ②$$

S を，体積 ΔV の微小領域 D の閉曲面とすると，②より，

$$\mathrm{div}\,\boldsymbol{i}\cdot\Delta V = -\frac{\partial\rho}{\partial t}\Delta V$$

両辺を ΔV で割って，電荷の保存則の微分形：

$\mathrm{div}\,\boldsymbol{i} = -\dfrac{\partial\rho}{\partial t} \cdots\cdots(*2)$ が導かれる。 ……………………………(終)

定常電流の場合，電流密度 $\boldsymbol{i}(\boldsymbol{r},\ t)$ と電荷密度 $\rho(\boldsymbol{r},\ t)$ は，時刻 t に対して一定なので，

$\dfrac{\partial\rho}{\partial t} = 0$ となる。これを $(*1)$，$(*2)$ の右辺に代入して，

$\cdot \iint_S \boldsymbol{i}\cdot\boldsymbol{n}dS = 0 \cdots\cdots$(a)　　$\cdot\ \mathrm{div}\,\boldsymbol{i} = 0 \cdots\cdots$(b)　　を得る。

この(a)と(b)が，定常電流における電荷の保存則になる。

演習問題 58 ● マクスウェルの方程式(Ⅲ) rot $\boldsymbol{H}=\boldsymbol{i}$ の導出 ●

磁場 $\boldsymbol{H}$ が描く閉曲線(ループ)の内部を，その磁場を生み出す定常電流が貫いているとき，
マクスウェルの方程式：$\mathrm{rot}\,\boldsymbol{H}=\boldsymbol{i}$ ……(＊3)′ ($\boldsymbol{i}$：電流密度)
が成り立つ。これを導け。

ヒント！ 無限に伸びた直線状の導線に定常電流 I(A) が流れているとき，導線から a(m) だけ離れた点に生じる磁場の強さ H は，

$H=\dfrac{I}{2\pi a}$ ……(a) となる。この分母を払って，$2\pi a\cdot H=I$ …(a)′ と変形すると，

（$2\pi a$：閉曲線の周長，H：$\boldsymbol{H}$ の閉曲線に対する接線方向成分）

左辺は，円周 $2\pi a$ と磁場の積になっている。(a)′ はアンペールの法則を表すが，右図に示すように，一般のアンペールの法則では，閉曲線は円である必要はなく，閉曲線上の磁場 $\boldsymbol{H}$ も曲線の接線方向でなくてもかまわない。この $\boldsymbol{H}$ と閉曲線の微小変位ベクトル $d\boldsymbol{r}$ とのなす角を θ とおくと，$\boldsymbol{H}$ の $d\boldsymbol{r}$ 方向の成分 H_t は $H_t=H\cos\theta$ となる。この H_t を閉曲線 C に沿って1周接線線積分したものを(a)′の左辺に代入することができる。よって，$\oint_C H_t dr=I$ となり，一般的な形の**アンペールの法則**：$\oint_C \boldsymbol{H}\cdot d\boldsymbol{r}=I$ が成り立つ。この右辺の

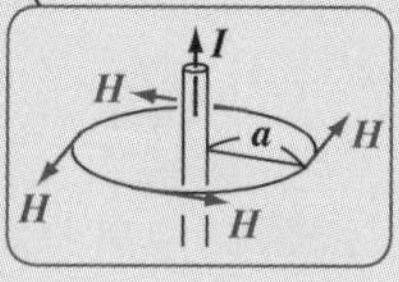

（$H_t dr = H\cdot dr\cdot\cos\theta=\boldsymbol{H}\cdot d\boldsymbol{r}$）

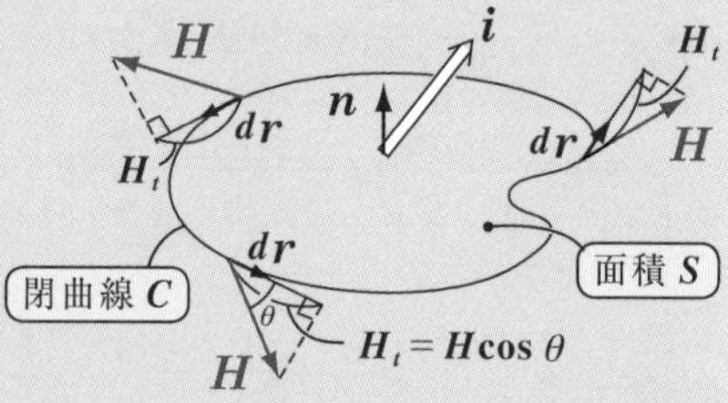

電流 I は，電流密度 $\boldsymbol{i}$ を用いると，$I=\iint_S \boldsymbol{i}\cdot\boldsymbol{n}\,dS$ と表せる。(P116)

よって，アンペールの法則は，$\oint_C \boldsymbol{H}\cdot d\boldsymbol{r}=\iint_S \boldsymbol{i}\cdot\boldsymbol{n}\,dS$ と変形することもできるんだね。

アンペールの法則の左辺にストークスの定理を用いればいい。

解答＆解説

アンペールの法則：

(ア) $= \iint_S \boldsymbol{i}\cdot\boldsymbol{n}\,dS$ ……①

面積 S を通過する電流 I

アンペールの法則：
「閉曲線 C に沿って磁場 $\boldsymbol{H}$ を 1 周接線線積分したものは，この閉曲線 C で囲まれる面積 S の断面を通過する総定常電流 I に等しい。」

ストークスの定理：
$\iint_S \mathrm{rot}\,\boldsymbol{f}\cdot\boldsymbol{n}\,dS = \oint_C \boldsymbol{f}\cdot d\boldsymbol{r}$

の左辺にストークスの定理を用いると，

(イ) $= \iint_S \boldsymbol{i}\cdot\boldsymbol{n}\,dS$ ……①′ となる。

①′の右辺を移行して，

$\iint_S$ ((ウ))$\cdot\boldsymbol{n}\,dS = 0$ ……②

②が恒等的に成り立つためには，

(ウ) $= \boldsymbol{0}$

よって，定常電流による磁場について，マクスウェルの方程式(Ⅲ)：

$\mathrm{rot}\,\boldsymbol{H} = \boldsymbol{i}$ …(＊3)′ が導かれる。……………………………………………(終)

変位電流の項 $\dfrac{\partial \boldsymbol{D}}{\partial t}$ は，まだ考慮に入れていない。
$\mathrm{rot}\,\boldsymbol{H} = \boldsymbol{i}$ は定常電流について成り立つ式だった。これを，非定常電流の場合でも成り立つように一般化したものが，時間変化する電磁場で成り立つマクスウェルの方程式(Ⅲ)：$\mathrm{rot}\,\boldsymbol{H} = \boldsymbol{i} + \dfrac{\partial \boldsymbol{D}}{\partial t}$ である。(演習問題 76(P170) 参照)

解答 (ア) $\oint_C \boldsymbol{H}\cdot d\boldsymbol{r}$ (イ) $\iint_S \mathrm{rot}\,\boldsymbol{H}\cdot\boldsymbol{n}\,dS$ (ウ) $\mathrm{rot}\,\boldsymbol{H} - \boldsymbol{i}$

演習問題 59 ●ソレノイドを流れる電流の作る磁場●

単位長さ当りの巻き数 n，半径 a の無限に長いソレノイド・コイルに定常電流 I が流れているとき，I の作る磁場 H は，ソレノイド・コイルの

(Ⅰ) 内部ではいたるところで $H = nI$　　(Ⅱ) 外部ではすべて $H = 0$

となることを，アンペールの法則：$\oint_C \boldsymbol{H}\cdot d\boldsymbol{r} = I$ を用いて示せ。

ヒント! まず，中心軸上の点の磁場を求める。(Ⅰ)(Ⅱ) について，中心軸に辺 **PQ** を持つ長方形 **PQRS** を閉曲線 C として，この C にアンペールの法則を使う。

解答&解説

図(ⅰ)

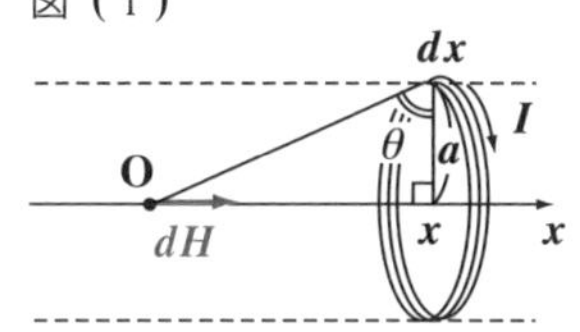

図(ⅰ)に示すように，半径 a の左右無限に伸びるソレノイド・コイルの中心軸に x 軸と原点 **O** をとる。ソレノイド・コイルは無限に長いので，点 **O** における磁場が，そのまま中心軸上に生じる磁場ということになる。まず，この中心軸上の磁場を求める。位置 x にある **1** 巻きのコイルに流れる円電流 I が **O** に作る磁場を h とおくと，

$$h = \frac{Ia^2}{2(a^2+x^2)^{\frac{3}{2}}} \quad \cdots\cdots①$$ となる。（公式 (P117)）

微小区間 $[x,\ x+dx]$ の間のコイルの巻き数 ndx を①にかけたものが，この微小な幅のコイルが **O** に作る磁場 dH になるので，

$$dH = h\cdot ndx = \frac{Ia^2}{2(a^2+x^2)^{\frac{3}{2}}}ndx$$

O に関する対称性から，中心軸上に生じる磁場の大きさ H は，

$$H = 2\int_0^\infty \frac{nIa^2}{2(a^2+x^2)^{\frac{3}{2}}}dx = nIa^2\int_0^\infty \frac{1}{(a^2+x^2)^{\frac{3}{2}}}dx \quad \cdots\cdots②$$

ここで，図(ⅱ)のように角 θ をとり，θ での積分に変数変換する。

図(ⅱ)

$x = a\tan\theta$ より，$dx = \dfrac{a}{\cos^2\theta}d\theta$

$x：0 \to \infty$ のとき，$\theta：0 \to \dfrac{\pi}{2}$ より，②は，

$$H = nIa^2\int_0^{\frac{\pi}{2}} \frac{1}{(a^2 + a^2\tan^2\theta)^{\frac{3}{2}}} \cdot \frac{a}{\cos^2\theta}d\theta = nIa^2\int_0^{\frac{\pi}{2}} \frac{\cos^3\theta}{a^3} \cdot \frac{a}{\cos^2\theta}d\theta$$

$$\left\{a^2(1+\tan^2\theta)\right\}^{\frac{3}{2}} = a^3\left(\frac{1}{\cos^2\theta}\right)^{\frac{3}{2}}$$

$= nI\int_0^{\frac{\pi}{2}}\cos\theta d\theta = nI\left[\sin\theta\right]_0^{\frac{\pi}{2}} = nI \quad \therefore H = nI$ となる。

(Ⅰ)内部の任意の点Aから左右等距離にある2つの円電流がAに作る磁場の和は，図(ⅲ)より，中心軸に平行となる。よって，このソレノイドの内部に生じる磁場は至る所，中心軸に平行になる。

図(ⅲ)

ここで，図(ⅳ)に示すように，点Pを中心軸上にとり，辺PQが中心軸と重なるように長方形PQRS(閉曲線C)をとる。

ここで，$H \perp \overrightarrow{SP}$，かつ $H \perp \overrightarrow{QR}$ より，$\displaystyle\int_{S\to P} H \cdot dr = \int_{Q\to R} H \cdot dr = 0$

PQ上で，$\displaystyle\int_{P\to Q} H \cdot dr = \int_{P\to Q} H \cdot dr \cdot \cos 0 = H\int_{P\to Q} dr = nI \cdot \overline{PQ}$

中心軸上では，$H = nI$

RS上で，$\displaystyle\int_{R\to S} H \cdot dr = \int_{R\to S} H \cdot dr \cdot \cos\pi = -H\int_{R\to S} dr = -H \cdot \overline{PQ}$

$\displaystyle\therefore \oint_C H \cdot dr = nI \cdot \overline{PQ} - H \cdot \overline{PQ} = (nI - H) \cdot \overline{PQ}$ ← アンペールの法則の左辺

Cを貫く電流は存在しないので，アンペールの法則の右辺は0となる。

よって，アンペールの法則より，$(nI-H)\overline{PQ} = 0 \quad \therefore H = nI$ ……(終)

(Ⅱ)図(ⅴ)に示すように，RSがコイルの外部にあるように，長方形PQRS(閉曲線C)をとると，コイルは無限に長いので，RS上の磁場Hは一定となる。Cを貫く電流は$nI \cdot \overline{PQ}$より，アンペールの法則を用いて，

図(ⅳ)

$$nI \cdot \overline{PQ} + \int_{R\to S} H \cdot dr = nI \cdot \overline{PQ}$$

$\left(\displaystyle\int_{P\to Q} H \cdot dr\right)$

図(ⅴ)

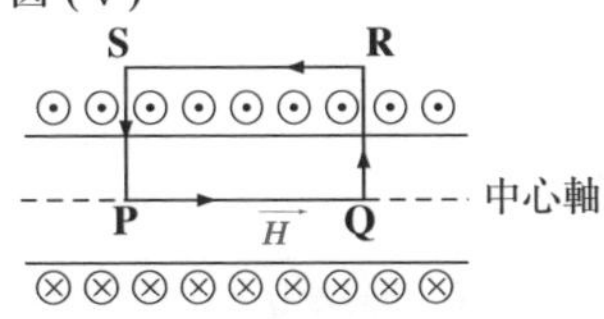

$\displaystyle\therefore \int_{R\to S} H \cdot dr = 0$ より，$H = 0$

$H \neq 0$ とすると，対称性から$H/\!/$中心軸となり，$H \perp dr$ ではない。

$\therefore H = 0$ となる。 ……………………………………………(終)

演習問題 60　●円柱を流れる定常電流の作る磁場●

半径 a の無限に長い円柱状の導体を一様な定常電流 I が流れているとき，この導体の内外に生じる磁場 H をアンペールの法則を用いて求めよ。

ヒント！ 電流は，無限に長い直線電流の集合と考える。中心軸に関する対称性から，磁場の向きを調べる。

解答＆解説

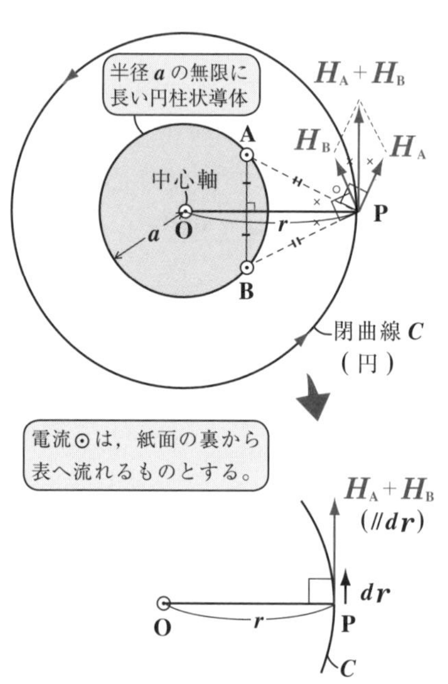

電流は，無限に長い直線電流の集まりと考えられるので，磁場 $\boldsymbol{H}$ は円柱に垂直な平面に平行となる。この平面と円柱の中心軸との交点を O とし，この平面上 O から距離 r の点を P とおく。右図に示すように，直線 OP に関して対称な円柱内の 2 点 A，B を通る電流が P に作る磁場をそれぞれ $\boldsymbol{H}_A$，$\boldsymbol{H}_B$ とおくと，この 2 つの電流によって P に生じる磁場は $\boldsymbol{H}_A + \boldsymbol{H}_B$ となり，これは直線 OP と垂直になる。そして，中心軸の周りの対称性から，中心 O，半径 OP $= r$ の円周上の点に生じる磁場の大きさ H は，すべて等しい。この円を閉曲線 C とし，C の向きを磁場 $\boldsymbol{H}$ の向きにとると，$\boldsymbol{H} /\!/ d\boldsymbol{r}$ より，

$$\boldsymbol{H}\cdot d\boldsymbol{r} = H\cdot dr \qquad \therefore \oint_c \boldsymbol{H}\cdot d\boldsymbol{r} = \oint_c H dr = H\oint_c dr = H\cdot 2\pi r = 2\pi r H$$

半径 r の円 C の内部を貫く電流は，(i) $0 < r < a$ のとき，$I\dfrac{\pi r^2}{\pi a^2} = \dfrac{Ir^2}{a^2}$，(ii) $a < r$ のとき，I となる。よって，アンペールの法則を用いて，

$$\begin{cases} \text{(i)}\ 0 < r < a \text{ のとき，} 2\pi r H = \dfrac{Ir^2}{a^2} \quad \therefore H = \dfrac{I}{2\pi a^2}r \\ \text{(ii)}\ a < r \text{ のとき，} 2\pi r H = I \quad \therefore H = \dfrac{I}{2\pi r} \end{cases}$$

となる。………(答)

演習問題 61 ● 円筒面を流れる定常電流の作る磁場 ●

半径 a の無限に長い円筒面に一様な定常電流 I が流れているとき，この円筒面の内外に生じる磁場 H をアンペールの法則を用いて求めよ。

ヒント！ 演習問題 **60** と同様に考える。

解答＆解説

電流は，無限に長い直線電流の集まりと考えられるので，磁場 H は円筒面に (ア) な平面に平行となる。右図に示すように，この平面と中心軸との交点を O，この平面上 O から距離 r の点を P とおくと，OP に関して対称な円筒面上の 2 点 A，B を通る電流によって P に生じる磁場 H_A+H_B は，直線 OP と (イ) になる。そして，中心軸の周りの対称性から，中心 O，半径 r の円周上の点に生じる磁場の大きさ H はすべて等しい。この円を閉曲線 C に選び，その向きを磁場 H の向きにとれば，$H \mathbin{/\!/} dr$ より，

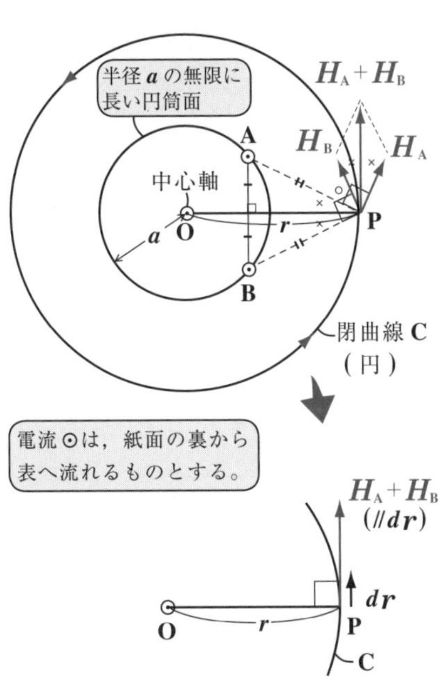

$$H \cdot dr = \text{(ウ)} \qquad \therefore \oint_c H \cdot dr = \oint_c H dr = H \oint_c dr = H \cdot 2\pi r = 2\pi r H$$

C を貫く電流は，(i) $0<r<a$ のとき，(エ)，(ii) $a<r$ のとき，I となる。よって，アンペールの法則を用いて，

$$\begin{cases} \text{(i) } 0<r<a \text{ のとき，} & 2\pi r H = \text{(エ)} \quad \therefore H = \text{(オ)} \\ \text{(ii) } a<r \text{ のとき，} & 2\pi r H = I \quad \therefore H = \dfrac{I}{2\pi r} \text{ となる。} \end{cases}$$ ………(答)

解答 (ア) 垂直　(イ) 垂直　(ウ) $H \cdot dr$　(エ) 0　(オ) 0

演習問題 62	●広がりのある定常電流が作る磁場●

定常電流が電流密度 $\boldsymbol{i}(\boldsymbol{r}')$ で広がりをもって流れているとき，$\boldsymbol{r}'$ の位置にある体積 dV' 中の電流が $\boldsymbol{r}$ の位置に作る磁場 $d\boldsymbol{H}(\boldsymbol{r})$ は，

$$d\boldsymbol{H}(\boldsymbol{r}) = \frac{1}{4\pi}\frac{\boldsymbol{i}(\boldsymbol{r}')\times(\boldsymbol{r}-\boldsymbol{r}')}{\|\boldsymbol{r}-\boldsymbol{r}'\|^3}dV' \quad \cdots\cdots(a)$$

と表せることを確かめよ。

また，この定常電流が $\boldsymbol{r}$ の位置 $\mathrm{P}(\boldsymbol{r})$ に作る磁場 $\boldsymbol{H}(\boldsymbol{r})$ は，

$$\boldsymbol{H}(\boldsymbol{r}) = \frac{1}{4\pi}\iiint_{V'}\frac{\boldsymbol{i}(\boldsymbol{r}')\times(\boldsymbol{r}-\boldsymbol{r}')}{\|\boldsymbol{r}-\boldsymbol{r}'\|^3}dV' \quad \cdots\cdots(b)$$

と表せることを確かめよ。

ヒント！ ビオ・サバールの法則を使う。電流素片 $Id\boldsymbol{l}$ を $\boldsymbol{i}(\boldsymbol{r}')$ と dV' で表す。

解答＆解説

ビオ・サバールの法則より，電流素片 $Id\boldsymbol{l}$ が $\boldsymbol{r}$ の位置に作る磁場 $d\boldsymbol{H}$ は，

$$d\boldsymbol{H}(\boldsymbol{r}) = \frac{1}{4\pi}\frac{Id\boldsymbol{l}\times(\boldsymbol{r}-\boldsymbol{r}')}{\|\boldsymbol{r}-\boldsymbol{r}'\|^3} \quad \cdots\cdots①$$

となる。

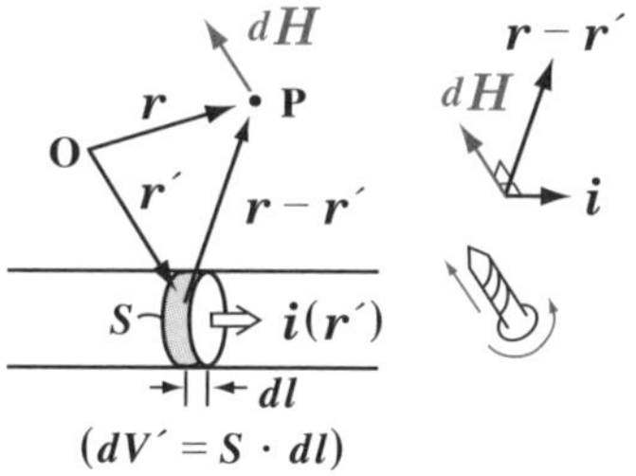

ここで，電流が電流密度 $\boldsymbol{i}(\boldsymbol{r}')$ で広がりをもって流れているとき，$\boldsymbol{i}(\boldsymbol{r}')$ の方向に垂直な断面積 S を通過する電流 I は，$I = i(\boldsymbol{r}')\cdot S$ となる。よって，電流の方向に線要素ベクトル $d\boldsymbol{l}$ をとると，

$$Id\boldsymbol{l} = I\cdot dl = \underbrace{i(\boldsymbol{r}')\cdot S}\cdot dl = \boldsymbol{i}(\boldsymbol{r}')dV' \quad \cdots\cdots②$$

（$S\cdot dl = dV'$）

ここで，$S\cdot dl = dV'$ は，$\boldsymbol{r}'$ の位置にある体積要素である。②を①に代入して，

$$d\boldsymbol{H}(\boldsymbol{r}) = \frac{1}{4\pi}\frac{\boldsymbol{i}(\boldsymbol{r}')\times(\boldsymbol{r}-\boldsymbol{r}')}{\|\boldsymbol{r}-\boldsymbol{r}'\|^3}dV' \quad \cdots\cdots(a)$$

となる。……………………(終)

各 dV' が作る磁場(a)を加え合わせて，$\mathrm{P}(\boldsymbol{r})$ の位置に生じる磁場 $\boldsymbol{H}(\boldsymbol{r})$ は，次の積分で与えられる。

$$\boldsymbol{H}(\boldsymbol{r}) = \frac{1}{4\pi}\iiint_{V'}\frac{\boldsymbol{i}(\boldsymbol{r}')\times(\boldsymbol{r}-\boldsymbol{r}')}{\|\boldsymbol{r}-\boldsymbol{r}'\|^3}dV' \quad \cdots\cdots(b)$$

……………………(終)

演習問題 63 ● マクスウェルの方程式(Ⅱ) $\mathrm{div}\,\boldsymbol{B}=0$ の導出(Ⅰ)●

N 極だけや S 極だけといった単磁荷は存在しないことから，マクスウェルの方程式(Ⅱ)：$\mathrm{div}\,\boldsymbol{B}=0$ ……(＊2)(磁束密度 $\boldsymbol{B}=\mu_0\boldsymbol{H}$)を導け。

ヒント！ 単磁荷が存在しないので，磁場 $\boldsymbol{H}$ は湧き出しも吸い込みもなく閉曲線(ループ)を描くんだね。

解答＆解説

$\mathrm{div}\,\boldsymbol{B}=0$

(ⅰ) 磁束線

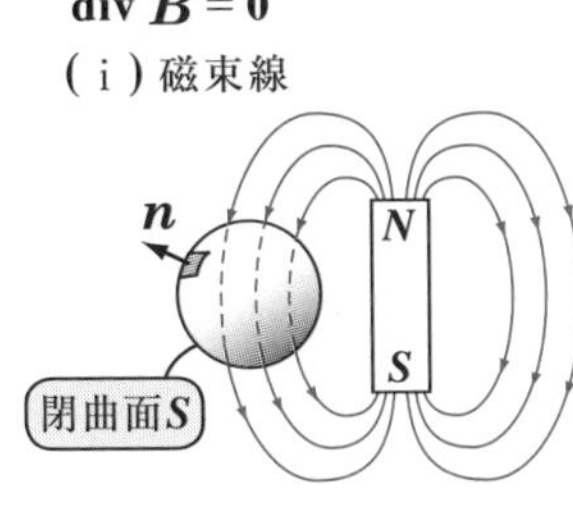
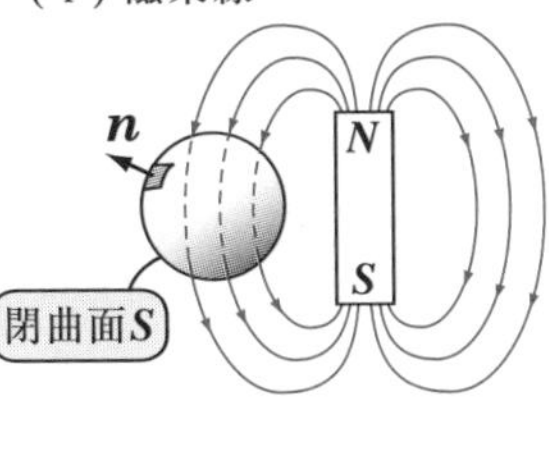

図(ⅰ)に示すように，磁石に単磁荷は存在 (ア) 。よって，そのまわりの任意の場所に閉曲面 S をとると，磁束密度 $\boldsymbol{B}$(または磁場 $\boldsymbol{H}$)には湧き出しも吸い込みもなく，閉曲線を描くだけなので，この閉曲面 S を通って流入および流出する正味の磁束密度 $\boldsymbol{B}$ の総計は $\boldsymbol{0}$ になる。

(ⅱ) 磁石の中の磁束線も含めた図

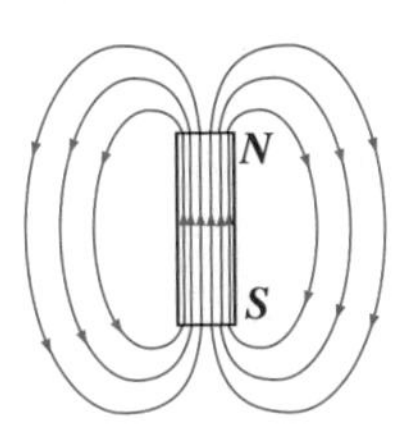

$$\therefore \iint_S \boldsymbol{B}\cdot\boldsymbol{n}\,dS = 0 \quad \cdots\cdots①$$

($\boldsymbol{n}$：閉曲面 S の単位法線ベクトル)

ここで，ガウスの発散定理より，

$$\iint_S \boldsymbol{B}\cdot\boldsymbol{n}\,dS = \boxed{(イ)\qquad} \quad \cdots\cdots②$$

②を①に代入すると，

$$\boxed{(イ)\qquad} = 0$$

ここで，S は任意より，S を微小な体積 ΔV をもつ閉曲面とすると，

(ウ) となる。この両辺を $\Delta V\ (>0)$ で割って，

マクスウェルの方程式：$\mathrm{div}\,\boldsymbol{B}=0$……(＊2) が導かれる。………………(終)

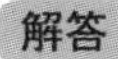

(ア) しない　(イ) $\iiint_V \mathrm{div}\,\boldsymbol{B}\,dV$　(ウ) $\mathrm{div}\,\boldsymbol{B}\cdot\Delta V=0$

演習問題 64 ● マクスウェルの方程式(Ⅱ) div $\boldsymbol{B}=\mathbf{0}$ の導出(Ⅱ) ●

磁束密度 $\boldsymbol{B}(\boldsymbol{r})=\mu_0\boldsymbol{H}(\boldsymbol{r})$ について，マクスウェルの方程式(Ⅱ)：
$\mathrm{div}\,\boldsymbol{B}(\boldsymbol{r})=0$ ……(＊2) が成り立つことを，次の順序で確かめよう。

(1) $\boldsymbol{r}'=[x',\ y',\ z']$ に対して，$\boldsymbol{r}=[x,\ y,\ z]$ とおいて，

$$\nabla\frac{1}{\|\boldsymbol{r}-\boldsymbol{r}'\|}=-\frac{\boldsymbol{r}-\boldsymbol{r}'}{\|\boldsymbol{r}-\boldsymbol{r}'\|^3}\ \cdots\cdots(\mathrm{a})$$ を導け。

(2) $\boldsymbol{a}=[a_1,\ a_2,\ a_3]$ を定ベクトル，$f=f(x,\ y,\ z)$ をスカラー値関数とするとき，$\boldsymbol{a}\times\nabla f=-\nabla\times f\boldsymbol{a}$ ……(b) を導け。

(3) ビオ・サバールの法則を用いて，$\mathrm{div}\,\boldsymbol{B}(\boldsymbol{r})=0$ ……(＊2) を導け。

ヒント！ **(1)** 左辺の成分を計算する。**(2)** 左辺と右辺をそれぞれ計算して，それが一致することを確かめる。**(3)** ビオ・サバールの法則を $d\boldsymbol{B}(\boldsymbol{r})$ に適用し，(a)と(b)を使って変形して示す。

解答＆解説

(1) $$\nabla\frac{1}{\|\boldsymbol{r}-\boldsymbol{r}'\|}=\mathbf{grad}\frac{1}{\sqrt{(x-x')^2+(y-y')^2+(z-z')^2}}$$

この x 成分は，

$$\frac{\partial}{\partial x}\left\{(x-x')^2+(y-y')^2+(z-z')^2\right\}^{-\frac{1}{2}}$$

$$=-\frac{1}{2}\left\{(x-x')^2+(y-y')^2+(z-z')^2\right\}^{-\frac{3}{2}}\cdot 2(x-x')$$

$$=-\frac{x-x'}{\left(\sqrt{(x-x')^2+(y-y')^2+(z-z')^2}\right)^3}=-\frac{x-x'}{\|\boldsymbol{r}-\boldsymbol{r}'\|^3}$$

同様に，y 成分，z 成分はそれぞれ，

$$-\frac{y-y'}{\|\boldsymbol{r}-\boldsymbol{r}'\|^3},\quad -\frac{z-z'}{\|\boldsymbol{r}-\boldsymbol{r}'\|^3}$$ となる。

$$\therefore\ \nabla\frac{1}{\|\boldsymbol{r}-\boldsymbol{r}'\|}=-\frac{\overbrace{[x-x',\ y-y',\ z-z']}^{\boldsymbol{r}-\boldsymbol{r}'}}{\|\boldsymbol{r}-\boldsymbol{r}'\|^3}=-\frac{\boldsymbol{r}-\boldsymbol{r}'}{\|\boldsymbol{r}-\boldsymbol{r}'\|^3}\ \cdots(\mathrm{a})\quad\cdots(終)$$

(2) $\nabla f=\left[\dfrac{\partial f}{\partial x},\ \dfrac{\partial f}{\partial y},\ \dfrac{\partial f}{\partial z}\right]=[f_x,\ f_y,\ f_z]$ とおくと，

$\cdot \boldsymbol{a} \times \nabla f = [a_2 f_z - a_3 f_y,\ a_3 f_x - a_1 f_z,\ a_1 f_y - a_2 f_x]$

$\cdot f\boldsymbol{a} = [fa_1,\ fa_2,\ fa_3]$ より，

$\nabla \times f\boldsymbol{a} = [a_3 f_y - a_2 f_z,\ a_1 f_z - a_3 f_x,\ a_2 f_x - a_1 f_y]$

$\therefore\ \boldsymbol{a} \times \nabla f = -\nabla \times f\boldsymbol{a}$ ……(b) は成り立つ。 ……………………(終)

(3) ビオ・サバールの法則より，

$$d\boldsymbol{B}(\boldsymbol{r}) = \mu_0 \cdot d\boldsymbol{H}(\boldsymbol{r}) = \frac{\mu_0}{4\pi} \cdot \frac{Id\boldsymbol{l} \times (\boldsymbol{r} - \boldsymbol{r}')}{\|\boldsymbol{r} - \boldsymbol{r}'\|^3} = \frac{\mu_0 I}{4\pi} d\boldsymbol{l} \times \frac{\boldsymbol{r} - \boldsymbol{r}'}{\|\boldsymbol{r} - \boldsymbol{r}'\|^3}$$

$-\nabla \dfrac{1}{\|\boldsymbol{r}-\boldsymbol{r}'\|}$ ((a)より)

$$= -\frac{\mu_0 I}{4\pi} d\boldsymbol{l} \times \nabla \frac{1}{\|\boldsymbol{r} - \boldsymbol{r}'\|} \quad ((a)より)$$

定ベクトル　スカラー値関数

$$d\boldsymbol{B}(\boldsymbol{r}) = \frac{\mu_0 I}{4\pi} \nabla \times \frac{d\boldsymbol{l}}{\|\boldsymbol{r} - \boldsymbol{r}'\|} \quad \cdots\cdots ① \ ((b)より)$$

$\boldsymbol{a} \times \nabla f = -\nabla \times f\boldsymbol{a}$ …(b)
($\boldsymbol{a}$：定ベクトル
f：スカラー値関数)

$\begin{matrix} a_1 & & a_2 & & a_3 & & a_1 \\ f_x & & f_y & & f_z & & f_x \end{matrix}$
$a_1 f_y - a_2 f_x]\ [a_2 f_z - a_3 f_y,\ a_3 f_x - a_1 f_z$

$\begin{matrix} \frac{\partial}{\partial x} & & \frac{\partial}{\partial y} & & \frac{\partial}{\partial z} & & \frac{\partial}{\partial x} \\ fa_1 & & fa_2 & & fa_3 & & fa_1 \end{matrix}$
$a_2 f_x - a_1 f_y]\ [a_3 f_y - a_2 f_z,\ a_1 f_z - a_3 f_x$

①の両辺の発散 (div) をとると，

$$\nabla \cdot d\boldsymbol{B}(\boldsymbol{r}) = \frac{\mu_0 I}{4\pi} \nabla \cdot \left(\nabla \times \frac{d\boldsymbol{l}}{\|\boldsymbol{r} - \boldsymbol{r}'\|}\right) = 0$$

公式
$\mathrm{div}(\mathrm{rot} f) = 0$ より
$[\nabla \cdot (\nabla \times f) = 0]$

$\therefore\ \boldsymbol{B}(\boldsymbol{r})$ は $d\boldsymbol{B}(\boldsymbol{r})$ の和より，

$$\nabla \cdot \boldsymbol{B}(\boldsymbol{r}) = \nabla \cdot \int d\boldsymbol{B}(\boldsymbol{r}) = \int \nabla \cdot d\boldsymbol{B}(\boldsymbol{r}) = 0$$

($\nabla \cdot \boldsymbol{B}(\boldsymbol{r})$ は $\mathrm{div}\,\boldsymbol{B}(\boldsymbol{r})$，$\int$ は Σ のこと，$\nabla \cdot d\boldsymbol{B}(\boldsymbol{r}) = 0$)

$\therefore\ \mathrm{div}\,\boldsymbol{B}(\boldsymbol{r}) = 0$ ……(＊2) となる。 ………………………………(終)

静電場のガウスの法則 $\nabla \cdot \boldsymbol{E}(\boldsymbol{r}) = \dfrac{\rho(\boldsymbol{r})}{\varepsilon_0}$ より，電場の発散が電流密度 $\rho(\boldsymbol{r})$ で与えられるのに比べ，$\nabla \cdot \boldsymbol{B}(\boldsymbol{r}) = 0$ から磁場には発散がない。これは，電場を作る電荷が存在するのに対して，磁場を作る磁荷が存在しないことを示している。

演習問題 65　●ベクトル・ポテンシャルの導出●

演習問題 **64(1)(2)** で示した公式：$\nabla\dfrac{1}{\|\boldsymbol{r}-\boldsymbol{r}'\|}=-\dfrac{\boldsymbol{r}-\boldsymbol{r}'}{\|\boldsymbol{r}-\boldsymbol{r}'\|^3}$ …(a) と

$\boldsymbol{a}\times\nabla f=-\nabla\times f\boldsymbol{a}$ ……(b) $\big(\boldsymbol{a}=[a_1,\ a_2,\ a_3]$：定ベクトル，

$f=f(x,\ y,\ z)$：スカラー値関数$\big)$を用いて，

磁場 $\boldsymbol{H}(\boldsymbol{r})=\dfrac{1}{4\pi}\iiint_{V'}\dfrac{\boldsymbol{i}(\boldsymbol{r}')\times(\boldsymbol{r}-\boldsymbol{r}')}{\|\boldsymbol{r}-\boldsymbol{r}'\|^3}dV'$ を変形することにより，

$\boldsymbol{H}(\boldsymbol{r})=\mathrm{rot}\,\boldsymbol{A}(\boldsymbol{r})$ をみたすベクトル・ポテンシャルの **1** つが

$\boldsymbol{A}(\boldsymbol{r})=\dfrac{1}{4\pi}\iiint_{V'}\dfrac{\boldsymbol{i}(\boldsymbol{r}')}{\|\boldsymbol{r}-\boldsymbol{r}'\|}dV'$ ……$(*)$ であることを確かめよ。

ヒント！ $\boldsymbol{H}(\boldsymbol{r})$ の被積分関数を公式(a)で書き換えて，さらに公式(b)を使って変形する。$\boldsymbol{H}(\boldsymbol{r})$ を変形して，直接 $\boldsymbol{A}(\boldsymbol{r})$ を求めるんだね。

解答＆解説

$$\boldsymbol{H}(\boldsymbol{r})=\frac{1}{4\pi}\iiint_{V'}\boldsymbol{i}(\boldsymbol{r}')\times\frac{\boldsymbol{r}-\boldsymbol{r}'}{\|\boldsymbol{r}-\boldsymbol{r}'\|^3}dV'$$

（$\dfrac{\boldsymbol{r}-\boldsymbol{r}'}{\|\boldsymbol{r}-\boldsymbol{r}'\|^3}=-\nabla\dfrac{1}{\|\boldsymbol{r}-\boldsymbol{r}'\|}$ (公式(a) より)）

$$=-\frac{1}{4\pi}\iiint_{V'}\boldsymbol{i}(\boldsymbol{r}')\times\nabla\frac{1}{\|\boldsymbol{r}-\boldsymbol{r}'\|}dV'$$

（$\boldsymbol{i}(\boldsymbol{r}')\times\nabla\dfrac{1}{\|\boldsymbol{r}-\boldsymbol{r}'\|}=-\nabla\times\dfrac{\boldsymbol{i}(\boldsymbol{r}')}{\|\boldsymbol{r}-\boldsymbol{r}'\|}$ (公式(b) より)，$\boldsymbol{i}(\boldsymbol{r}')$：定ベクトル $\boldsymbol{a}$ に相当，$\dfrac{1}{\|\boldsymbol{r}-\boldsymbol{r}'\|}$：スカラー値関数 f に相当）

$$=\frac{1}{4\pi}\iiint_{V'}\nabla\times\frac{\boldsymbol{i}(\boldsymbol{r}')}{\|\boldsymbol{r}-\boldsymbol{r}'\|}dV'$$

（公式 $\nabla\times\boldsymbol{f}_1+\nabla\times\boldsymbol{f}_2=\nabla\times(\boldsymbol{f}_1+\boldsymbol{f}_2)$ より）

$$=\nabla\times\underbrace{\frac{1}{4\pi}\iiint_{V'}\frac{\boldsymbol{i}(\boldsymbol{r}')}{\|\boldsymbol{r}-\boldsymbol{r}'\|}dV'}_{\boldsymbol{A}(\boldsymbol{r})}$$

よって，$\boldsymbol{A}(\boldsymbol{r})=\dfrac{1}{4\pi}\iiint_{V'}\dfrac{\boldsymbol{i}(\boldsymbol{r}')}{\|\boldsymbol{r}-\boldsymbol{r}'\|}dV'$ ……$(*)$ とおくと，

$\boldsymbol{H}(\boldsymbol{r})=\nabla\times\boldsymbol{A}(\boldsymbol{r})=\mathrm{rot}\,\boldsymbol{A}(\boldsymbol{r})$ をみたすので，$(*)$ の $\boldsymbol{A}(\boldsymbol{r})$ は，静磁場 $\boldsymbol{H}(\boldsymbol{r})$ のベクトル・ポテンシャルの **1** つである。……………………………(終)

$(*)$ の $\boldsymbol{A}(\boldsymbol{r})$ の回転 $\nabla\times\boldsymbol{A}(\boldsymbol{r})$ からスタートして，上の計算プロセスを逆に辿ることによって，磁場 $\boldsymbol{H}(\boldsymbol{r})=\dfrac{1}{4\pi}\iiint_{V'}\dfrac{\boldsymbol{i}(\boldsymbol{r}')\times(\boldsymbol{r}-\boldsymbol{r}')}{\|\boldsymbol{r}-\boldsymbol{r}'\|^3}dV'$ が得られることが分かる。

演習問題 66 ● ベクトル・ポテンシャル $\boldsymbol{A}(\boldsymbol{r})$ ●

静磁場のベクトル・ポテンシャル $\boldsymbol{A}(\boldsymbol{r})=\dfrac{1}{4\pi}\iiint_{V'}\dfrac{\boldsymbol{i}(\boldsymbol{r}')}{\|\boldsymbol{r}-\boldsymbol{r}'\|}dV'$ の x 成分 $A_1(\boldsymbol{r})=\dfrac{1}{4\pi}\iiint_{V'}\dfrac{i_1(\boldsymbol{r}')}{\|\boldsymbol{r}-\boldsymbol{r}'\|}dV'$ は，定常電流が流れていない空間上の点 $\boldsymbol{r}=[x,\ y,\ z]$ において，次式をみたすことを確かめよ。

$$\frac{\partial^2 A_1(\boldsymbol{r})}{\partial x^2}+\frac{\partial^2 A_1(\boldsymbol{r})}{\partial y^2}+\frac{\partial^2 A_1(\boldsymbol{r})}{\partial z^2}=0 \quad \cdots\cdots(\mathrm{a})$$

（電流の流れている領域 V' の内部の点を $\boldsymbol{r}'=[x',\ y',\ z']$ とし，$\boldsymbol{i}(\boldsymbol{r}')=[i_1(\boldsymbol{r}'),\ i_2(\boldsymbol{r}'),\ i_3(\boldsymbol{r}')]$ は，点 $\boldsymbol{r}'$ における電流密度とする。）

ヒント！ $\boldsymbol{r}=[x,\ y,\ z]$，$\boldsymbol{r}'=[x',\ y',\ z']$ より，$\|\boldsymbol{r}-\boldsymbol{r}'\|=\sqrt{(x-x')^2+(y-y')^2+(z-z')^2}$ となる。$A_1(\boldsymbol{r})$ を x で偏微分するとき，$i_1(\boldsymbol{r}')$ は定数扱いであることに注意しよう。本問は **P122** の内容に対応する。

解答＆解説

$$A_1(\boldsymbol{r})=\frac{1}{4\pi}\iiint_{V'}\frac{i_1(\boldsymbol{r}')}{\|\boldsymbol{r}-\boldsymbol{r}'\|}dV'$$

$$=\frac{1}{4\pi}\iiint_{V'}\frac{i_1(\boldsymbol{r}')}{\sqrt{(x-x')^2+(y-y')^2+(z-z')^2}}dV' \text{ より，}$$

$$\frac{\partial A_1(\boldsymbol{r})}{\partial x}=\frac{1}{4\pi}\cdot\frac{\partial}{\partial x}\iiint_{V'}i_1(\boldsymbol{r}')\cdot\left\{(x-x')^2+(y-y')^2+(z-z')^2\right\}^{-\frac{1}{2}}dV'$$

$$=\frac{1}{4\pi}\cdot\iiint_{V'}i_1(\boldsymbol{r}')\cdot\frac{\partial}{\partial x}\left\{(x-x')^2+(y-y')^2+(z-z')^2\right\}^{-\frac{1}{2}}dV'$$

（積分と微分の順序は入れかえられるものとする。）

$$=\frac{1}{4\pi}\cdot\iiint_{V'}i_1(\boldsymbol{r}')\cdot\left(-\frac{1}{2}\right)\left\{(x-x')^2+(y-y')^2+(z-z')^2\right\}^{-\frac{3}{2}}\times 2(x-x')dV'$$

（$2(x-x')=\dfrac{\partial}{\partial x}(x-x')^2$）

$$=-\frac{1}{4\pi}\cdot\iiint_{V'}i_1(\boldsymbol{r}')\frac{x-x'}{\left\{(x-x')^2+(y-y')^2+(z-z')^2\right\}^{\frac{3}{2}}}dV'$$

$$\frac{\partial^2 A_1(\boldsymbol{r})}{\partial x^2}=\frac{\partial}{\partial x}\left\{\frac{\partial A_1(\boldsymbol{r})}{\partial x}\right\}$$

$$=-\frac{1}{4\pi}\iiint_{V'} i_1(\boldsymbol{r}')\cdot\frac{\partial}{\partial x}\left[\frac{x-x'}{\{(x-x')^2+(y-y')^2+(z-z')^2\}^{\frac{3}{2}}}\right]dV' \quad\cdots\cdots①$$

$$\frac{\partial}{\partial x}\left[\frac{x-x'}{\{(x-x')^2+(y-y')^2+(z-z')^2\}^{\frac{3}{2}}}\right]$$

$$=\frac{1\cdot\{(x-x')^2+(y-y')^2+(z-z')^2\}^{\frac{3}{2}}-(x-x')\cdot\frac{3}{2}\{(x-x')^2+(y-y')^2+(z-z')^2\}^{\frac{1}{2}}\cdot 2(x-x')}{\{(x-x')^2+(y-y')^2+(z-z')^2\}^3}$$

$$=\frac{\{(x-x')^2+(y-y')^2+(z-z')^2\}^1-3(x-x')^2}{\{(x-x')^2+(y-y')^2+(z-z')^2\}^{\frac{5}{2}}}$$

分子・分母を $\{\ \}^{\frac{1}{2}}$ で割った。

$$=\frac{-2(x-x')^2+(y-y')^2+(z-z')^2}{\{(x-x')^2+(y-y')^2+(z-z')^2\}^{\frac{5}{2}}} \quad\cdots\cdots②$$

②を①に代入して，

$$\frac{\partial^2 A_1(\boldsymbol{r})}{\partial x^2}=-\frac{1}{4\pi}\iiint_{V'} i_1(\boldsymbol{r}')\cdot\frac{-2(x-x')^2+(y-y')^2+(z-z')^2}{\{(x-x')^2+(y-y')^2+(z-z')^2\}^{\frac{5}{2}}}dV'$$

$$=\frac{1}{4\pi}\iiint_{V'} i_1(\boldsymbol{r}')\cdot\frac{2(x-x')^2-(y-y')^2-(z-z')^2}{\{(x-x')^2+(y-y')^2+(z-z')^2\}^{\frac{5}{2}}}dV' \quad\cdots\cdots③$$

同様にして，

$$\frac{\partial^2 A_1(\boldsymbol{r})}{\partial y^2}=\frac{1}{4\pi}\iiint_{V'} i_1(\boldsymbol{r}')\cdot\frac{-(x-x')^2+2(y-y')^2-(z-z')^2}{\{(x-x')^2+(y-y')^2+(z-z')^2\}^{\frac{5}{2}}}dV' \quad\cdots\cdots④$$

$$\frac{\partial^2 A_1(\boldsymbol{r})}{\partial z^2}=\frac{1}{4\pi}\iiint_{V'} i_1(\boldsymbol{r}')\cdot\frac{-(x-x')^2-(y-y')^2+2(z-z')^2}{\{(x-x')^2+(y-y')^2+(z-z')^2\}^{\frac{5}{2}}}dV' \quad\cdots\cdots⑤$$

③＋④＋⑤より，

$\nabla^2 A_1(\boldsymbol{r})=0$ のこと

$$\frac{\partial^2 A_1(\boldsymbol{r})}{\partial x^2}+\frac{\partial^2 A_1(\boldsymbol{r})}{\partial y^2}+\frac{\partial^2 A_1(\boldsymbol{r})}{\partial z^2}=0 \quad\cdots\cdots(a)$$ が成り立つ。……………………(終)

$$\frac{1}{4\pi}\iiint_{V'} i_1(\boldsymbol{r}')\frac{0\cdot(x-x')^2+0\cdot(y-y')^2+0\cdot(z-z')^2}{\{(x-x')^2+(y-y')^2+(z-z')^2\}^{\frac{5}{2}}}dV'=0$$

同様に，$\boldsymbol{A}(\boldsymbol{r})=\frac{1}{4\pi}\iiint_{V'}\frac{\boldsymbol{i}(\boldsymbol{r}')}{\|\boldsymbol{r}-\boldsymbol{r}'\|}dV'$ の y 成分 $A_2(\boldsymbol{r})=\frac{1}{4\pi}\iiint_{V'}\frac{i_2(\boldsymbol{r}')}{\|\boldsymbol{r}-\boldsymbol{r}'\|}dV'$ と z 成分 $A_3(\boldsymbol{r})=\frac{1}{4\pi}\iiint_{V'}\frac{i_3(\boldsymbol{r}')}{\|\boldsymbol{r}-\boldsymbol{r}'\|}dV'$ は，それぞれ $\nabla^2 A_2(\boldsymbol{r})=0$，$\nabla^2 A_3(\boldsymbol{r})=0$ をみたす。

演習問題 67 ● 直線電流の磁場とベクトル・ポテンシャル ●

右図に示すように，z 軸の正方向に伸びる十分に長い細い導線を定常電流 $\boldsymbol{I}$ が流れるとき，これによって導線から a だけ離れた点 $\mathbf{P}(\boldsymbol{r})$ に作られる静磁場のベクトル・ポテンシャル $\boldsymbol{A}(\boldsymbol{r})$ を，図の p を用いて表せ。また，$\boldsymbol{H}(\boldsymbol{r}) = \nabla \times \boldsymbol{A}(\boldsymbol{r})[= \mathrm{rot}\,\boldsymbol{A}(\boldsymbol{r})]$ の関係により，点 $\mathbf{P}(\boldsymbol{r})$ における磁場 $\boldsymbol{H}(\boldsymbol{r})$ とその強さ $H(\boldsymbol{r})$ を求めよ。

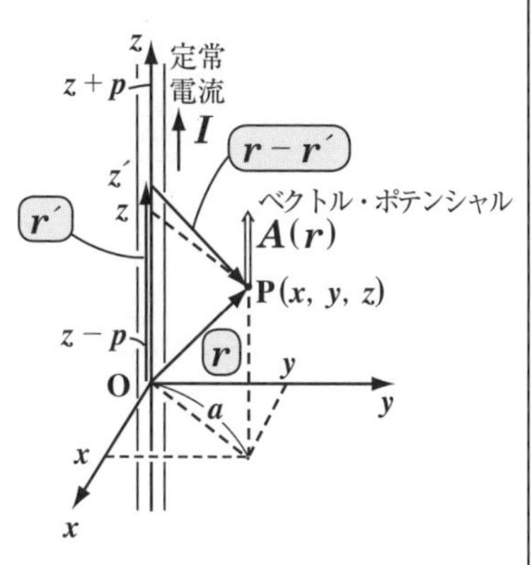

(ただし，図の p は十分大きな正の定数とする。)

ヒント！ 導線は細いので，断面上の各点の位置ベクトルは $\boldsymbol{r}' = [0,\ 0,\ z']$ とおいていい。また，ベクトル・ポテンシャルは $\boldsymbol{A}(\boldsymbol{r}) = [0,\ 0,\ A_3(\boldsymbol{r})]$ の形になるが，$A_3(\boldsymbol{r})$ を，z 軸方向に，z' によって積分する際，導線が十分長いことから，p を十分大きな正の定数とし，$[z-p,\ z+p]$ の積分区間で積分する。

解答＆解説

右図に示すように，

点 $\boldsymbol{r}' = [0,\ 0,\ z']$ における電流密度を $\boldsymbol{i}(\boldsymbol{r}')$，微小体積を dV' とおくと，

$\Delta V' = S \cdot dz'$

(S：導線の断面積，dz'：微小長さ)

導線は細いので，断面上の各点の位置ベクトル $\boldsymbol{r}'$ は $\boldsymbol{r}' = [0,\ 0,\ z']$ とおける。導線の周りの空間上の点 $\boldsymbol{r} = [x,\ y,\ z]$ に対して，この点と点 $\boldsymbol{r}' = [0,\ 0,\ z']$ との距離は，

$\|\boldsymbol{r} - \boldsymbol{r}'\| = \sqrt{x^2 + y^2 + (z - z')^2}$

である。

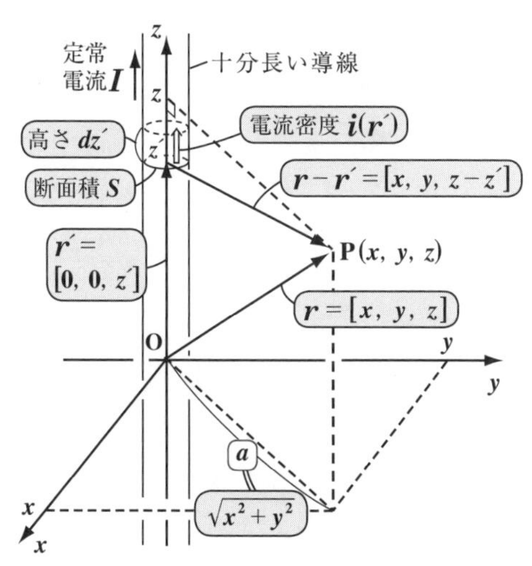

ここで，z 軸の正方向の単位ベクトルを $\boldsymbol{t}=[0,\ 0,\ 1]$ とおくと，定常電流 $\boldsymbol{I}$ は，$\boldsymbol{I}=I\cdot\boldsymbol{t}$ となる。（ただし，$\boldsymbol{I}=[0,\ 0,\ I]$，$I=\|\boldsymbol{I}\|$ とする。）

$$\therefore\ \underbrace{\boldsymbol{i}(\boldsymbol{r}')}_{\text{一定の電流密度}}\cdot S = \underbrace{\boldsymbol{I}}_{\text{定常電流}} = I\cdot\boldsymbol{t} = I\cdot[0,\ 0,\ 1] = [0,\ 0,\ I]$$

以上より，ベクトル・ポテンシャル $\boldsymbol{A}(\boldsymbol{r})$ は，

（ベクトル・ポテンシャルの公式）

$$\boldsymbol{A}(\boldsymbol{r}) = \frac{1}{4\pi}\iiint_{V'}\frac{\boldsymbol{i}(\boldsymbol{r}')}{\|\boldsymbol{r}-\boldsymbol{r}'\|}\underbrace{dV'}_{S\cdot dz'} = \frac{1}{4\pi}\int_{z'}\frac{\overbrace{\boldsymbol{i}(\boldsymbol{r}')\cdot S}^{[0,\ 0,\ I]}}{\|\boldsymbol{r}-\boldsymbol{r}'\|}dz'$$

（z 軸方向の，z' による1次元の積分となるので，$\iiint_{V'}$ ではなく，ただの $\int_{z'}$ とした。）

$$= \frac{1}{4\pi}\int_{z'}\left[0,\ 0,\ \frac{I}{\|\boldsymbol{r}-\boldsymbol{r}'\|}\right]dz'$$

$$= \left[0,\ 0,\ \frac{1}{4\pi}\int_{z'}\frac{I}{\|\boldsymbol{r}-\boldsymbol{r}'\|}dz'\right]$$

$$= \left[\underbrace{0}_{A_1},\ \underbrace{0}_{A_2},\ \underbrace{\frac{1}{4\pi}\int_{z'}\frac{I}{\sqrt{x^2+y^2+(z-z')^2}}dz'}_{A_3}\right]$$

よって，$\boldsymbol{A}(\boldsymbol{r})=[A_1(\boldsymbol{r}),\ A_2(\boldsymbol{r}),\ A_3(\boldsymbol{r})]$ とおくと，

$$\begin{cases} A_1(\boldsymbol{r})=0, \quad A_2(\boldsymbol{r})=0 \\ A_3(\boldsymbol{r}) = \dfrac{I}{4\pi}\displaystyle\int_{z'}\frac{1}{\sqrt{x^2+y^2+(\ z'-z\ )^2}}dz' \end{cases}$$

ここで，導線は十分に長いので，$A_3(\boldsymbol{r})$ の積分は p を十分大きな正の定数として，積分区間 $[z-p,\ z+p]$ での z' による積分として求める。

$$\therefore\ A_3(\boldsymbol{r}) = \frac{I}{4\pi}\int_{z-p}^{z+p}\frac{1}{\sqrt{x^2+y^2+(\underbrace{z'-z}_{u\text{とおく}})^2}}dz'$$

ここで，$z'-z=u$ と変数を変換すると，

z' : $z-p \to z+p$ のとき，u : $-p \to p$

また，$dz'=du$ となるから，

$$A_3(\boldsymbol{r}) = \frac{I}{4\pi}\int_{-p}^{p}\frac{1}{\sqrt{x^2+y^2+u^2}}du$$

ここで，積分公式：$\int \frac{1}{\sqrt{\alpha+u^2}}du = \log\left(\sqrt{\alpha+u^2}+u\right)+C$ を用いて，

「微分積分キャンパス・ゼミ」参照

$$A_3(r) = \frac{I}{4\pi}\int_{-p}^{p}\frac{1}{\sqrt{\underbrace{x^2+y^2}_{\alpha}+u^2}}du$$

$$= \frac{I}{4\pi}\left[\log\left(\sqrt{\underbrace{x^2+y^2}_{\alpha}+u^2}+u\right)\right]_{-p}^{p}$$

$$= \frac{I}{4\pi}\left\{\log\left(\sqrt{x^2+y^2+p^2}+p\right)-\log\left(\sqrt{x^2+y^2+p^2}-p\right)\right\}$$

$$= \frac{I}{4\pi}\log\frac{\sqrt{x^2+y^2+p^2}+p}{\sqrt{x^2+y^2+p^2}-p}$$

分子・分母に $\sqrt{\ }+p$ をかけた。

$$= \frac{I}{4\pi}\log\frac{\left(\sqrt{x^2+y^2+p^2}+p\right)^2}{x^2+y^2+p^2-p^2} = \frac{I}{4\pi}\log\left(\frac{\sqrt{x^2+y^2+p^2}+p}{\sqrt{x^2+y^2}}\right)^{2}$$

$p\left(\because p \gg \sqrt{x^2+y^2}\right)$

$$= \frac{I}{2\pi}\log\frac{\sqrt{x^2+y^2+p^2}+p}{\sqrt{x^2+y^2}} \quad \cdots\cdots①$$

導線は十分に長く，$p \gg \sqrt{x^2+y^2}$ とすると，次の近似式が成り立つ。

$$\sqrt{x^2+y^2+p^2} = p\sqrt{\underbrace{\frac{x^2+y^2}{p^2}}_{0}+1} = p$$

よって，①より，

$$A_3(r) = \frac{I}{2\pi}\log\frac{p+p}{\sqrt{x^2+y^2}} = \frac{I}{2\pi}\log\frac{2p}{\underbrace{\sqrt{x^2+y^2}}_{a}}$$

ここで，$\sqrt{x^2+y^2}=a$ より，

$$A_3(r) = \frac{I}{2\pi}\log\frac{2p}{a}$$

よって，求めるベクトル・ポテンシャル $\boldsymbol{A}(\boldsymbol{r})$ は，

$$\boldsymbol{A}(\boldsymbol{r}) = [0,\ 0,\ A_3(r)] = \left[0,\ 0,\ \frac{I}{2\pi}\log\frac{2p}{a}\right]$$ となる。 ……………………(答)

（ただし，p は十分大きい正の定数とする。）

よって，この導線が点 $\mathbf{P}(\boldsymbol{r})$ に作る磁場 $\boldsymbol{H}(\boldsymbol{r})$ は，

$$\boldsymbol{H}(\boldsymbol{r}) = \underset{\left[\frac{\partial}{\partial x},\ \frac{\partial}{\partial y},\ \frac{\partial}{\partial z}\right]}{\underline{\nabla}} \times \underset{[0,\ 0,\ A_3]}{\underline{\boldsymbol{A}(\boldsymbol{r})}}$$

$$= \left[\frac{\partial A_3}{\partial y},\ -\frac{\partial A_3}{\partial x},\ 0\right] \quad \cdots\cdots ②$$

$$\frac{\partial}{\partial x}\ \frac{\partial}{\partial y}\ \frac{\partial}{\partial z}\ \frac{\partial}{\partial x}$$
$$0\quad 0\quad A_3\quad 0$$
$$,\ 0\Big]\quad \left[\frac{\partial A_3}{\partial y},\ -\frac{\partial A_3}{\partial x}\right.$$

$$\frac{\partial A_3}{\partial y} = \frac{\partial}{\partial y}\left(\frac{I}{2\pi}\log\frac{2p}{\underset{\sqrt{x^2+y^2}}{a}}\right) = \frac{\partial}{\partial y}\left\{\underset{\text{定数}}{\frac{I}{2\pi}}\left(\log 2p - \underset{\frac{1}{2}\log(x^2+y^2)}{\log\sqrt{x^2+y^2}}\right)\right\}$$

$$= \frac{I}{2\pi}\ \frac{\partial}{\partial y}\left\{\underset{\text{定数}}{\log 2p} - \frac{1}{2}\log(x^2+y^2)\right\} = \frac{I}{2\pi}\left(-\frac{1}{2}\right)\frac{2y}{\underset{a^2}{x^2+y^2}}$$

$$= -\frac{Iy}{2\pi a^2} = -\frac{I}{2\pi a}\cdot\frac{y}{a} \quad \cdots\cdots ③$$

（x と y を入れ替えても値が変わらない式）

$A_3(\boldsymbol{r}) = \dfrac{I}{2\pi}\log\dfrac{2p}{\sqrt{x^2+y^2}}$ は，x と y の対称式だから，同様にして，

$$-\frac{\partial A_3}{\partial x} = -\left(-\frac{I}{2\pi a}\cdot\frac{x}{a}\right) = \frac{I}{2\pi a}\cdot\frac{x}{a} \quad \cdots\cdots ④$$

（③式の結果の y を x で置き換えた式）

③，④を②に代入して，求める磁場 $\boldsymbol{H}(\boldsymbol{r})$ の成分表示は，

$\boldsymbol{H}(\boldsymbol{r}) = \dfrac{I}{2\pi a}\left[-\dfrac{y}{a},\ \dfrac{x}{a},\ 0\right]$ となる。 ……………………………………(答)

（ベクトル $[x,\ y,\ 0]$ との内積が 0 より，$[x,\ y,\ 0]$ と直交する。）

磁場の強さ $H\left(=\|\boldsymbol{H}(\boldsymbol{r})\|\right)$ は，

$$H(\boldsymbol{r}) = \frac{I}{2\pi a}\left\|\left[-\frac{y}{a},\ \frac{x}{a},\ 0\right]\right\|$$

$$= \frac{I}{2\pi a}\sqrt{\frac{y^2}{a^2}+\frac{x^2}{a^2}}$$

$$= \frac{I}{2\pi a}\sqrt{\frac{\overset{a^2}{x^2+y^2}}{a^2}}$$

$= \dfrac{I}{2\pi a}$ となる。 ……………(答)

（演習問題 **55** のコラムの結果と一致する。）

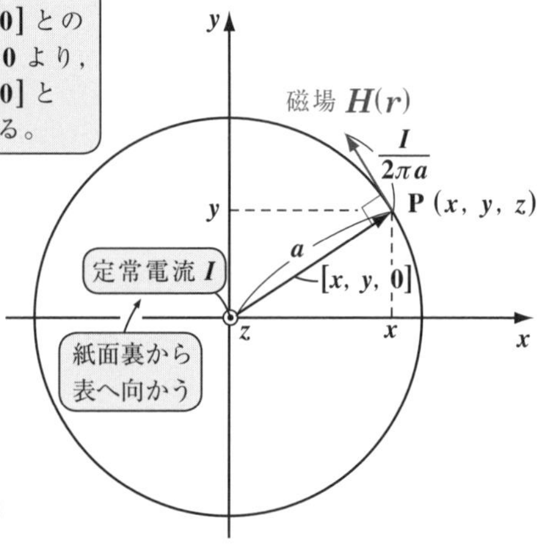

参考

ベクトル・ポテンシャル $\boldsymbol{A}(\boldsymbol{r})$ は，この講義の *methods & formulae* P122 で解説したように，$\mathrm{div}\boldsymbol{A}(\boldsymbol{r})=0$ ……(a)をみたすものを採用するとした。今回の，十分に長い直線状の細い導線を流れる定常電流が，周囲の空間に作るベクトル・ポテンシャル $\boldsymbol{A}(\boldsymbol{r})$ は，

$\boldsymbol{A}(\boldsymbol{r})=\left[0,\ 0,\ \frac{I}{2\pi}\log\frac{2p}{a}\right]\ \left(a=\sqrt{x^2+y^2}\right)$ であった。この $\boldsymbol{A}(\boldsymbol{r})$ が，

$\mathrm{div}\boldsymbol{A}(\boldsymbol{r})=0$ ……(a) をみたすことを確かめてみよう。

$$\mathrm{div}\boldsymbol{A}(\boldsymbol{r})=\underbrace{\nabla}_{\left[\frac{\partial}{\partial x},\ \frac{\partial}{\partial y},\ \frac{\partial}{\partial z}\right]}\cdot\underbrace{\boldsymbol{A}(\boldsymbol{r})}_{\left[0,\ 0,\ \frac{I}{2\pi}\log\frac{2p}{\sqrt{x^2+y^2}}\right]}$$

$$=\underbrace{\frac{\partial 0}{\partial x}}_{0}+\underbrace{\frac{\partial 0}{\partial y}}_{0}+\underbrace{\frac{\partial}{\partial z}\left(\frac{I}{2\pi}\log\frac{2p}{\sqrt{x^2+y^2}}\right)}_{0}$$

$$=0$$

となって，確かに，$\boldsymbol{A}(\boldsymbol{r})=\left[0,\ 0,\ \frac{I}{2\pi}\log\frac{2p}{a}\right]$ は

$\mathrm{div}\boldsymbol{A}(\boldsymbol{r})=0$ ……(a) をみたすことが分かった。

一般に，広がりをもって流れる定常電流（電気回路）が周囲に作るベクトル・ポテンシャル $\boldsymbol{A}(\boldsymbol{r})=\frac{1}{4\pi}\iiint_{V'}\frac{\boldsymbol{i}(\boldsymbol{r}')}{\|\boldsymbol{r}-\boldsymbol{r}'\|}dV'$ も，(a) をみたすことが確かめられる。

演習問題 68	●アンペールの力(Ⅰ)●

右図に示すように，xyz 座標空間内で z 軸に平行な **4** 本の導線にそれぞれ $I_0=4(\mathrm{A})$，$I_1=4(\mathrm{A})$，$I_2=8(\mathrm{A})$，$I_3=3(\mathrm{A})$ の定常電流が流れているものとする。(電流の向きは紙面に垂直に，⊙は裏から表へ，⊗は表から裏への向きを表す。) このとき，I_0 と I_1 と I_2 により，I_3 の流れる導線 **1m** 当たりに及ぼされる力の合力の大きさを求めよ。

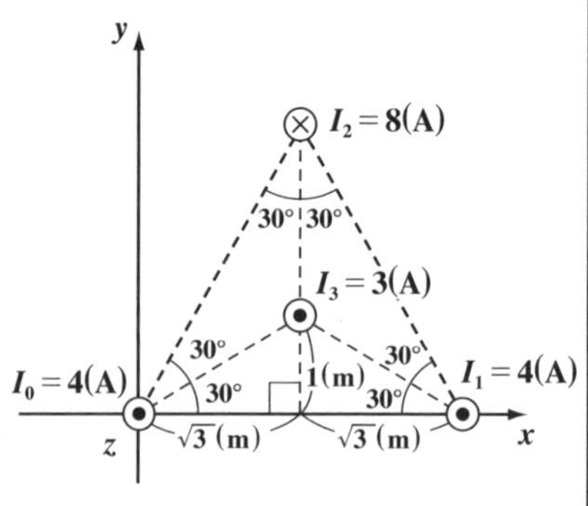

ヒント！ 間隔 a をおいて，**2** 本の無限に長い，互いに平行な導線 A と導線 B にそれぞれ定常電流 I_A と I_B が流れているとき，A と B の長さ l の部分に働くアンペールの力の大きさ f は，$f=\dfrac{\mu_0 l I_A I_B}{2\pi a}$ となる。ただし，I_A と I_B が同じ向きのときは，引力として，逆向きのときは，斥力として作用する。

解答＆解説

I_0 が I_3 に及ぼす引力を $f_{0,3}$，I_1 が I_3 に及ぼす引力を $f_{1,3}$，I_2 が I_3 に及ぼす斥力を $f_{2,3}$ とおくと，下図より，それぞれの力は，

$$f_{0,3}=\frac{\underset{4\pi\times10^{-7}}{\mu_0}\times1\times4\times3}{2\cdot\pi\cdot2}=1.2\times10^{-6}\ (\mathrm{N})$$

$$f_{1,3}=\frac{\mu_0\times1\times4\times3}{2\cdot\pi\cdot2}=1.2\times10^{-6}\ (\mathrm{N})$$

$$f_{2,3}=\frac{\mu_0\times1\times8\times3}{2\cdot\pi\cdot2}=2.4\times10^{-6}\ (\mathrm{N})$$

引力 $f_{0,3}=1.2\times10^{-6}$
引力 $f_{1,3}=1.2\times10^{-6}$
$f_{0,3}$ と $f_{1,3}$ の合力 $=1.2\times10^{-6}$
斥力 $f_{2,3}=2.4\times10^{-6}$

右図より，$f_{0,3}$ と $f_{1,3}$ の合力は，$f_{0,3}$，$f_{1,3}$ と同じで，1.2×10^{-6} (N) となる。

よって，求める I_3 の流れる導線 **1m** 当たりに及ぼされる力の大きさ f は，

$f=\underbrace{1.2\times10^{-6}}_{f_{0,3}\text{ と }f_{1,3}\text{ の合力}}+\underbrace{2.4\times10^{-6}}_{f_{2,3}}=3.6\times10^{-6}(\mathrm{N})$ となる。……………………(答)

演習問題 69　● アンペールの力 (Ⅱ) ●

右図に示すように，xyz 座標空間内で z 軸に平行な 3 本の導線にそれぞれ $I_0 = 5(\mathrm{A})$，$I_1 = 4(\mathrm{A})$，$I_2 = 2(\mathrm{A})$ の定常電流が流れているものとする。(電流の向きは紙面に垂直に，⊙は裏から表へ，⊗は表から裏への向きを表す。) このとき，I_1 と I_2 により，I_0 の流れる導線 1m 当たりに及ぼされる力の合力の大きさを求めよ。

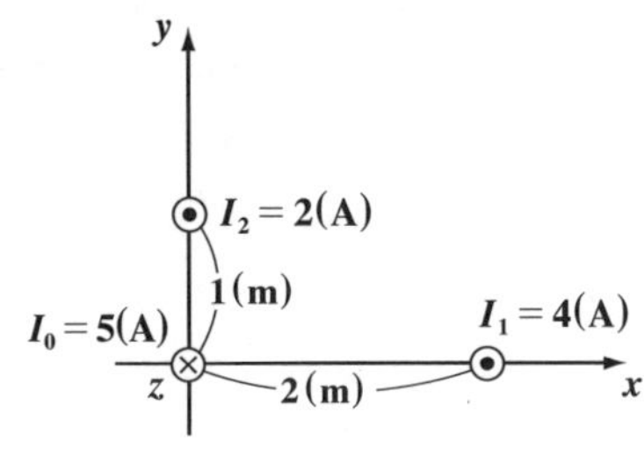

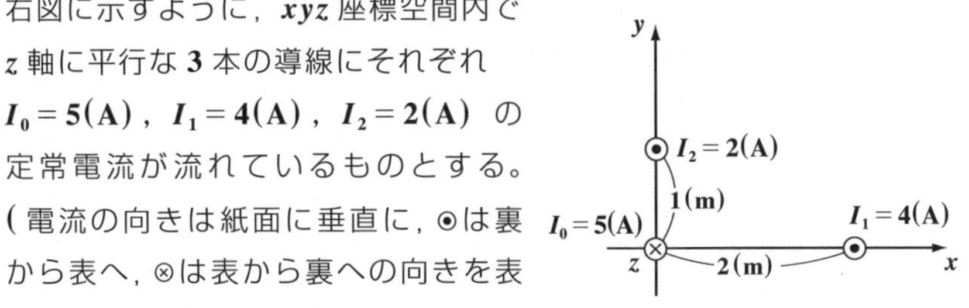

ヒント！ 前問同様，アンペールの力の大きさ $f = \dfrac{\mu_0 l I_A I_B}{2\pi a}$ の公式を使う。

解答＆解説

I_1 が I_0 に及ぼす斥力を $f_{1,0}$，

I_2 が I_0 に及ぼす斥力を $f_{2,0}$ とおくと，

$$f_{1,0} = \frac{\mu_0 \times 1 \times 4 \times 5}{2\pi \cdot 2} = \boxed{(イ)} \times 10^{-6}\ (\mathrm{N})$$

$$f_{2,0} = \frac{\mu_0 \times 1 \times 2 \times 5}{2\pi \cdot 1} = \boxed{(ウ)} \times 10^{-6}\ (\mathrm{N})$$

（μ_0 ＝ (ア)）

斥力 $f_{1,0} = \boxed{(イ)} \times 10^{-6}$

合力 f

斥力 $f_{2,0} = \boxed{(ウ)} \times 10^{-6}$

よって，右図より，$f_{1,0}$ と $f_{2,0}$ の合力の大きさ f は，三平方の定理より，

$$f = \sqrt{f_{1,0}{}^2 + f_{2,0}{}^2} = \sqrt{(\boxed{(イ)} \times 10^{-6})^2 + (\boxed{(ウ)} \times 10^{-6})^2}$$

$$= \sqrt{8 \times 10^{-12}} = 2\sqrt{2} \times 10^{-6}(\mathrm{N})$$ となる。 ……………………………(答)

解答　(ア) $4\pi \times 10^{-7}$　(イ) 2　(ウ) 2

演習問題 70 ●ローレンツ力(I)●

右図に示すように，xyz 座標空間内に z 軸の負の向きに一様な磁束密度 $\boldsymbol{B}=[0,\ 0,\ -B]\ (B>0)$ が存在する。このとき，点 $(2,\ 0,\ 0)$ に質量 m，電荷 $+q\ (>0)$ をもつ荷電粒子 P をおき，時刻 $t=0$ において初速度 $\boldsymbol{v}_0=\left[0,\ \dfrac{2qB}{m},\ 1\right]$ を与えた。このとき，荷電粒子 P の運動を時刻 $t\ (\geqq 0)$ で表せ。(ただし，電場は存在せず，P に働く重力も無視できるものとする。)

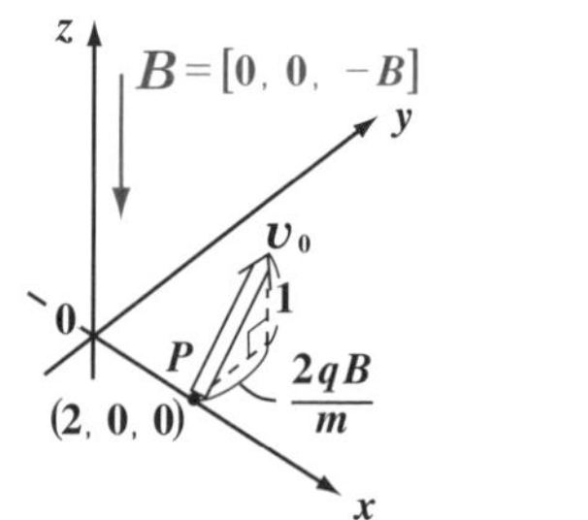

ヒント！ P の速度を $\boldsymbol{v}=[v_1,\ v_2,\ v_3]$ とおくと，粒子 P の運動方程式は，$m\dot{\boldsymbol{v}}=q\boldsymbol{v}\times\boldsymbol{B}$ となる。この右辺は，P に働くローレンツ力だね。

解答＆解説

時刻 $t(\geqq 0)$ に，荷電粒子 P が速度 $\boldsymbol{v}=[v_1,\ v_2,\ v_3]$ で運動しているものとすると，この P に働く力は，ローレンツ力 $q\boldsymbol{v}\times\boldsymbol{B}$ だけなので，粒子 P の運動方程式は，$m\ddot{\boldsymbol{r}}=q\boldsymbol{v}\times\boldsymbol{B}$ より，（$\ddot{\boldsymbol{r}}=\dot{\boldsymbol{v}}$ ← "・" は，時刻 t による微分を表す。）

$m\dot{\boldsymbol{v}}=q\boldsymbol{v}\times\boldsymbol{B}$ ……① となる。

ここで，$\boldsymbol{v}=\begin{bmatrix} v_1 \\ v_2 \\ v_3 \end{bmatrix}$，$\boldsymbol{v}\times\boldsymbol{B}=\begin{bmatrix} -Bv_2 \\ Bv_1 \\ 0 \end{bmatrix}$

（$\boldsymbol{v}=[v_1,\ v_2,\ v_3]$ と $\boldsymbol{B}=[0,\ 0,\ -B]$ の外積計算：$[-Bv_2-0,\ 0+Bv_1,\ 0-0]$）

を①に代入すると，

$$m\begin{bmatrix} \dot{v}_1 \\ \dot{v}_2 \\ \dot{v}_3 \end{bmatrix}=q\begin{bmatrix} -Bv_2 \\ Bv_1 \\ 0 \end{bmatrix}$$

よって，v_1，v_2，v_3 の連立方程式

$$\begin{cases} m\dot{v}_1=-qBv_2 & \cdots\cdots② \\ m\dot{v}_2=qBv_1 & \cdots\cdots③ \\ m\dot{v}_3=0 & \cdots\cdots④ \end{cases}$$

が導ける。

（②の両辺を t で微分した式に，③の $\dot{v}_2$ を代入して，v_1 だけの微分方程式を作ることにしよう。）

②の両辺を t で微分して，$m\ddot{v}_1 = -qB\dot{v}_2$ ……②´

③より，$\dot{v}_2 = \dfrac{qB}{m}v_1$ ……③´　③´を②´に代入してまとめると，

$$\ddot{v}_1 = -\underbrace{\frac{q^2B^2}{m^2}}_{\omega^2}v_1$$

ここで，$\omega = \dfrac{qB}{m}$ (>0) とおくと，

$\ddot{v}_1 = -\omega^2 v_1$ ……⑤

一般に2階線形微分方程式：
$\ddot{x} = -\omega^2 x$ の一般解は，
$x = A_1\cos\omega t + A_2\sin\omega t$
となる。

⑤を解くと，一般解は，

$v_1(t) = A_1\cos\omega t + A_2\sin\omega t$ $(A_1, A_2$：任意定数$)$ となる。

初期条件

初速度 $\boldsymbol{v}_0 = \left[\underset{v_1(0)}{0},\ \underset{v_2(0)=2\omega}{\dfrac{2qB}{m}},\ \underset{v_3(0)}{1}\right]$ より，$t=0$ のとき，

$v_1(0) = A_1\underbrace{\cos 0}_{1} + A_2\underbrace{\sin 0}_{0} = A_1 = 0$　　$\therefore A_1 = 0$ より，

$v_1(t) = A_2\sin\omega t$ ……⑥ となる。これを t で微分して，

$\dot{v}_1(t) = \omega A_2\cos\omega t$ ……⑥´

⑥´を②に代入すると，

$$v_2(t) = -\frac{m}{qB}\dot{v}_1 = -\frac{m}{qB}\cdot\underbrace{\omega}_{\frac{qB}{m}}A_2\cos\omega t = -A_2\cos\omega t$$

$\therefore v_2(t) = -A_2\cos\omega t$ ……⑦

$t=0$ のとき，⑦は，

$v_2(0) = -A_2\underbrace{\cos 0}_{1} = -A_2 = 2\omega$

$\boldsymbol{v}_0 = \left[0,\ \underset{v_2(0)=2\omega}{\dfrac{2qB}{m}},\ 1\right]$ より

$\therefore A_2 = -2\omega$

これを⑥と⑦に代入して，

$$\begin{cases} v_1(t) = -2\omega\sin\omega t & \cdots\cdots ⑥'' \\ v_2(t) = 2\omega\cos\omega t & \cdots\cdots ⑦' \end{cases}$$

また，$m\dot{v}_3 = 0$ ……④から，

$\dot{v}_3 = 0$　　この両辺を t で積分して，

$v_3(t) = \int 0\,dt = C$ ……④´

(C：積分定数)

$t=0$ のとき，④´は，

$v_3(0) = C = 1$　　$\therefore C = 1$

これを④´に代入して，

$v_3(t) = 1$ ……⑧ となる。

粒子 P の速度の z 成分は一定

・初速度 $\boldsymbol{v}_0 = \left[0, 2\frac{qB}{m}, 1\right]$（$0 = v_1(0)$，$2\frac{qB}{m} = v_2(0)$，$\frac{qB}{m} = \omega$，$1 = v_3(0)$）

・$v_1(t) = -2\omega\sin\omega t$ ……⑥´´

・$v_2(t) = 2\omega\cos\omega t$ ………⑦´

・$m\dot{v}_3 = 0$ ………………④

・$t=0$ のときの P の位置

$(2,\ 0,\ 0)$（$2 = x(0)$，$0 = y(0)$，$0 = z(0)$）

以上より，

$$\begin{cases} v_1(t) = -2\omega\sin\omega t & \cdots\cdots⑥´ \\ v_2(t) = 2\omega\cos\omega t & \cdots\cdots⑦´ \\ v_3(t) = 1 & \cdots\cdots⑧ \end{cases}$$

⑥´,⑦´,⑧をそれぞれ t で積分して，粒子 $P(x,\ y,\ z)$ の $x(t)$，$y(t)$，$z(t)$ は，

$$\begin{cases} x(t) = \int v_1(t)dt = -2\omega\int \sin\omega t\,dt = 2\cos\omega t + C_1 \\ y(t) = \int v_2(t)dt = 2\omega\int \cos\omega t\,dt = 2\sin\omega t + C_2 \\ z(t) = \int v_3(t)dt = \int 1\,dt = t + C_3 \end{cases}$$

$t=0$ のとき，$x(0) = 2\cos 0 + C_1 = 2 + C_1 = 2$　　$\therefore C_1 = 0$

$y(0) = 2\sin 0 + C_2 = C_2 = 0$　　$\therefore C_2 = 0$

$z(0) = C_3 = 0$　　$\therefore C_3 = 0$

以上より，粒子 P の座標 $(x,\ y,\ z)$ は，

時刻 t により，

$$\begin{cases} x(t) = 2\cos\omega t \\ y(t) = 2\sin\omega t \\ z(t) = t \end{cases}$$

右図に示すように，粒子 P は，z 軸方向に速度 1 のらせん運動をし，その xy 平面への正射影は，角速度 ω，半径 2 の等速円運動をする。

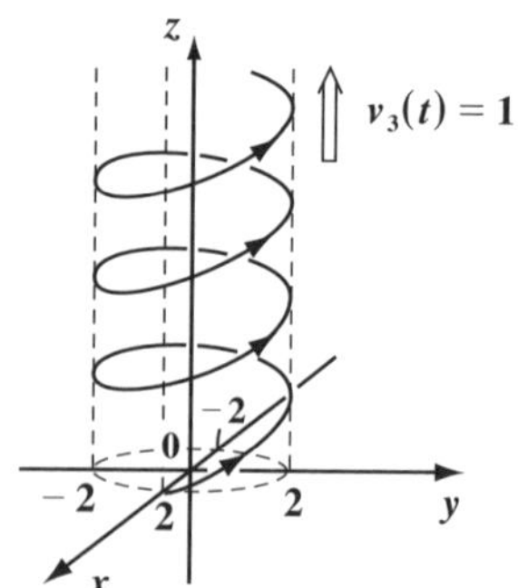

と表される。 ……………………………(答)

演習問題 71 ● ローレンツ力 (Ⅱ) ●

右図に示すように，*xyz* 座標空間内に一様な磁束密度 $\boldsymbol{B}=[0,\ 0,\ -B]\ (B>0)$ と，一様な電場 $\boldsymbol{E}=[0,\ 0,\ E]\ (E>0)$ が存在する。質量 m，電荷 $-q\ (<0)$ をもつ荷電粒子 P を点 $\left(0,\ \dfrac{mv}{qB},\ 0\right)$ におき，時刻 $t=0$ において初速度 $\boldsymbol{v}_0=[v,\ 0,\ 0]\ (v>0)$ を与えた。
このとき，荷電粒子 P の運動を時刻 $t\ (\geqq 0)$ で表せ。(ただし，P に働く重力は無視できるものとする。)

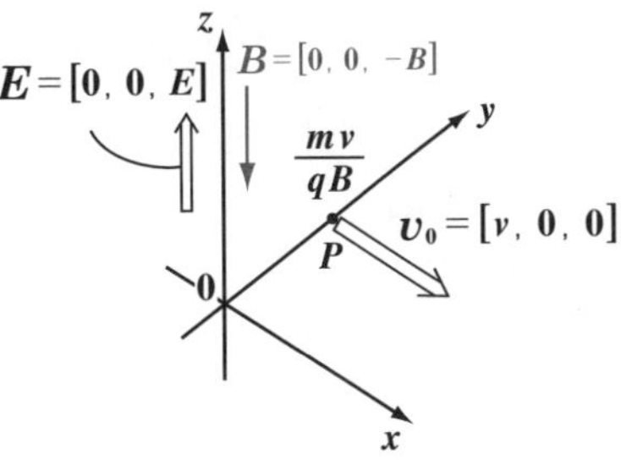

ヒント！ P の速度を $\boldsymbol{v}=[v_1,\ v_2,\ v_3]$ とおくと，粒子 P の運動方程式は，$m\dot{\boldsymbol{v}}=-q(\boldsymbol{E}+\boldsymbol{v}\times\boldsymbol{B})$ となる。この右辺の力もローレンツ力と呼ぶ。

解答＆解説

時刻 $t(\geqq 0)$ に，荷電粒子 P が速度 $\boldsymbol{v}=[v_1,\ v_2,\ v_3]$ で運動しているものとすると，この P に働く力は，ローレンツ力 (ア) ______ だけなので，粒子 P の運動方程式は，$m\ddot{\boldsymbol{r}}=-q(\boldsymbol{E}+\boldsymbol{v}\times\boldsymbol{B})$ より，($\ddot{\boldsymbol{r}}=\dot{\boldsymbol{v}}$)

$$m\dot{\boldsymbol{v}}=-q(\boldsymbol{E}+\boldsymbol{v}\times\boldsymbol{B})\cdots\cdots①$$ となる。

ここで，$\boldsymbol{v}=\begin{bmatrix}v_1\\v_2\\v_3\end{bmatrix}$，$\boldsymbol{E}=\begin{bmatrix}0\\0\\E\end{bmatrix}$，

$$\boldsymbol{v}\times\boldsymbol{B}=\begin{bmatrix}-Bv_2\\Bv_1\\0\end{bmatrix}$$

$\boldsymbol{v}=[v_1,\ v_2,\ v_3]$ と
$\boldsymbol{B}=[0,\ 0,\ -B]$ の外積計算

$$\begin{matrix}v_1 & v_2 & v_3 & v_1\\ 0 & 0 & -B & 0\end{matrix}$$
$$[-Bv_2-0,\quad 0+Bv_1,\quad 0-0]$$

を①に代入すると，

$$m\begin{bmatrix}\dot{v}_1\\\dot{v}_2\\\dot{v}_3\end{bmatrix}=-q\left(\begin{bmatrix}0\\0\\E\end{bmatrix}+\begin{bmatrix}-Bv_2\\Bv_1\\0\end{bmatrix}\right)=\begin{bmatrix}qBv_2\\-qBv_1\\-qE\end{bmatrix}$$ よって，

$$\begin{cases} m\dot{v}_1 = qBv_2 & \cdots\cdots\cdots② \\ m\dot{v}_2 = -qBv_1 & \cdots\cdots③ \\ m\dot{v}_3 = -qE & \cdots\cdots\cdots④ \end{cases}$$ となる。

$$m\begin{bmatrix} \dot{v}_1 \\ \dot{v}_2 \\ \dot{v}_3 \end{bmatrix} = \begin{bmatrix} qBv_2 \\ -qBv_1 \\ -qE \end{bmatrix}$$

③の両辺を t で微分して,

$m\ddot{v}_2 = \underbrace{-qB}_{定数}\dot{v}_1$ ……③´

②より, $\dot{v}_1 = \dfrac{qB}{m}v_2$……②´　②´を③´に代入してまとめると,

$\ddot{v}_2 = -\underbrace{\dfrac{q^2B^2}{m^2}}_{\omega^2}v_2$ となる。　ここで, $\omega = \dfrac{qB}{m}$ とおくと,

$\ddot{v}_2 = -\omega^2 v_2$ より,

単振動の微分方程式：
$\ddot{x} = -\omega^2 x$ の一般解は,
$x = A_1\cos\omega t + A_2\sin\omega t$

$v_2(t) =$ (イ)

(A_1, A_2：任意定数)

初期条件

ここで, 初速度 $\boldsymbol{v}_0 = [\underbrace{v}_{v_1(0)}, \underbrace{0}_{v_2(0)}, \underbrace{0}_{v_3(0)}]$ より, $t = 0$ のとき,

$v_2(0) = A_1\underbrace{\cos 0}_{1} + \cancel{A_2\underbrace{\sin 0}_{0}} = A_1 = 0$　　$\therefore A_1 = 0$ より,

$v_2(t) = A_2\sin\omega t$ ……⑤ となる。

⑤ の両辺を t で微分して,

$\dot{v}_2(t) = \omega A_2\cos\omega t$ ……⑤´　⑤´を③に代入して $v_1(t)$ を求めると,

$m\omega A_2\cos\omega t = -qBv_1$

$v_1(t) = -\cancel{\omega}\underbrace{\dfrac{m}{qB}}_{\frac{1}{\omega}}A_2\cos\omega t = -A_2\cos\omega t$ ……⑥

$t = 0$ のとき, $v_1(0) = -A_2\underbrace{\cos 0}_{1} = -A_2 = v$ より, $A_2 = -v$

これを⑤, ⑥に代入して,

$v_1(t) = v\cos\omega t$ ……⑥´,　　$v_2(t) = -v\sin\omega t$ ……⑤´´

④より, $\dot{v}_3 = -\dfrac{qE}{m}$　　この両辺を t で積分して,

$v_3(t) = \underbrace{-\dfrac{qE}{m}}_{定数}\int dt =$ (ウ)　　(C：積分定数)

$t=0$ のとき，$v_3(0)=C=0$ より，$C=0$

$$\therefore\ v_3(t)=-\frac{qE}{m}t \quad \cdots\cdots⑦$$

⑥´，⑤´´，⑦より，粒子 P の座標 $P(x,\ y,\ z)$ を求めると，

$$\begin{cases} x(t)=\displaystyle\int v_1(t)dt=v\int\cos\omega t\,dt=\frac{v}{\omega}\sin\omega t+C_1 & \cdots\cdots⑧ \\ y(t)=\displaystyle\int v_2(t)dt=-v\int\sin\omega t\,dt=\frac{v}{\omega}\cos\omega t+C_2 & \cdots\cdots⑨ \\ z(t)=\displaystyle\int v_3(t)dt=-\frac{qE}{m}\int t\,dt=-\frac{qE}{2m}t^2+C_3 & \cdots\cdots⑩ \end{cases}$$

$t=0$ のとき，$x(0)=0$，$y(0)=\dfrac{mv}{qB}$，$z(0)=0$ より，← $t=0$ のとき，粒子 P は，点 $\left(0,\ \dfrac{mv}{qB},\ 0\right)$ にあった。（初期条件）

$x(0)=C_1=0$ $\quad\quad\therefore\ C_1=0$

$y(0)=\dfrac{v}{\omega}+C_2=\dfrac{mv}{qB}$ $\quad\quad\therefore\ C_2=\dfrac{mv}{qB}-\dfrac{mv}{qB}=0$

（$\omega = \dfrac{qB}{m}$）

$z(0)=C_3=0$ $\quad\quad\therefore\ C_3=0$

以上を⑧，⑨，⑩に代入して，

$$\begin{cases} x(t)=\dfrac{v}{\omega}\sin\omega t \\ y(t)=\dfrac{v}{\omega}\cos\omega t \\ z(t)=-\dfrac{qE}{2m}t^2 \end{cases}$$

と表される。………………(答)

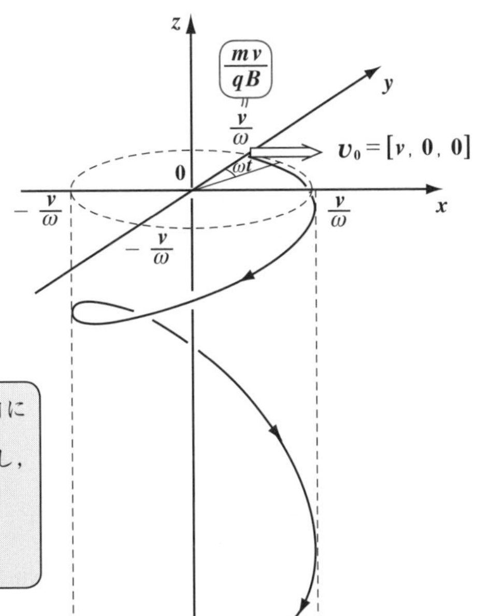

右図に示すように，粒子 P は，z 軸方向に加速度 $-\dfrac{qE}{m}$ $(=\dot{v}_3)$ の等加速度運動をし，その xy 平面への正射影は，角速度 ω，半径 $\dfrac{v}{\omega}$ の等速円運動をする。

解答 (ア) $-q(\boldsymbol{E}+\boldsymbol{v}\times\boldsymbol{B})$ (イ) $A_1\cos\omega t+A_2\sin\omega t$ (ウ) $-\dfrac{qE}{m}t+C$

時間変化する電磁場

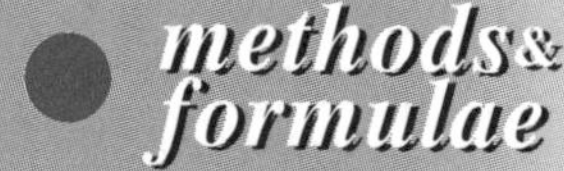

§1. アンペール・マクスウェルの法則

静電場や静磁場における特殊なマクスウェルの方程式と，時間的に変化する電磁場における一般的なマクスウェルの方程式とを対比して下に示す。

●静電場，静磁場におけるマクスウェルの方程式	●時間変化する電磁場におけるマクスウェルの方程式
(i) $\mathrm{div}\,\boldsymbol{D}=\rho$ ……(＊1)	(i) $\mathrm{div}\,\boldsymbol{D}=\rho$ ……(＊1)
(ii) $\mathrm{div}\,\boldsymbol{B}=0$ ……(＊2)	(ii) $\mathrm{div}\,\boldsymbol{B}=0$ ……(＊2)
(iii) $\mathrm{rot}\,\boldsymbol{H}=\boldsymbol{i}$ ……(＊3)´	(iii) $\mathrm{rot}\,\boldsymbol{H}=\boldsymbol{i}+\dfrac{\partial \boldsymbol{D}}{\partial t}$ ……(＊3)
(iv) $\mathrm{rot}\,\boldsymbol{E}=\boldsymbol{0}$ ……(＊4)´	(iv) $\mathrm{rot}\,\boldsymbol{E}=-\dfrac{\partial \boldsymbol{B}}{\partial t}$ ……(＊4)

クーロンの法則から導いた方程式(i) $\mathrm{div}\,\boldsymbol{D}=\rho$ と，単磁荷が存在しないことから導いた方程式(ii) $\mathrm{div}\,\boldsymbol{B}=0$ の2つは，静電場，静磁場においても，時間変化する電磁場においても同じで，修正を加える必要はない。

これに対して，静磁場において，アンペールの法則 $\left(\oint_C \boldsymbol{H}\cdot d\boldsymbol{r}=I\right)$ から導いた方程式(iii) $\mathrm{rot}\,\boldsymbol{H}=\boldsymbol{i}$ だけでは，時間変化する電磁場の問題に対応できないので，マクスウェルはこの式の右辺に新たに“**変位電流**(へんいでんりゅう)”の項 $\dfrac{\partial \boldsymbol{D}}{\partial t}$ を加えて一般化した。これに因んで，この修正を加えた方程式(iii) $\mathrm{rot}\,\boldsymbol{H}=\boldsymbol{i}+\dfrac{\partial \boldsymbol{D}}{\partial t}$ のことを“**アンペール・マクスウェルの法則**”と呼ぶ。(演習問題76)　変位電流 $\dfrac{\partial \boldsymbol{D}}{\partial t}$ は，伝導電流の電流密度 $\boldsymbol{i}$ と同じ単位 $[\mathrm{A/m^2}]$ をもつ。

さらに，静電場における方程式(iv) $\mathrm{rot}\,\boldsymbol{E}=\boldsymbol{0}$ は，静電場 $\boldsymbol{E}$ がスカラー・ポテンシャル(電位) ϕ をもち，$\boldsymbol{E}=-\mathrm{grad}\,\phi=-\nabla\phi$ と表せるための条件だった。

これに対して時間変化する電磁場における方程式(iv) $\mathrm{rot}\,\boldsymbol{E}=-\dfrac{\partial \boldsymbol{B}}{\partial t}$ は，ファラデーの“**電磁誘導の法則**”から導くことができる。(演習問題77)

電磁場が時間変化しないとき，$\boldsymbol{D}$(電束密度)と$\boldsymbol{B}$(磁束密度)は一定となる。よって，$\frac{\partial \boldsymbol{D}}{\partial t}=\boldsymbol{0}$，$\frac{\partial \boldsymbol{B}}{\partial t}=\boldsymbol{0}$となり，時間変化する電磁場でのマクスウェルの方程式(＊3)，(＊4)はそれぞれ，静電場，静磁場におけるマクスウェルの方程式(＊3)′，(＊4)′と一致する。

§2. 電磁誘導の法則

ファラデーは様々な実験を重ねた結果，「回路(コイル)を貫く磁束Φ(Wb)が時間的に変化するときにのみ，回路(コイル)に起電力が生じて電流が流れる」ことを発見した。これを“**電磁誘導の法則**”と呼び，その起電力を“**誘導起電力**”といい，その電流を“**誘導電流**”と呼ぶ。

例えば，図1に示すように，1巻きの円形コイルの中心軸に沿って，棒磁石のN極を上下に動かすと，円形コイル(回路)を貫く磁束密度$\boldsymbol{B}$(Wb/m^2)は時間的に変化する。その結果，コイルを貫く磁束Φも時間的に変化するので，コイルには誘導起電力が生じ，誘導電流Iが流れることになる。

図1 電磁誘導の法則

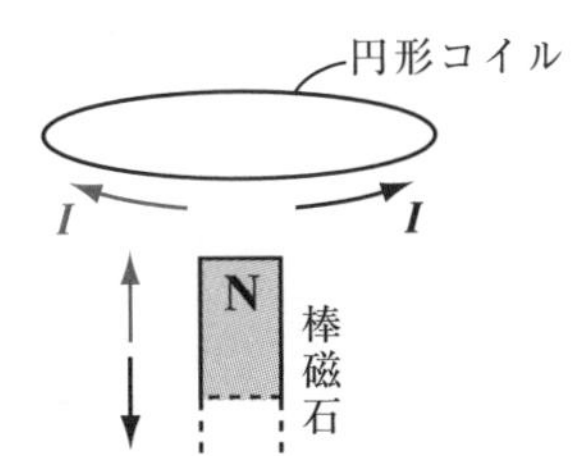

この誘導電流Iの向きについて次の“**レンツの法則**”がある。

「誘導起電力は，これによって流れる誘導電流が作る磁界が，磁束の変化を妨げる向きに生じる。」

このレンツの法則も含めて，電磁誘導の法則は次の式で表される。

$$V=-\frac{d\Phi}{dt} \quad \cdots\cdots(*)$$

$\left(V：誘導起電力\,(\mathrm{V}) \quad \Phi：磁束\,(\mathrm{Wb}) \quad t：時刻\,(\mathrm{s})\right)$

この(＊)の両辺の単位も確認しておこう。

・(左辺)$=V=\underset{(\mathrm{N/C})}{E}\cdot\underset{(\mathrm{m})}{d}$と考えると，単位$\left[\frac{\mathrm{N}}{\mathrm{C}}\cdot\mathrm{m}\right]=[\mathrm{Nm/C}]$

・(右辺)$=\frac{\Phi}{t}$と考えると，単位$\left[\frac{\mathrm{Wb}}{\mathrm{s}}\right]=\left[\frac{\mathrm{Nm}}{\mathrm{A}\cdot\mathrm{s}}\right]=[\mathrm{Nm/C}]$

(Wb = Nm/A ← 演習問題11，A・s = C)

となって，一致することが分かる。

コイルがN巻きの場合，電磁誘導の公式は，

$V=-N\dfrac{d\Phi}{dt}$ ……(＊)′となる。したがって，巻き数の多いソレノイド・コイルなどの場合でも，それに流れる電流Iが時間的に変化するときにのみ，磁束Φも時間的に変化し，その変化を妨げる向きに，(＊)′による大きな誘導電力がソレノイド・コイル自身の中に生じることになる。これを“**自己誘導**”と呼ぶ。この自己誘導の起電力は，これを生み出す元の電圧の変化を妨げる向き，すなわち逆向きに生じるので，“**逆起電力**”と呼ぶこともある。この逆起電力をこれからV_-と表すことにすると(＊)′も逆起電力を表す場合には，

（ただし，Iの時間変化は余り速くないものとする。）

$V_-=-N\dfrac{d\Phi}{dt}$ ……(＊)″となる。ここで，1巻きのコイルの磁束Φを，

$\Phi=S\cdot B$ ……① とおくと，(S：コイルの断面積(m^2) B：磁束密度(Wb/m^2))

（これは無次元（単位はない））（(T)または(N/Am)でもいい。）

N巻きのコイルの磁束は$N\Phi$となり，これは流れる電流Iに比例するので，

$N\Phi=LI$ ……② (L：比例定数）となる。Iの時間変化率がそれ程大きくなければ，Iが時間的に変化しても②が成り立つ。よって，②の両辺を時刻で微分して，⊖を付けると，

$$-\frac{d(N\Phi)}{dt}=-\frac{d(LI)}{dt}\qquad\therefore\ -N\frac{d\Phi}{dt}=-L\frac{dI}{dt}$$

となるので，(＊)″より

（$-N\dfrac{d\Phi}{dt}$ ＝ V_-（(＊)″より））

逆起電力 $V_-=-L\dfrac{dI}{dt}$ ……(＊1)が導かれる。このLを“**自己インダクタンス**”と呼び，その単位は[H（ヘンリー）]で表す。

図2に示すように，2つのコイルL_1とL_2が軸を共通に近接して置かれていたり，同一の鉄心に巻かれていたりする場合，互いに一方のコイルの変化する電流による磁束の変化が，他方のコイルに電磁誘導を引き起こす。これを“**相互誘導**”という。

図2　相互誘導

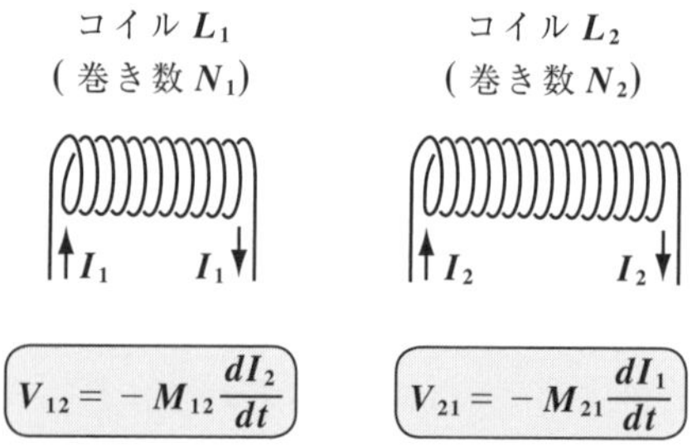

(ⅰ) コイル L_1 に流れる電流 I_1 の時間変化率 $\frac{dI_1}{dt}$ により，コイル L_2 に生じる誘導起電力 V_{21} は，次式で求められる。

$$V_{21} = -M_{21}\frac{dI_1}{dt} \quad (M_{21}:\text{相互インダクタンス}\,(\mathrm{H}))$$

(ⅱ) コイル L_2 に流れる電流 I_2 の時間変化率 $\frac{dI_2}{dt}$ により，コイル L_1 に生じる誘導起電力 V_{12} は，

$$V_{12} = -M_{12}\frac{dI_2}{dt} \quad (M_{12}:\text{相互インダクタンス}\,(\mathrm{H}))$$

2つの相互インダクタンス M_{21}，M_{12} の単位は共に(H)で，

$M_{21} = M_{12}$ の関係がある。これを"**相互インダクタンスの相反定理**"と呼ぶ。

コンデンサーに蓄えられるエネルギー $U_e = \frac{1}{2}CV^2$ から静電場のエネルギー密度 u_e は，$u_e = \frac{1}{2}\varepsilon_0 E^2$ と求められた。(演習問題 43)

同様に，図3に示すような自己インダクタンス L(H) のコイルに定常電流 I_0(A) の電流が流れているとき，ソレノイド・コイルが持っている磁場のエネルギー U_m は，I_0 が流れるようになるまで外部からなされた仕事の総和となる。電流が I $(0 \leqq I \leqq I_0)$ のとき，微小時間 Δt の間に，$I\cdot\Delta t$(C) の微小電荷を逆起電力 $V_- = -L\frac{\Delta I}{\Delta t}$ に逆らってこのコイルに流す微小な仕事を ΔW とおくと，

図3　磁場のエネルギー

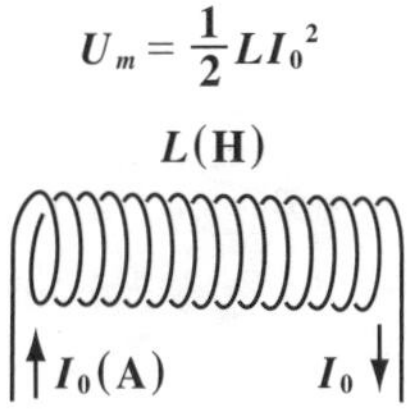

$U_m = \frac{1}{2}LI_0^2$

L(H)

I₀(A)　I₀

$\Delta W = -V_-\cdot I\Delta t = L\frac{\Delta I}{\Delta t}\cdot I\cdot\Delta t = L\cdot I\cdot\Delta I$ より，この微小な極限をとると，

$dW = LIdI$　　この両辺を積分区間 $[0, I_0]$ で，I について積分すると，

$$W = \int_0^{I_0} LIdI = L\left[\frac{1}{2}I^2\right]_0^{I_0} = \frac{1}{2}LI_0^2 \qquad \therefore U_m = \frac{1}{2}LI^2 \quad \cdots\cdots③$$ となる。

(定数)

(定常電流 I_0 の代わりに I が流れているものとする。)

ソレノイド・コイルの長さを l，断面積を S，単位長さ当たりの巻き数を n とおくと，$L = \mu_0 n^2 lS$ ……④ となる。(演習問題 74)

④を③に代入して，

$$U_m = \frac{1}{2}\cdot\mu_0 n^2 lSI^2 = \frac{1}{2}\mu_0 (\underbrace{nI}_{H(\text{磁場の強さ})})^2 lS = \frac{1}{2}\mu_0 H^2 lS$$

$U_m = \frac{1}{2}LI^2$ ……③
$L = \mu_0 n^2 lS$ ……④

よって，この磁場のエネルギー U_m を，ソレノイド・コイルの大きさ $l\cdot S$ で割ったものが **"磁場のエネルギー密度"** u_m となるので，$u_m = \frac{1}{2}\mu_0 H^2$ が導かれる。

磁場のエネルギー (U_m, u_m) と静電場のエネルギー (U_e, u_e) を対比して示す。

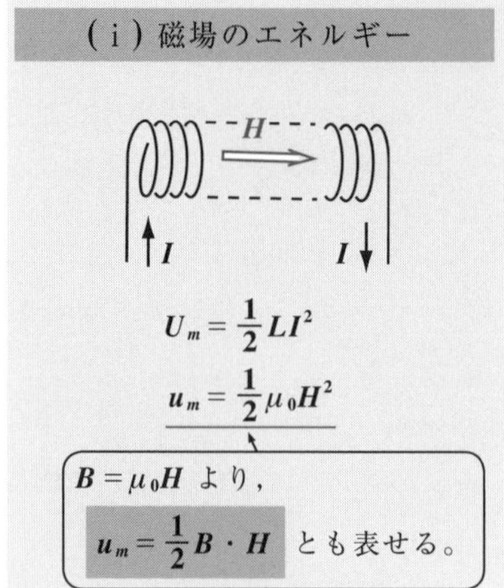

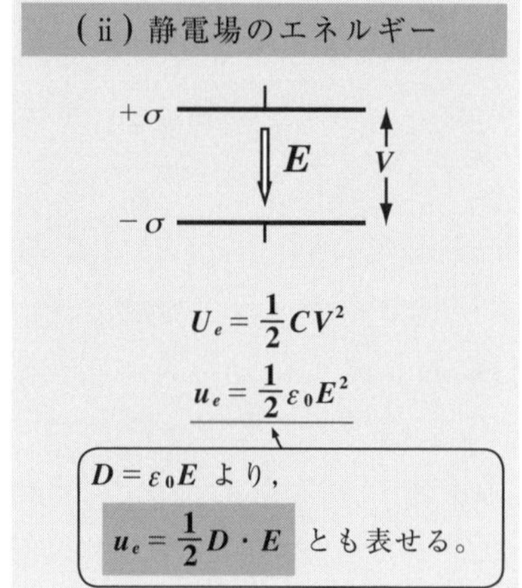

§3. さまざまな回路

抵抗 R，コイル L，コンデンサー C を直流電源や交流電源につないだ回路 (RC 回路，RL 回路，LC 回路，RLC 回路) について，その流れる電流やコンデンサーの電荷 Q の経時変化の様子を調べるには **"変数分離形の微分方程式"** や **"定数係数2階線形微分方程式"** を解くことになる。LC 回路や RLC 回路で現れる微分方程式は，力学で学んだ単振動や減衰振動などの微分方程式と本質的に同じものだ。RC 回路や RL 回路で現れる変数分離形の微分方程式：$\frac{dx}{dt} = f(t)\cdot g(x)$ ……① ($g(x) \neq 0$) の一般解を求めるには，①を，(x の式)dx = (t の式)dt の形にした後，両辺を積分して，

$$\int \underbrace{\frac{1}{g(x)}}_{(x\text{の式})} dx = \int \underbrace{f(t)}_{(t\text{の式})} dt$$ から求めればいい。

次に交流電源について，その原理は，コイルを貫く磁束を変化させ，それにより生じる誘導起電力から"**交流起電力**"が得られることにある。(演習問題 **73**)　この交流起電力は一般に，次式で表わされる。

$V = V_0 \cos \omega t$　(V_0：最大起電力 (V)，ω：角周波数 (1/s))

そして，回路を流れる交流電流 I は，位相が ϕ だけずれて，

$I = I_0 \cos(\omega t - \phi)$　(I_0：最大電流 (A)，ϕ：位相差 (−))

と表わされることが多い。よって，この回路で消費される電力 $P(=IV)$ は，

$$P = IV = I_0 \cos(\omega t - \phi) \cdot V_0 \cos \omega t$$

$$= I_0 V_0 \cos(\underbrace{\omega t - \phi}_{\alpha}) \cdot \cos \underbrace{\omega t}_{\beta}$$

積→和の公式：
$\cos\alpha \cos\beta$
$= \frac{1}{2}\{\cos(\alpha+\beta) + \cos(\alpha-\beta)\}$

$$= I_0 V_0 \cdot \frac{1}{2}\{\cos(\underbrace{\omega t - \phi + \omega t}_{\alpha+\beta}) + \cos(\underbrace{\omega t - \phi - \omega t}_{\alpha-\beta})\}$$

$$= \frac{1}{2} I_0 V_0 \{\underbrace{\cos\phi}_{定数} + \cos(2\omega t - \phi)\}$$ となる。

ここで，$\cos(2\omega t - \phi)$ は，⊕，⊖ に変動するため，この時間平均をとると，打ち消されて **0** となる。よって，時間平均をとった平均消費電力を $\langle P \rangle = \langle IV \rangle$ と表わすと，

$\langle P \rangle = \langle IV \rangle = \frac{1}{2} I_0 V_0 \cos\phi$ ……①となる。ここで，さらに最大電流 I_0

$\frac{1}{\sqrt{2}} I_0 \cdot \frac{1}{\sqrt{2}} V_0 = I_e \cdot V_e$ とおく

と最大電圧 V_0 に $\frac{1}{\sqrt{2}}$ をかけたものを電流と電圧の"**実効値**"と呼び，それぞれ I_e と V_e で表す：$I_e = \frac{1}{\sqrt{2}} I_0$，$V_e = \frac{1}{\sqrt{2}} V_0$ …②　②を①に代入して，

平均消費電力 $\langle P \rangle = I_e V_e \cos\phi$ と表わされる。この $\cos\phi$ を"**力率**（りきりつ）"と呼ぶ。

ここで，消費電力 $P = IV$ の単位は，$\left[\underbrace{\mathrm{A}}_{I\text{の単位}} \cdot \underbrace{\frac{\mathrm{N}}{\mathrm{C}} \cdot \mathrm{m}}_{V\text{の単位}}\right] = \left[\frac{\mathrm{ANm}}{\underbrace{\mathrm{A \cdot s}}_{\mathrm{C}}}\right] = \left[\frac{\mathrm{J}}{\mathrm{s}}\right] = [\mathrm{J/s}]$

となって，単位時間当りのエネルギー (仕事)，すなわち仕事率の単位になる。

演習問題 72　● 電磁誘導の法則 ●

右図に示すように，z 軸の負の向きに一様な磁束密度 $B = 0.06(\mathrm{Wb/m^2})$ が存在する。xyz 座標空間内に，コの字型の導線 **ABCD** が，**AB** と **CD** は x 軸と平行に，**BC** は y 軸と平行になるように置かれている。**BC** の長さは $l = 30(\mathrm{cm})$ で，**BC** 間にのみ抵抗 $R = 0.4(\Omega)$ が存在する。ここで，導体棒 **PQ** を，**BC** と平行を保ちながら，x 軸方向に一定の速さ $v = 2(\mathrm{m/s})$ で移動させるものとする。このとき，閉回路 **PBCQ** に生じる誘導起電力 $V(\mathrm{V})$ と誘導電流 $I(\mathrm{A})$ を求めよ。

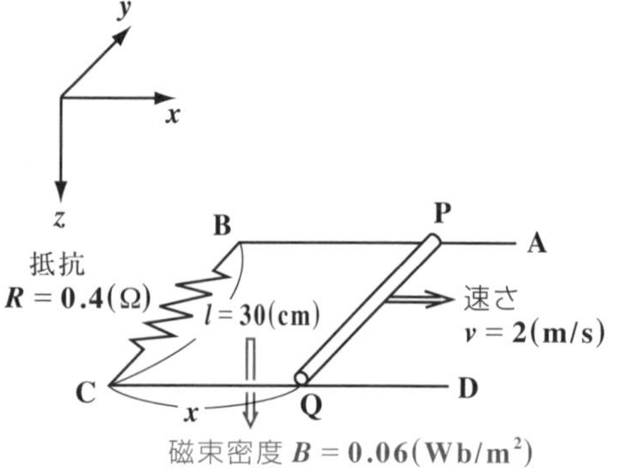

ヒント！ ファラデーの電磁誘導の法則：$V = -\frac{d\Phi}{dt}$（V：誘導起電力 (V)，Φ：磁束 (Wb)，t：時刻 (s)）で，磁束 $\Phi = \iint_S \boldsymbol{B}\cdot\boldsymbol{n}dS = \iint_S B\cdot 1\cdot\cos 0 dS = B\iint_S dS = B\cdot S$ となる。ここで，磁束密度 B は一定で，S は閉回路 **PBCQ** の面積を表す。また，$\boldsymbol{n}$ は，閉回路 **PBCQ** が囲む平面の単位法線ベクトルを表す。

解答＆解説

回路 **PBCQ** の断面（平面）と一様な磁束密度 $B(\mathrm{Wb/m^2})$ は直交するので，誘導起電力 $V = -\frac{d\Phi}{dt}$ は，

$$V = -\frac{d\Phi}{dt} = -B\cdot\frac{dS}{dt} \quad \cdots\cdots①$$

（Φ は BS）となる。（S：断面 **PBCQ** の面積）

ここで，$CQ = x$ とおくと，回路の面積 S は，$S = lx$ とおけるので，これを①に代入して，

$$V = -B\frac{d(lx)}{dt} = -Bl\frac{dx}{dt} = -Blv$$

（$\frac{dx}{dt}$ は v）となる。

これは “*Believe*” と覚えるといいかも。

これに，$B = 0.06(\mathrm{Wb/m^2})$，$l = 0.3(\mathrm{m})$，$v = 2(\mathrm{m/s})$ を代入して，求める誘導起電力 $V(\mathrm{V})$ は，

$V = -0.06 \times 0.3 \times 2 = -6 \times 10^{-2} \times 3 \times 10^{-1} \times 2 = -3.6 \times 10^{-2}(\mathrm{V})$ …(答)

導体棒 PQ が $v = 2(\mathrm{m/s})$ で移動するので，回路 PBCQ を貫く磁束は，毎秒 Blv だけ増加していくことになる。よって，これを妨げて，磁束を減少させる向きに誘導起電力は発生するので，誘導電流 I も P → B → C → Q → P の向きに流れる。I の大きさは，オームの法則：$\underset{Blv}{V} = RI$ を用いて，

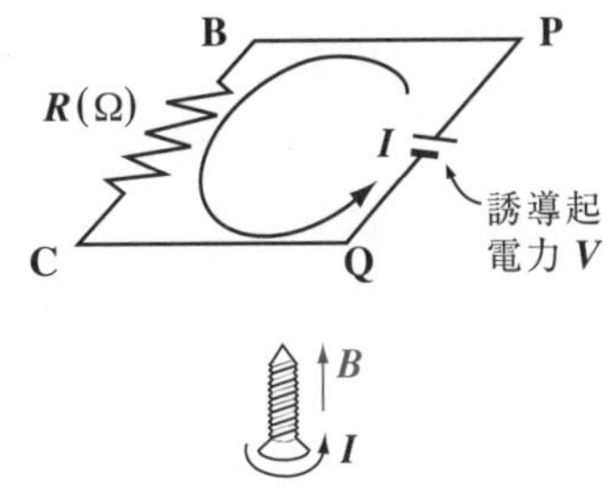

誘導電流 $I = \dfrac{V}{R} = \dfrac{Blv}{R} = \dfrac{3.6 \times 10^{-2}}{0.4} = 9 \times 10^{-2}(\mathrm{A})$ となる。…………(答)

別解

図(i)のように，磁場 $\boldsymbol{B}$ を垂直に横切るとき，導体棒 PQ 中の電荷 $-e$ (C) をもつ自由電子には，P → Q に向かうローレンツ力 $f_1 = evB$ が働くため，自由電子は速やかに Q の方に移動する。よって，図(ii)に示すように P に正の電荷が現れる。その結果，P → Q に向かう電場 E が生じるため，自由電子には，ローレンツ $f_1 = evB$ とは逆向きにクーロン力 $f_2 = eE$ が働く。この 2 力がつり合って，自由電子の移動はなくなる。$f_1 = f_2$ より，$\cancel{e}vB = \cancel{e}E$ ∴電場の強さ $E = vB$ より，導体棒 PQ には，誘導起電力 $V = l \cdot E = lvB = Blv = 0.06 \times 0.3 \times 2 = 3.6 \times 10^{-2}$ (V) が生じる。…(答) （P が Q より V だけ高電位になる。）

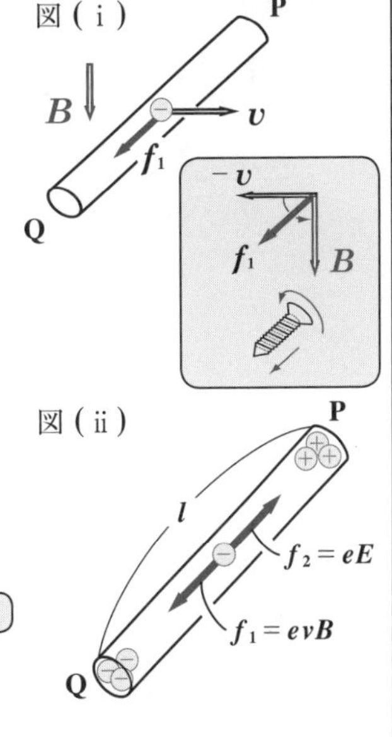

よって，これに抵抗 $R = 0.4(\Omega)$ の回路 PBCQ をつなぐと，P → B → C → Q の向きに誘導電流

$I = \dfrac{V}{R} = \dfrac{Blv}{R} = \dfrac{3.6 \times 10^{-2}}{0.4} = 9 \times 10^{-2}(\mathrm{A})$ が流れる。……(答)

演習問題 73　● 交流発電機の原理 ●

右図に示すように，時間変化する磁束密度 $B = B_0\sin\omega t$ の中で，断面積 S の円形の 1 巻きのコイルを，その回転軸 OO' が磁束密度と垂直に，角速度 $\omega(1/s)$ で回転させる。時刻 $t = 0$ のとき，このコイルの面は磁束密度と垂直であったものとして，このコイルに発生する誘導起電力 V を t の関数として求めよ。

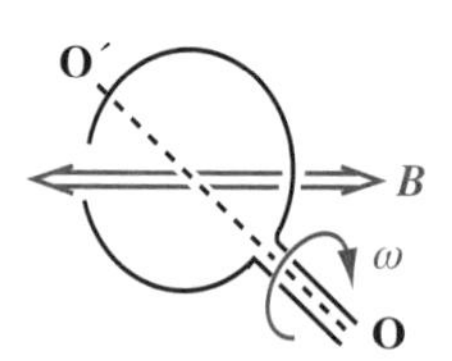

ヒント！ コイルの面に垂直な単位法線ベクトルを $\boldsymbol{n}$ とおくと，このコイルを貫く磁束 $\varPhi$ は，$\varPhi = \boldsymbol{B}\cdot\boldsymbol{n}S = BS\cos\omega t$ (Wb) となる。後は，ファラデーの電磁誘導の法則を用いればいいね。

解答＆解説

右図に示すように，t 秒後にこの円形のコイルは断面が垂直な位置から ωt だけ回転している。よって，このコイルを貫く磁束 $\varPhi$ は，

$$\varPhi = \underline{\boldsymbol{B}\cdot\boldsymbol{n}}S = \underline{B}S\cos\omega t \ (\mathrm{Wb})$$ となる。

（$\boldsymbol{B}\cdot\boldsymbol{n} = \|\boldsymbol{B}\|\|\boldsymbol{n}\|\cos\omega t = B\cos\omega t$，$\|\boldsymbol{B}\| = B$，$\|\boldsymbol{n}\| = 1$，$B = B_0\sin\omega t$）

$$= B_0S\cdot\sin\omega t\cdot\cos\omega t$$

（$\boldsymbol{n}$：コイルの断面に対する単位法線ベクトル）

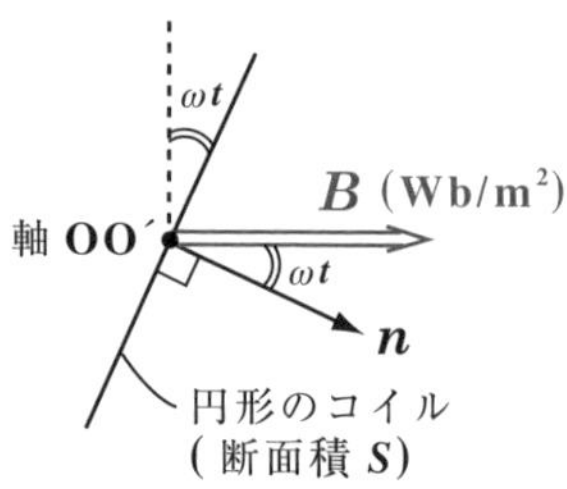

（コイルを OO´ 方向から見た図）

したがって，このコイルに発生する誘導起電力 V は，ファラデーの電磁誘導の法則より，

$$V = -\frac{d\varPhi}{dt} = -\frac{d}{dt}(B_0S\cdot\underline{\sin\omega t\cdot\cos\omega t})$$

（$\sin\omega t\cdot\cos\omega t = \frac{1}{2}\sin 2\omega t$ ← 2 倍角の公式：$\sin 2\theta = 2\sin\theta\cos\theta$）

$$= -\frac{1}{2}B_0S\frac{d}{dt}(\sin 2\omega t)$$

$$= -\frac{1}{2}B_0S\cdot 2\omega\cos 2\omega t = -B_0S\omega\cos 2\omega t \ (\mathrm{V})$$ となる。……………(答)

演習問題 74　●自己インダクタンス●

右図に示すように，断面 $7(\text{cm}^2)$，長さ $5(\text{cm})$，巻き数 2000 のソレノイド・コイルがある。このソレノイド・コイルの自己インダクタンスを求めよ。ただし，ソレノイド・コイルの内部は真空であるものとする。

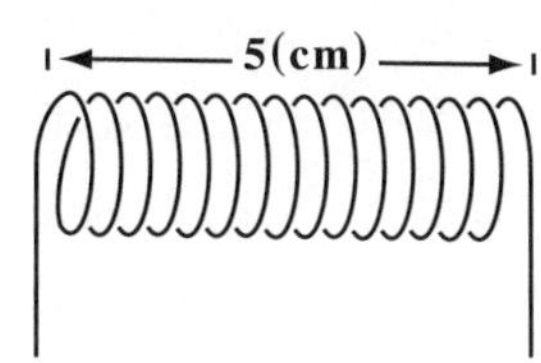

ヒント！ ソレノイド・コイルの自己インダクタンス L を求めるには，このコイルに定常電流 I を流しているものとして，磁束 Φ を求め，公式 $N\Phi = LI$ (N：コイルの巻き数）を使えばいい。

解答＆解説

このソレノイド・コイルに定常電流 I が流れているとき，磁場の強さ H は，n を単位長さ当たりの巻き数として，

$H =$ (ア) (A/m) となる。←演習問題 59

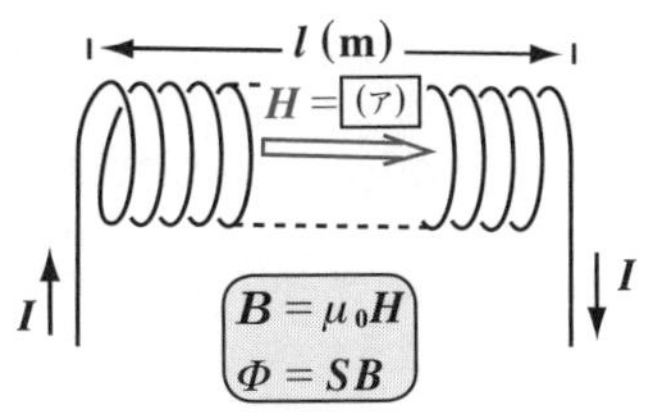

ソレノイド内部は真空なので，これに真空の透磁率 μ_0 をかけて，磁束密度 B は，

$B = \mu_0 H =$ (イ) (Wb/m^2)

ソレノイド内部の磁束密度は一様なので，これに断面積 S をかけたものが，コイル 1 巻き当たりの磁束 Φ となる。　$\therefore \Phi = S \cdot B =$ (ウ) (Wb) …①

N 巻きのコイルの磁束は $N\Phi$ となり，これは電流 I に比例するので，

$N\Phi = LI$ ……②　(L：コイルの自己インダクタンス）

①を②に代入して，このソレノイド・コイルの自己インダクタンス L は，

$$L = \frac{N \cdot \Phi}{I} = \frac{nl \cdot (\text{ウ})}{I} = \mu_0 n^2 l S = \mu_0 \frac{(nl)^2}{l} S$$

（$N = nl$（l：コイルの長さ））

$$= \mu_0 \frac{N^2}{l} S = (\text{エ}) \times \frac{2000^2}{0.05} \times 7 \times 10^{-4} = 7.0 \times 10^{-2}(\text{H}) \quad \cdots\cdots\cdots(\text{答})$$

解答　(ア) nI　(イ) $\mu_0 nI$　(ウ) $S\mu_0 nI$　(エ) $4\pi \times 10^{-7}$

演習問題 75　●相互インダクタンス●

右図のように，無限に伸びた直線状の導線と，それに隣接する半径 a の円形コイルが xy 平面上にあるとき，この導線と円形コイルの相互インダクタンスを求めよ。ただし，導線と円形コイルは隣接しているが，接していないものとする。

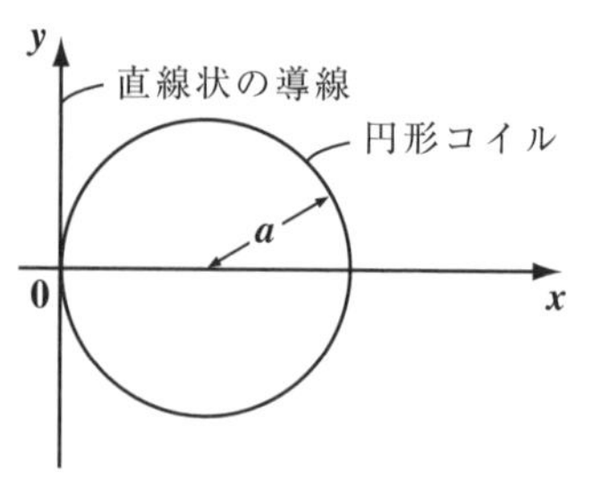

ヒント！ 直線状の導線に電流 I が流れているものとし，I が時間変化するとき，円形コイルに起電力 V が生じる。これを相互誘導と呼び，この生じた起電力 V は，$V=-M\dfrac{dI}{dt}$ で表される。この定数 M を相互インダクタンスと呼ぶんだね。

解答＆解説

無限に長い直線状の導線に電流 I を流すと，導線からの距離 x における磁場 H は，$H=\dfrac{I}{2\pi x}$ となる。よって磁束密度 B は，

$$B=\mu_0 H=\frac{\mu_0 I}{2\pi x}\quad\cdots\cdots①$$

右図のように，区間 $[x,\ x+\Delta x]$ における網目部の面積を ΔS とおくと，ΔS は次式で近似できる。

$$\Delta S=2\sqrt{2ax-x^2}\cdot\Delta x\quad\cdots\cdots②$$

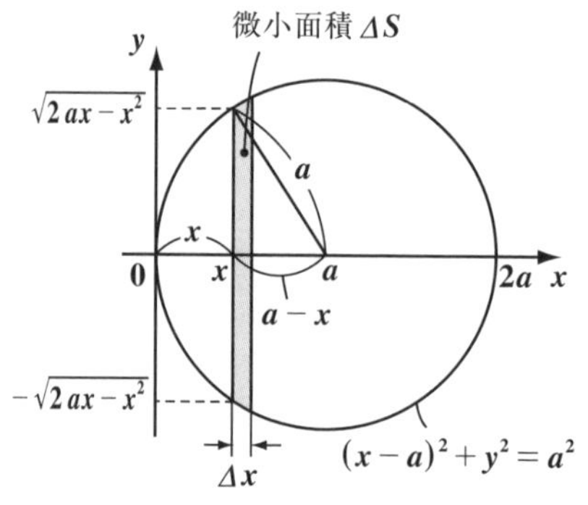

$$\begin{aligned}\Delta S&=2\sqrt{a^2-(a-x)^2}\cdot\Delta x\\&=2\sqrt{2ax-x^2}\cdot\Delta x\end{aligned}$$

よって，この網目部を貫く磁束 $\Delta\Phi$ は，①，②を用いて，

$$\Delta\Phi=B\cdot\Delta S=\frac{\mu_0 I}{2\pi x}\cdot 2\sqrt{2ax-x^2}\cdot\Delta x$$

$$=\frac{\mu_0 I}{\pi}\sqrt{\frac{2ax-x^2}{x^2}}\cdot\Delta x=\frac{\mu_0 I}{\pi}\sqrt{\frac{2a-x}{x}}\cdot\Delta x$$

∴円形コイルを貫く磁束は,

$$\Phi = \int_0^{2a} \frac{\mu_0 I}{\pi}\sqrt{\frac{2a-x}{x}}\,dx = \frac{\mu_0 I}{\pi}\int_0^{2a}\sqrt{\frac{2a-x}{x}}\,dx \quad \cdots\cdots③$$

ここで右図に示すように,

$x = 2a\cos^2\theta \quad \left(0 \leqq \theta < \frac{\pi}{2}\right)$

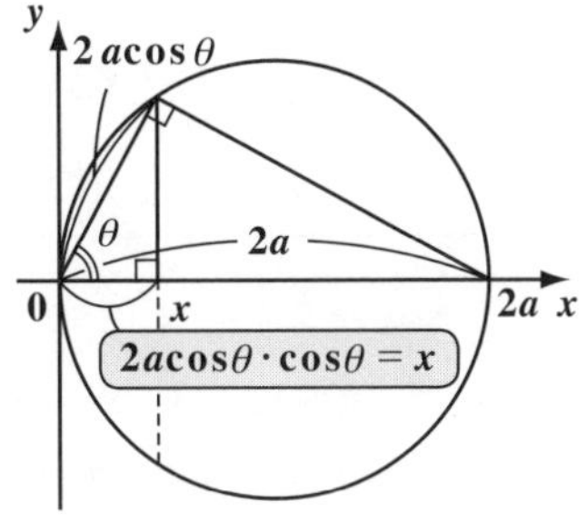

とおくと,

合成関数の微分

$$dx = 2a \cdot 2\cos\theta \cdot (-\sin\theta)d\theta$$
$$= -4a\cos\theta \cdot \sin\theta d\theta$$

$\begin{cases} x : 0 \longrightarrow 2a \text{ のとき,} \\ \theta : \frac{\pi}{2} \longrightarrow 0 \end{cases}$

よって，③を θ での積分に変数変換すると，

$2a(1-\cos^2\theta) = 2a\sin^2\theta$

$$\Phi = \frac{\mu_0 I}{\pi}\int_0^{2a}\sqrt{\frac{2a-x}{x}}\,dx = \frac{\mu_0 I}{\pi}\int_{\frac{\pi}{2}}^{0}\sqrt{\frac{2a-2a\cos^2\theta}{2a\cos^2\theta}}(-4a\cos\theta \cdot \sin\theta)d\theta$$

$$= \frac{4\mu_0 aI}{\pi}\int_0^{\frac{\pi}{2}}\sqrt{\left(\frac{\sin\theta}{\cos\theta}\right)^2}\cos\theta \cdot \sin\theta d\theta = \frac{4\mu_0 aI}{\pi}\int_0^{\frac{\pi}{2}}\sin^2\theta\, d\theta$$

$\frac{\sin\theta}{\cos\theta}\cdot\cos\theta\cdot\sin\theta = \sin^2\theta$

$\frac{1-\cos 2\theta}{2}$ ← 半角の公式

$$= \frac{4\mu_0 aI}{\pi}\cdot\frac{1}{2}\int_0^{\frac{\pi}{2}}(1-\cos 2\theta)d\theta = \frac{2\mu_0 aI}{\pi}\left[\theta - \frac{1}{2}\sin 2\theta\right]_0^{\frac{\pi}{2}}$$

$$= \frac{2\mu_0 aI}{\pi}\cdot\frac{\pi}{2} = \mu_0 a \cdot I$$

定数 ($\mu_0 a$)　$I(t)$：時刻 t の関数

∴ $\Phi(t) = \mu_0 a \cdot I(t)$ とおけるので，この両辺を時刻 t で微分して，

$$\frac{d\Phi}{dt} = \mu_0 a \cdot \frac{dI}{dt}$$

よって，円形コイルに誘導される起電力 V は電磁誘導の法則より，

$$V = -\frac{d\Phi}{dt} = -\underbrace{\mu_0 a}_{M}\cdot\frac{dI}{dt} \text{ となる。}$$

従って，直線状の導線と，隣接する円形コイルの間の相互インダクタンスを M とおくと，$M = \mu_0 a$ となる。 ……………………………………(答)

演習問題 76　● マクスウェルの方程式 (Ⅲ) の導出 ●

静電場におけるアンペールの法則：$\mathrm{rot}\,\boldsymbol{H}=\boldsymbol{i}$ ……(＊3)′ を拡張して，時間変化する電磁場で成り立つマクスウェルの方程式 (iii)：

$$\mathrm{rot}\,\boldsymbol{H}=\boldsymbol{i}+\frac{\partial \boldsymbol{D}}{\partial t}\ \cdots\cdots(*3)$$ を導け。

($\boldsymbol{i}$：電流密度，$\boldsymbol{D}$：電束密度，t：時刻)

ヒント！ $\mathrm{rot}\,\boldsymbol{H}=\boldsymbol{i}$……(＊3)′ の両辺の発散 (div) をとると，$\mathrm{div}(\mathrm{rot}\,\boldsymbol{H})=\mathrm{div}\,\boldsymbol{i}$ となるけれど，この左辺は，公式 $\mathrm{div}(\mathrm{rot}\,\boldsymbol{f})=0$ より，恒等的に 0 となる。よって，$\mathrm{div}\,\boldsymbol{i}=0$ となるが，これは，定常電流において成り立つ式だった。(演習問題 57) 定常電流，非定常電流のいずれの場合でも成り立つのは，電荷の保存則：$\mathrm{div}\,\boldsymbol{i}=-\frac{\partial \rho}{\partial t}$ であり，この右辺の ρ にマクスウェルの方程式 (i)：$\mathrm{div}\,\boldsymbol{D}=\rho$ を代入して，$\mathrm{div}\,\boldsymbol{i}=\mathrm{div}\left(-\frac{\partial \boldsymbol{D}}{\partial t}\right)$ が導かれる。このことから，(＊3)′ の左辺に $-\frac{\partial \boldsymbol{D}}{\partial t}$ を付け加え，両辺の発散をとれば，非定常電流の場合でも成り立つ式が得られる。

解答＆解説

アンペールの法則：$\mathrm{rot}\,\boldsymbol{H}=\boldsymbol{i}$ ……(＊3)′ は，静電場，静磁場で成り立つ式なので，時刻 t に依存せず位置 $\boldsymbol{r}$ だけの関数である。

ここで，これが，時間変化する電磁場においても成り立つものとすると，磁場 $\boldsymbol{H}$ も電流密度 $\boldsymbol{i}$ も，$\boldsymbol{r}$ だけでなく時刻 t の関数となるから，

$\mathrm{rot}\,\boldsymbol{H}(\boldsymbol{r},\ t)=\boldsymbol{i}(\boldsymbol{r},\ t)$ ……① と表せる。

この①の両辺の発散をとると，

$\underbrace{\mathrm{div}\big(\mathrm{rot}\,\boldsymbol{H}(\boldsymbol{r},\ t)\big)}_{0}=\mathrm{div}\,\boldsymbol{i}(\boldsymbol{r},\ t)$ となる。ここで，$\mathrm{div}\big(\mathrm{rot}\,\boldsymbol{H}\big)=0$ より，

(0 ← 公式：$\mathrm{div}(\mathrm{rot}\,\boldsymbol{f})=0$ (演習問題 5) より)

$\mathrm{div}\,\boldsymbol{i}(\boldsymbol{r},\ t)=0$ ……② となるが，②は定常電流の場合に成り立ち，非定常電流の場合には成り立たない。

よって，(＊3)′ は時間変化する電磁場では成り立たない。

ここで，電荷の保存則：$\mathrm{div}\,\boldsymbol{i}(\boldsymbol{r},\ t) = -\dfrac{\partial\rho(\boldsymbol{r},\ t)}{\partial t}$ ……③ と，

マクスウェルの方程式(ⅰ)：$\mathrm{div}\,\boldsymbol{D}(\boldsymbol{r},\ t) = \rho(\boldsymbol{r},\ t)$……(＊1) は，

時間変化する電磁場でも成り立つので，(＊1) を③に代入すると，

$$\mathrm{div}\,\boldsymbol{i}(\boldsymbol{r},\ t) = -\frac{\partial}{\partial t}\left(\mathrm{div}\,\boldsymbol{D}(\boldsymbol{r},\ t)\right) = \mathrm{div}\left(-\frac{\partial \boldsymbol{D}(\boldsymbol{r},\ t)}{\partial t}\right)$$

$\therefore\ \mathrm{div}\left(-\dfrac{\partial \boldsymbol{D}(\boldsymbol{r},\ t)}{\partial t}\right) = \mathrm{div}\,\boldsymbol{i}(\boldsymbol{r},\ t)$ ……④は，定常・非定常を問わず一般に成り立つ式である。

よって，$-\dfrac{\partial \boldsymbol{D}(\boldsymbol{r},t)}{\partial t}$ を，$\mathrm{rot}\,\boldsymbol{H}(\boldsymbol{r},t) = \boldsymbol{i}(\boldsymbol{r},t)$ …①の左辺に付け加えて，

$\mathrm{rot}\,\boldsymbol{H}(\boldsymbol{r},\ t) - \dfrac{\partial \boldsymbol{D}(\boldsymbol{r},\ t)}{\partial t} = \boldsymbol{i}(\boldsymbol{r},\ t)$ …⑤とし，この両辺の発散をとると，

$\mathrm{div}\left(\mathrm{rot}\,\boldsymbol{H}(\boldsymbol{r},\ t) - \dfrac{\partial \boldsymbol{D}(\boldsymbol{r},\ t)}{\partial t}\right) = \mathrm{div}\,\boldsymbol{i}(\boldsymbol{r},\ t)$ となり，これより，

$$\mathrm{div}\left(\mathrm{rot}\,\boldsymbol{H}(\boldsymbol{r},\ t)\right) - \mathrm{div}\left(\frac{\partial \boldsymbol{D}(\boldsymbol{r},\ t)}{\partial t}\right)$$

$\mathrm{div}\left(\mathrm{rot}\,\boldsymbol{H}(\boldsymbol{r},\ t)\right) = 0$，　$-\mathrm{div}\left(\dfrac{\partial \boldsymbol{D}(\boldsymbol{r},\ t)}{\partial t}\right) = \mathrm{div}\left(-\dfrac{\partial \boldsymbol{D}(\boldsymbol{r},\ t)}{\partial t}\right)$

$\mathrm{div}\left(-\dfrac{\partial \boldsymbol{D}(\boldsymbol{r},\ t)}{\partial t}\right) = \mathrm{div}\,\boldsymbol{i}(\boldsymbol{r},\ t)$ ……④ が導かれる。

以上より，定常電流，非定常電流のいずれの場合でも，⑤は成り立つ。

よって，この⑤を変形して，マクスウェルの方程式(ⅲ)：

$\mathrm{rot}\,\boldsymbol{H} = \boldsymbol{i} + \dfrac{\partial \boldsymbol{D}}{\partial t}$ ……(＊3)　が導かれる。 ……………………………………(終)

定常電流であれば，電束密度 $\boldsymbol{D}$ は時刻 t に依存せず一定だから，

$\dfrac{\partial \boldsymbol{D}}{\partial t} = 0$ となって，(＊3) から，$\mathrm{rot}\,\boldsymbol{H} = \boldsymbol{i}$ ……(＊3)′ が得られる。

また，電流密度 $\boldsymbol{i}$ が存在しないところ(コンデンサーの極板間など)

では，(＊3) は，$\mathrm{rot}\,\boldsymbol{H} = \dfrac{\partial \boldsymbol{D}}{\partial t}$ ……(＊3)″ となる。

演習問題 77　● マクスウェルの方程式(Ⅳ)の導出 ●

ファラデーの電磁誘導の法則：回路（コイル）を貫く磁束 Φ(Wb) が時刻 t に依存して変化するとき，回路（コイル）に起電力 V(V) が誘導され，V は，$V=-\dfrac{\partial \Phi}{\partial t}$ ……(＊) と表される。

（V：誘導起電力 (V)，Φ：磁束 (Wb)，t：時刻 (s)）

この電磁誘導の法則 (＊) から，マクスウェルの方程式 (iv)：

$$\mathrm{rot}\,\boldsymbol{E}=-\frac{\partial \boldsymbol{B}}{\partial t}\quad\cdots\cdots(＊4)$$ を導け。

ヒント！ 閉回路（閉曲線）C で囲まれる曲面 S を貫く全磁束 Φ(Wb) を，磁束密度 $\boldsymbol{B}$(Wb/m^2) と S の単位法線ベクトル $\boldsymbol{n}$ で表し，これを (＊) の右辺に代入する。次に，左辺の V(V) を，閉回路 C に沿って単位正電荷 1(C) を1周させるのに要する仕事で表す。この変形後，左辺にストークスの定理を用いる。

解答＆解説

右図に示すように，閉回路を閉曲線 C とみて，C に囲まれる任意の曲面 S をとる。この S の微小部分 dS における磁束密度を $\boldsymbol{B}$，dS の単位法線ベクトルを $\boldsymbol{n}$ とおくと，磁束 Φ の微小な磁束 $d\Phi$ は，

$d\Phi=$ [(ア)　　　] で与えられる。よって，これを曲面 S 全体に渡って面積分したものが，Φ になるので，

磁束 Φ と磁束密度 $\boldsymbol{B}$

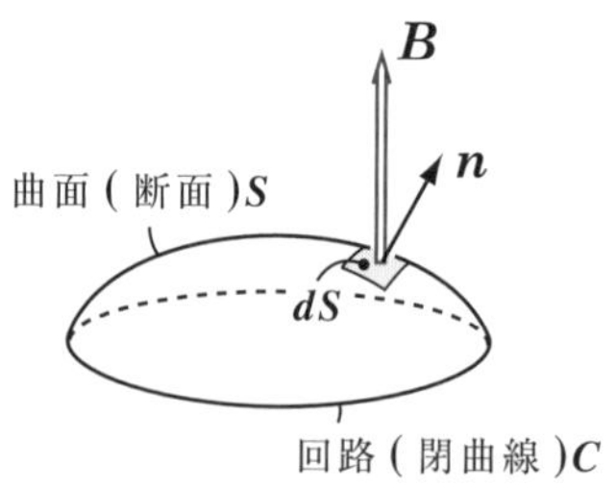

$\Phi=$ [(イ)　　　] ……① となる。

次に，Φ の時間変化によって閉回路に誘導される起電力 V は，閉回路 C に沿って単位正電荷 (1C) を1周させる仕事 W より，

$V=W=$ [(ウ)　　　] ……②と表される。

①，②を電磁誘導の法則：$V=-\frac{\partial\Phi}{\partial t}$ ……(＊) に代入して変形すると，

$$\oint_C \boldsymbol{E}\cdot d\boldsymbol{r} = -\frac{\partial}{\partial t}\left(\iint_S \boldsymbol{B}\cdot\boldsymbol{n}dS\right) \cdots\cdots ③$$

$\oint_C \boldsymbol{E}\cdot d\boldsymbol{r} = \iint_S \mathrm{rot}\,\boldsymbol{E}\cdot\boldsymbol{n}dS$（ストークスの定理 (P22)），$-\frac{\partial}{\partial t}\left(\iint_S \boldsymbol{B}\cdot\boldsymbol{n}dS\right) = \iint_S\left(-\frac{\partial \boldsymbol{B}}{\partial t}\right)\cdot\boldsymbol{n}dS$

$$\iint_S \mathrm{rot}\,\boldsymbol{E}\cdot\boldsymbol{n}dS = \iint_S\left(-\frac{\partial \boldsymbol{B}}{\partial t}\right)\cdot\boldsymbol{n}dS$$

右辺を左辺に移項して，

$$\iint_S\left(\boxed{(エ)\qquad}\right)\cdot\boldsymbol{n}dS = 0 \cdots\cdots ④$$

（$\boxed{(エ)}$ は 0）

この④の右辺が恒等的に 0 となるためには，

$\boxed{(エ)\qquad}$ $=0$ でなければならない。これから，4 番目のマクスウェルの方程式：$\mathrm{rot}\,\boldsymbol{E}=-\frac{\partial \boldsymbol{B}}{\partial t}$ ……(＊4) が導かれる。

3 番目のマクスウェルの方程式：$\mathrm{rot}\,\boldsymbol{H}=\boldsymbol{i}+\frac{\partial \boldsymbol{D}}{\partial t}$ ……(＊3) で，変位電流 $\frac{\partial \boldsymbol{D}}{\partial t}$ のみが存在して伝導電流 $\boldsymbol{i}$ が存在しない場合，$\mathrm{rot}\,\boldsymbol{H}=\frac{\partial \boldsymbol{D}}{\partial t}$ ……(＊3)′′ となる。これと，$\mathrm{rot}\,\boldsymbol{E}=-\frac{\partial \boldsymbol{B}}{\partial t}$ ……(＊4) を，以下に対比して示そう。

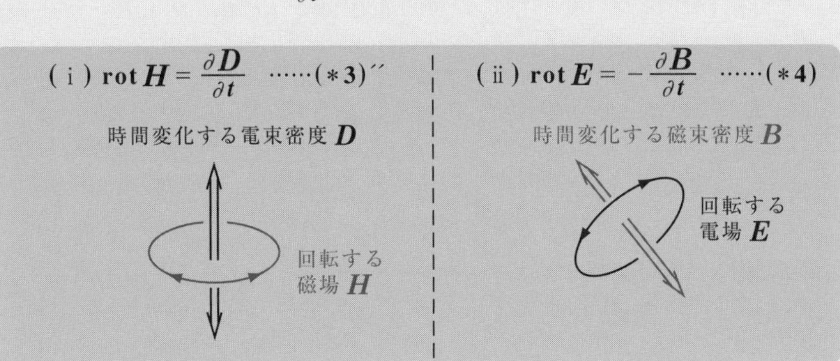

解答 (ア) $\boldsymbol{B}\cdot\boldsymbol{n}dS$　(イ) $\iint_S \boldsymbol{B}\cdot\boldsymbol{n}dS$　(ウ) $\oint_C 1\,\boldsymbol{E}\cdot d\boldsymbol{r}$ (または，$\oint_C \boldsymbol{E}\cdot d\boldsymbol{r}$)
(エ) $\mathrm{rot}\,\boldsymbol{E}+\frac{\partial \boldsymbol{B}}{\partial t}$

演習問題 78　● RC 回路 ●

右図に示すように，電気容量 C(F) のコンデンサーに，予め $\pm q_0$(C) の電荷が与えられている。これと，$R(\Omega)$ の抵抗をつないだ回路のスイッチを，時刻 $t=0$ のときに閉じるものとする。
このとき，回路に流れる電流 $i(t)$ (A) を求めよ。ただし，$RC=1$(s) とする。
(ここでは，$i(t)$ は電流であり，電流密度ではない。)

ヒント！ スイッチを閉じてから，コンデンサーの電荷 $q(t)$ と，回路に流れる電流 $i(t)$ は，時刻の経過と共に次のようになるだろう。

$$\begin{cases} (\text{i})\ q(t): q_0 \longrightarrow 0 \\ (\text{ii})\ i(t): i_0 = i(0) \longrightarrow 0 \end{cases}$$

これを，微分方程式を解いて，求めてみよう。

解答＆解説

時刻 t(s) に回路に流れる電流を $i(t)$，コンデンサーの電荷を $\pm q(t)$ とする。この閉回路について，抵抗による電圧降下 Ri と，コンデンサーの極板間の電位差 $\dfrac{q}{C}$ が等しいので，

$$Ri = \frac{q}{C} \quad \cdots\cdots①$$

（Ri：抵抗による電圧降下，$\dfrac{q}{C}$：コンデンサーによる電圧降下）

ここで，極板上の電荷 q と電流 i の関係は

$$i = -\frac{dq}{dt} \quad \cdots\cdots②$$

（極板上の電荷 $q(>0)$ は，時間の経過と共に減少するので，$\Delta q<0$ となる。よって，電流 i は正より，$\Delta q = -i\cdot\Delta t$ から，$i=-\dfrac{dq}{dt}\cdots$②が導かれる。）

②を①に代入して，

$$R\cdot\left(-\frac{dq}{dt}\right) = \frac{q}{C} \qquad \frac{dq}{dt} + \frac{1}{RC}q = 0 \quad \cdots\cdots③$$

（$RC=1$）

（t の関数 $q(t)$ の変数分離形の微分方程式だ。）

③を変形して，

$$\frac{dq}{dt} = -q \qquad \frac{1}{q}dq = -1\cdot dt$$

（(q の式)dq = (t の式)dt　今回，これは $-\dfrac{1}{RC}$(定数関数)だ。）

$$\int \frac{1}{q}\,dq = -\int dt$$

$\log q = -t + A_1$ ……④ (A_1：積分定数)

公式：$\int \frac{1}{x}dx = \log|x|$ を使った。(log は自然対数を表す。)

ここで，初期条件：$t=0$ のとき，$q=q_0$ より，

$\log q_0 = A_1$ ……⑤

⑤を④に代入して，

$\log q = -t + \log q_0$

$\log q - \log q_0 = -t$ 　　$\log\frac{q}{q_0} = -t$

($\log q - \log q_0 = \log\frac{q}{q_0}$)

$\frac{q}{q_0} = e^{-t}$

$\therefore\ q(t) = q_0 \cdot e^{-t}$ ……⑥

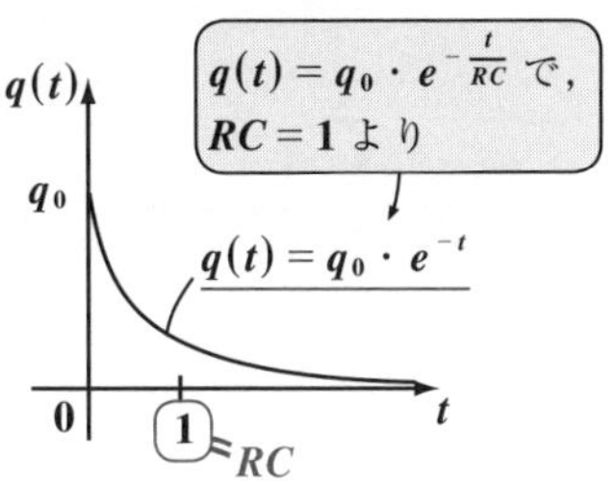

⑥の両辺を t で微分して電流 $i(t)$ を求めると，

$$i(t) = -\frac{dq(t)}{dt} = -(-q_0 \cdot e^{-t})$$

(②より)

$= q_0e^{-t}$ となる。 ………(答)

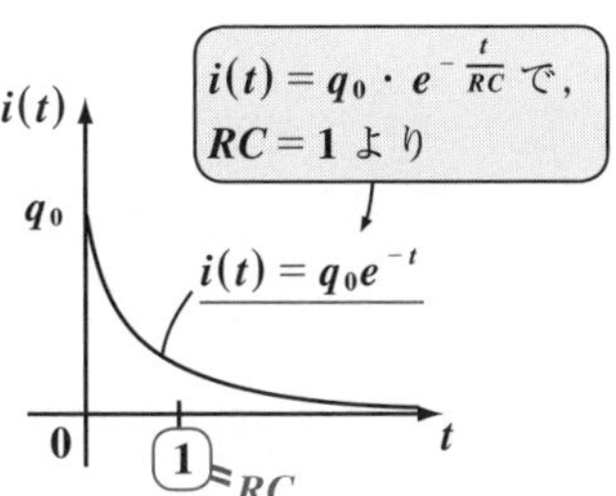

ここで，$\tau = RC$(s) はこの過渡的な現象が継続する目安を与える時間で，これが小さければ，定常状態に早く近づき，大きければ長く時間がかかる。この $\tau = RC$ を**時定数**と呼ぶ。

$\tau = RC$ の単位が [s] となることを確かめてみよう。

オームの法則 $V = RI$ より，$R = \frac{V}{I}$ 　$\therefore\ [\Omega] = \left[\frac{\mathrm{V}}{\mathrm{A}}\right]$，

$Q = CV$ より，$C = \frac{Q}{V}$ 　$\therefore\ [\mathrm{F}] = \left[\frac{\mathrm{C}}{\mathrm{V}}\right]$

よって，RC の単位は，$[\Omega \cdot \mathrm{F}] = \left[\frac{\cancel{\mathrm{V}}}{\mathrm{A}} \cdot \frac{\mathrm{C}}{\cancel{\mathrm{V}}}\right] = \left[\frac{\mathrm{C}}{\mathrm{A}}\right] = \left[\frac{\cancel{\mathrm{C}}}{\cancel{\mathrm{C}} \cdot \mathrm{s}^{-1}}\right] = [\mathrm{s}]$ となるんだね。

($\mathrm{A} = \mathrm{C} \cdot \mathrm{s}^{-1}$)

なお，本問は RC 回路の放電を取り扱ったが，同じ RC 回路の充電については，「**電磁気学キャンパス・ゼミ**」をご参照ください。

本問を，ラプラス変換を使って解いてみよう。

関数 $f(t)$ に対して，次のような s の関数 $F(s)$ を対応させる演算子を $\mathcal{L}$ とおき，これを $f(t)$ の**ラプラス変換**と定義する。

$$F(s) = \mathcal{L}[f(t)] = \int_0^\infty f(t)e^{-st}dt \quad (s：実数)$$

この $f(t)$ を**原関数**，$F(s)$ を**像関数**と呼ぶ。$f(t)$ を $F(s)$ の**ラプラス逆変換**と呼び，$f(t) = \mathcal{L}^{-1}[F(s)]$ で表す。

このラプラス変換の詳しい内容については，「**ラプラス変換キャンパス・ゼミ**」をご参照ください。

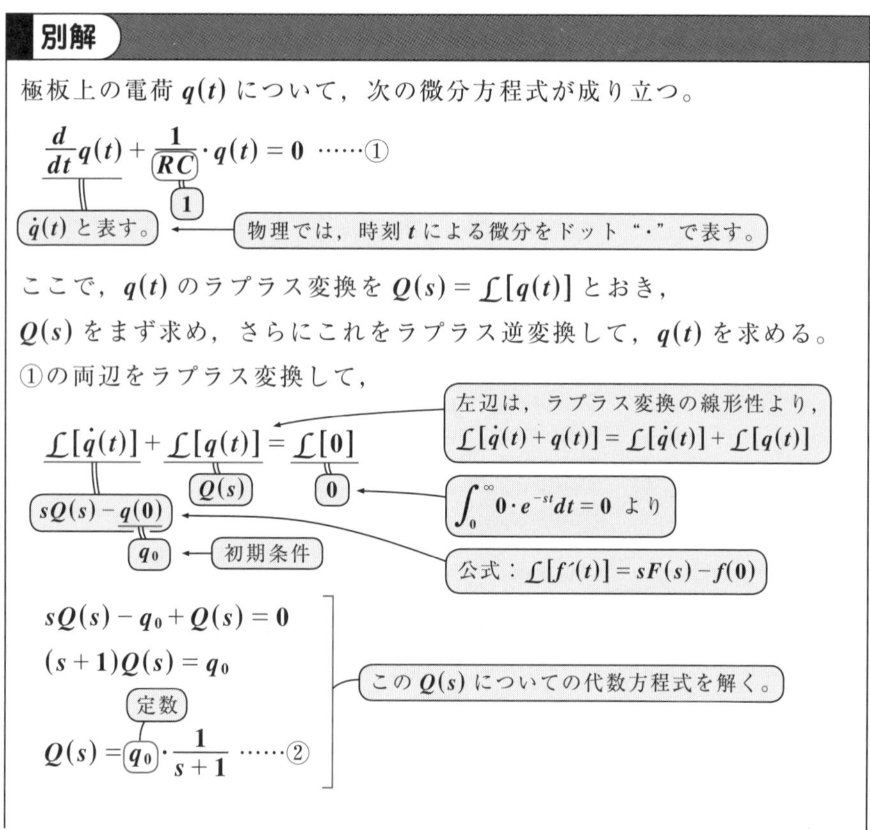

別解

極板上の電荷 $q(t)$ について，次の微分方程式が成り立つ。

$$\frac{d}{dt}q(t) + \frac{1}{RC}\cdot q(t) = 0 \quad \cdots\cdots ①$$

ここで，$q(t)$ のラプラス変換を $Q(s) = \mathcal{L}[q(t)]$ とおき，

$Q(s)$ をまず求め，さらにこれをラプラス逆変換して，$q(t)$ を求める。

①の両辺をラプラス変換して，

$$\mathcal{L}[\dot{q}(t)] + \mathcal{L}[q(t)] = \mathcal{L}[0]$$

$$sQ(s) - q_0 + Q(s) = 0$$

$$(s+1)Q(s) = q_0$$

$$Q(s) = q_0 \cdot \frac{1}{s+1} \quad \cdots\cdots ②$$

②の両辺をラプラス逆変換して，$q(t)$ を求めればよいので，

$$q(t) = \mathcal{L}^{-1}[Q(s)] = q_0 \cdot \underbrace{\mathcal{L}^{-1}\left[\frac{1}{s+1}\right]}_{e^{-1\cdot t}}$$

右辺は，ラプラス逆変換の線形性より，
$\mathcal{L}^{-1}\left[q_0 \cdot \frac{1}{s+1}\right] = q_0 \cdot \mathcal{L}^{-1}\left[\frac{1}{s+1}\right]$

公式：
$\mathcal{L}^{-1}\left[\frac{1}{s-a}\right] = e^{at}$ より

$\therefore\ q(t) = q_0 \cdot e^{-t}$ となる。

よって，求める電流 $i(t)$ は，

$$i(t) = -\frac{dq(t)}{dt} = -\frac{d}{dt}(q_0 \cdot e^{-t}) = -q_0 \cdot (-e^{-t}) = q_0 e^{-t}$$ となる。 ……(答)

このように，ラプラス変換は，与えられた微分方程式をラプラス変換することにより，$Q(s)$ の代数方程式に持ち込む。そして，これを解いて，$Q(s) = (s$ の式$)$ にしたならば，この両辺をラプラス逆変換して，微分方程式の解 $q(t)$ が求められるんだね。この解法の流れを模式図で次に示す。

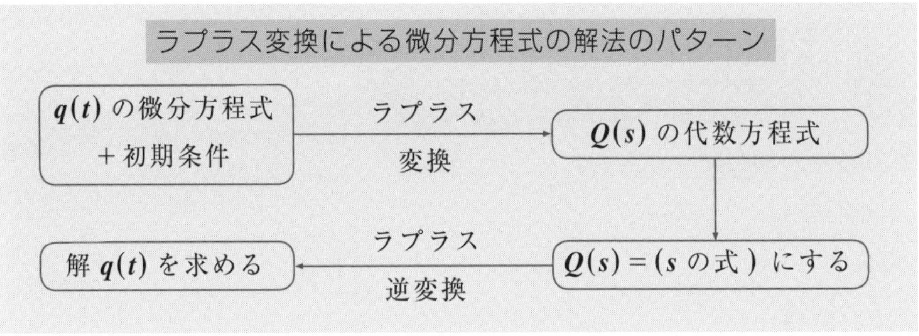

演習問題 79 ● RL 回路 ●

右図に示すように，自己インダクタンス L(H) のコイルと，R(Ω) の抵抗を直列につないだものを起電力 V_0 (V) の直流電源(電池)に接続し，まずスイッチを a に入れた。回路に一定の電流 i_0 が流れるようになった後，時刻 $t=0$ でスイッチを a から b に切り替えたとき，この回路に流れる電流 $i(t)$ (A) を求めよ。ただし，$\frac{L}{R}=1$(s) とする。(ここでは，$i(t)$ は電流であって，電流密度ではない。)

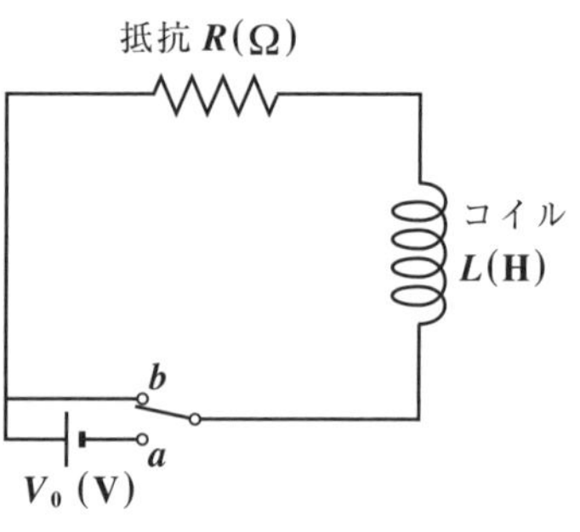

ヒント！ コイルによる逆起電力が生じるため，スイッチを a から b に切り替えてから電流 $i(t)$ は，$i(t): i_0\left(=\frac{V_0}{R}\right)\to 0$ に変化していくはずだね。まず，この閉回路について，(起電力)=(電圧降下)の方程式を作ろう。ここで，コイルによる逆起電力 $V_-=-L\frac{di}{dt}$ は，(起電力)に含まれることに注意しよう。

解答＆解説

スイッチを a から b に切り替えた後の閉回路を右図に示す。

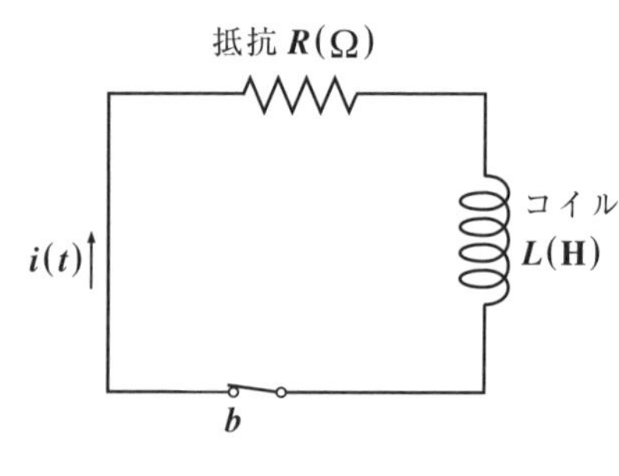

この閉回路について，

(起電力)＝ (ア)

の方程式は，

V_- ＝ $R\cdot i$

(コイルによる逆起電力 (イ)) (抵抗による電圧降下)

(イ) $=R\cdot i$ ……① ← t の関数 $i(t)$ の変数分離形の微分方程式だ！

①を変形して，

$$L\frac{di}{dt} = -R\cdot i \qquad \frac{L}{R}\frac{di}{dt} = -i$$

（$\frac{L}{R}$ は 1）

$$\frac{1}{i}di = -dt$$

←（i の式）di =（t の式）dt

今回，これは $-\frac{R}{L}$（定数関数）だ。

$$\int \frac{1}{i}di = -\int dt$$

$\log i = -t + A_1$ ……②　（A_1：積分定数）

（i は ⊕）

ここで，初期条件：$t = 0$ のとき，i = (ウ)　$\left(= \frac{V_0}{R}\right)$ より，②は，

(エ) $= A_1$ ……③ となる。　③を②に代入して，

$$\log i = -t + \log i_0$$

$$\log i - \log i_0 = -t$$

（$\log i - \log i_0 = \log\frac{i}{i_0}$）

$$\log\frac{i}{i_0} = -t \qquad \frac{i}{i_0} = \text{(オ)}$$

$\therefore\ i(t) = i_0$ (オ)　となる。……(答)

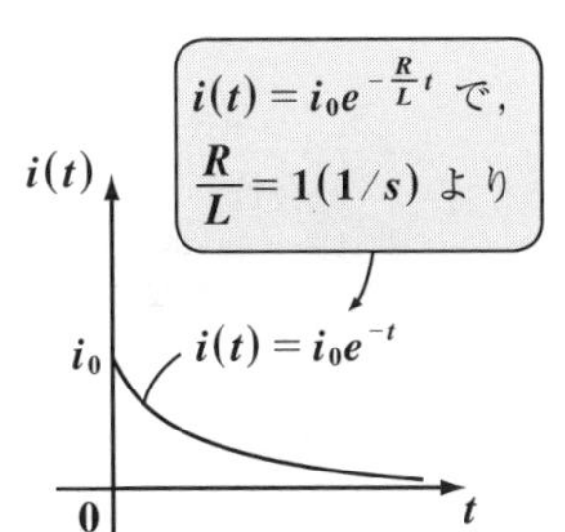

ここで，$\tau = \frac{L}{R}$(s) は，この RL 回路の時定数となる。

$\tau = \frac{L}{R}$ の単位が，[s] となることを確かめておこう。

オームの法則 $V = RI$ より，$[\Omega] = \left[\frac{\mathrm{V}}{\mathrm{A}}\right]$

逆起電力 $V_- = -L\frac{di}{dt}$ より，$[\mathrm{H}] = \left[\mathrm{V}\cdot\frac{\mathrm{s}}{\mathrm{A}}\right]$

よって，$\frac{L}{R}$ の単位は，

$\left[\frac{\mathrm{H}}{\Omega}\right] = \left[\cancel{\mathrm{V}}\cdot\frac{\mathrm{s}}{\cancel{\mathrm{A}}}\cdot\frac{\cancel{\mathrm{A}}}{\cancel{\mathrm{V}}}\right] = [\mathrm{s}]$ となる。

ラプラス変換による別解を次に示そう。

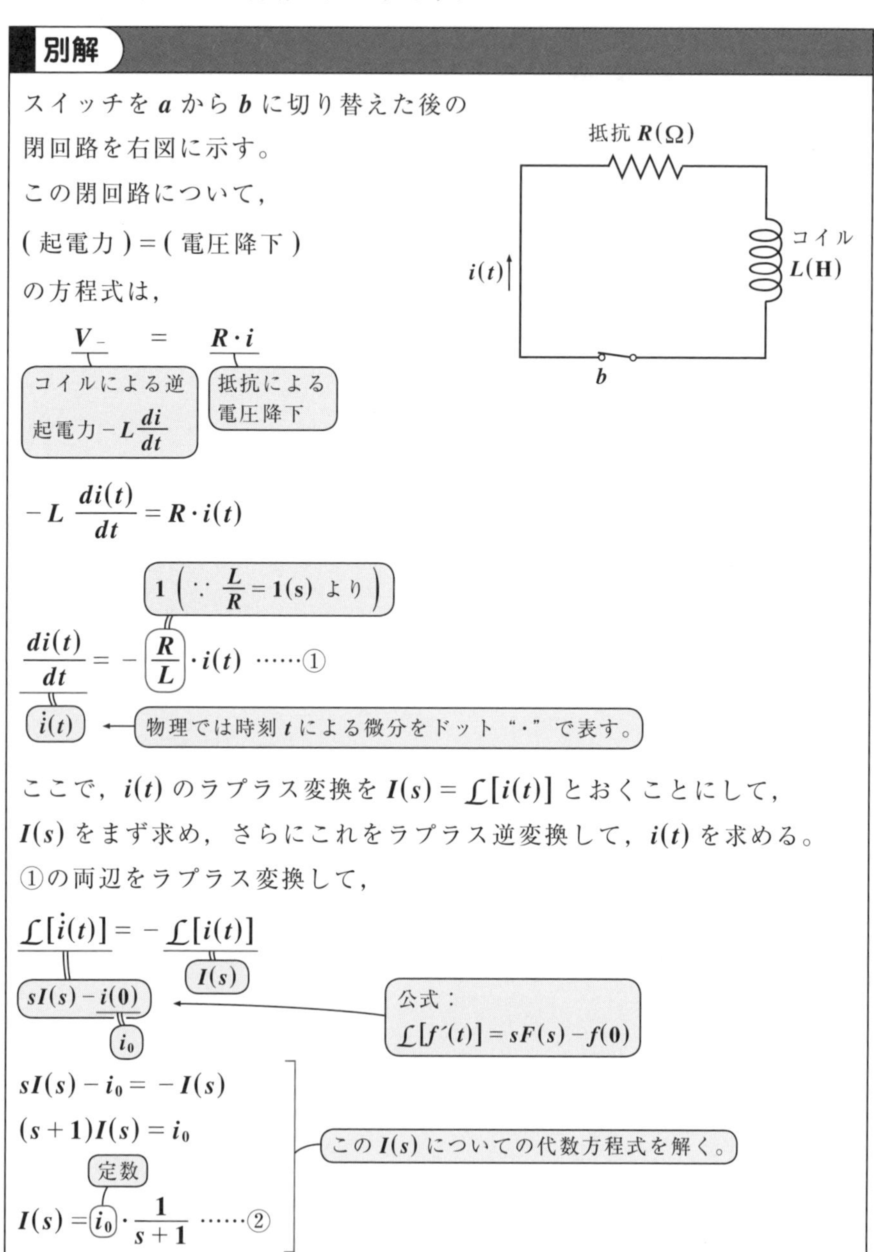

別解

スイッチを a から b に切り替えた後の閉回路を右図に示す。

この閉回路について，

(起電力) = (電圧降下)

の方程式は，

$$V_{-} = R\cdot i$$

（V_{-}：コイルによる逆起電力 $-L\dfrac{di}{dt}$，$R\cdot i$：抵抗による電圧降下）

$$-L\frac{di(t)}{dt} = R\cdot i(t)$$

$$\frac{di(t)}{dt} = -\frac{R}{L}\cdot i(t) \quad \cdots\cdots①$$

（$\dfrac{R}{L}$：$1 \left(\because \dfrac{L}{R} = 1(\mathrm{s}) \text{ より}\right)$）

（$\dfrac{di(t)}{dt} = \dot{i}(t)$）← 物理では時刻 t による微分をドット"・"で表す。

ここで，$i(t)$ のラプラス変換を $I(s) = \mathcal{L}[i(t)]$ とおくことにして，$I(s)$ をまず求め，さらにこれをラプラス逆変換して，$i(t)$ を求める。

①の両辺をラプラス変換して，

$$\mathcal{L}[\dot{i}(t)] = -\mathcal{L}[i(t)]$$

（$\mathcal{L}[\dot{i}(t)] = sI(s) - i(0)$，$i(0) = i_0$，$\mathcal{L}[i(t)] = I(s)$）← 公式：$\mathcal{L}[f'(t)] = sF(s) - f(0)$

$$sI(s) - i_0 = -I(s)$$

$$(s+1)I(s) = i_0$$

$$I(s) = i_0 \cdot \frac{1}{s+1} \quad \cdots\cdots②$$

（i_0：定数）

この $I(s)$ についての代数方程式を解く。

②の両辺をラプラス逆変換して，$i(t)$ を求めればよいので，

$i(t) = \mathcal{L}^{-1}[I(s)]$

$= \mathcal{L}^{-1}\left[i_0 \cdot \dfrac{1}{s+1}\right]$ ← ラプラス逆変換でも線形性 $\mathcal{L}^{-1}[k \cdot F(s)] = k \cdot \mathcal{L}^{-1}[F(s)]$ が成り立つんだね。

$= i_0 \cdot \underline{\mathcal{L}^{-1}\left[\dfrac{1}{s+1}\right]}$ ($= e^{-1 \cdot t}$) ← 公式：$\mathcal{L}^{-1}\left[\dfrac{1}{s-a}\right] = e^{at}$ より

$\therefore\ i(t) = i_0 \cdot e^{-t}$ となる。 ……………………………………(答)

自己インダクタンス L(H) のコイルと R(Ω) の抵抗を直列につないだものを起電力 V_0(V) の直流電源(電池)に接続し，時刻 $t = 0$ にスイッチを a に入れた場合，

(起電力) = (電圧降下) の方程式は，

$\underline{V_0} - L\dfrac{di}{dt} = R \cdot i$ となる。

(この定数が加わる。)

これは $i(t)$ の変数分離形の微分方程式より，解答と同様に変形して，

$i(t) = \dfrac{V_0}{R}(1 - e^{-t})$ が導かれる。(右図)

(この詳しい導出は，「**電磁気学キャンパス・ゼミ**」をご参照ください。)

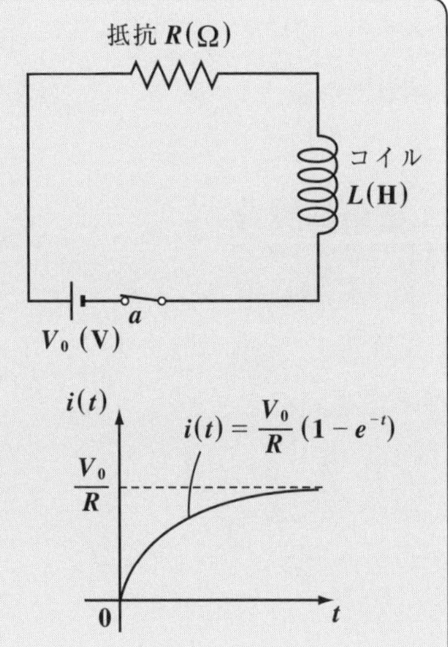

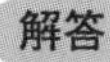
解答 (ア) 電圧降下 (イ) $-L\dfrac{di}{dt}$ (ウ) i_0 (エ) $\log i_0$ (オ) e^{-t}

演習問題 80 ●LC 回路(振動回路)●

右図に示すように，電気容量 $C(\mathrm{F})$ のコンデンサーに予め $\pm Q_0(\mathrm{C})$ の電荷が与えられているものとする。これと，自己インダクタンス $L(\mathrm{H})$ のコイルをつないだ回路のスイッチを，時刻 $t=0$ のときに閉じるものとする。

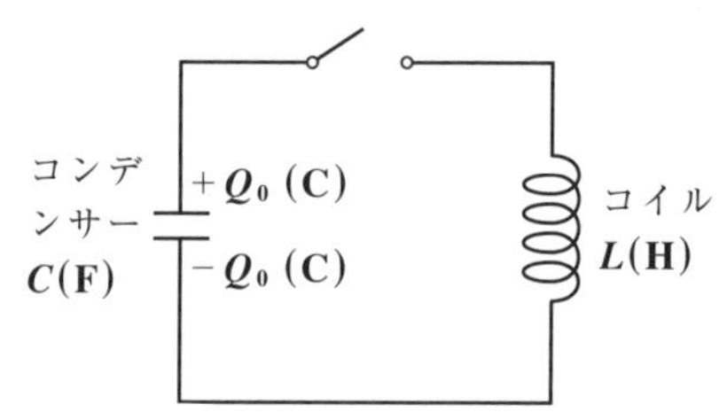

このとき，コンデンサーの電荷 $Q(t)$ (C) と回路に流れる電流 $I(\mathrm{A})$ を求めよ。

ヒント！ 微小時間 Δt 秒間に，$-Q(\mathrm{C})$ の極板から $+Q(\mathrm{C})$ の極板に，電流 I が回路をまわって流れ込むとき，この極板は微小電荷 ΔQ だけ増加する。よって，$\Delta Q=I\cdot\Delta t$ より，$I=\dfrac{\Delta Q}{\Delta t}$ となって，電荷と電流の関係式：$I=\dfrac{dQ}{dt}$ が導かれる。これより，$-Q(\mathrm{C})$ の極板から $+Q(\mathrm{C})$ の極板に向かう向きを電流の正の向きとする。

解答＆解説

このLC回路について，
(起電力)＝(電圧降下)の方程式を立てると，

$$-L\frac{dI}{dt}=\boxed{(ア)}\quad\cdots\cdots①$$

コイルによる逆起電力　コンデンサーによる電圧降下

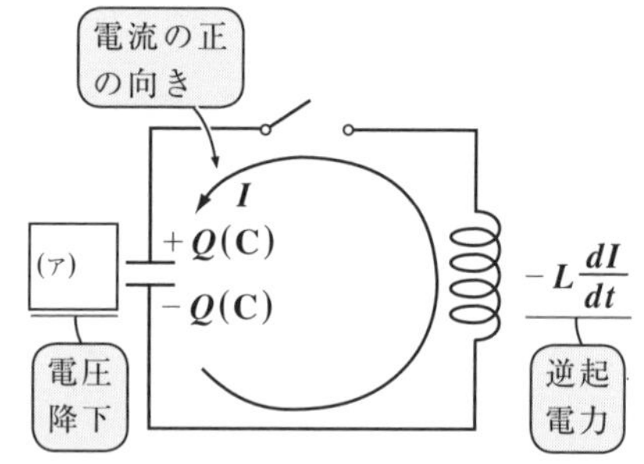

①の左辺に，$I=\dfrac{dQ}{dt}$ を代入すると，

$-L\dfrac{d}{dt}\left(\dfrac{dQ}{dt}\right)=\dfrac{Q}{C}$ より，$\boxed{(イ)\qquad\qquad}$ となる。これを変形して，

ここで，L を質量 m，Q を変位 x，$\dfrac{1}{C}$ をバネ定数 k とみると，この微分方程式は力学で学んだ単振動の方程式：$m\ddot{x}=-kx$ …㋐ と全く同じ形をしている。㋐を $\ddot{x}=-\omega^2x\left(\omega=\sqrt{\dfrac{k}{m}}\right)$ と変形して，一般解は，$x=A_1\cos\omega t+A_2\sin\omega t$ (A_1, A_2：任意定数) となるんだね。

$$\frac{d^2Q}{dt^2} = -\frac{1}{LC}Q \quad \cdots\cdots②$$

（$\frac{1}{LC}$ は ω^2）

ここで，角周波数 $\omega = \frac{1}{\sqrt{LC}}$ ……③ とおくと，（振動回路の**固有角周波数**と呼ぶ。）

②の一般解 Q は，$Q(t) =$ (ウ) ……④（A_1，A_2：任意定数）

となる。電流 $I(t)$ は，④の両辺を t で微分して，

$$I(t) = \frac{dQ}{dt} = -A_1\omega\sin\omega t + A_2\omega\cos\omega t \quad \cdots\cdots⑤$$

ここで，初期条件：$t=0$ のとき，$Q(0)=Q_0$，$I(0)=$ (エ) を用いると，

④，⑤から，

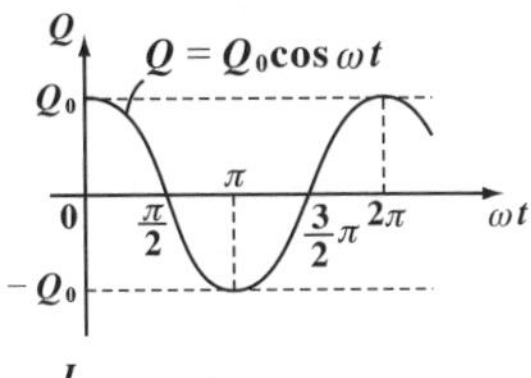

$$\begin{cases} Q(0) = A_1\underbrace{\cos 0}_{1} + \cancel{A_2\underbrace{\sin 0}_{0}} = A_1 = Q_0 \\ I(0) = -\cancel{A_1\omega\underbrace{\sin 0}_{0}} + A_2\omega\underbrace{\cos 0}_{1} = A_2\underbrace{\omega}_{\oplus} = 0 \end{cases}$$

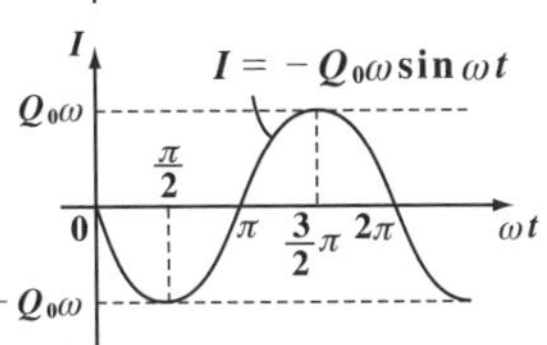

$\therefore A_1 = Q_0$，$A_2 = 0$ より，④，⑤は，

$$\begin{cases} Q(t) = Q_0\cos\omega t \quad \cdots\cdots④' \\ I(t) = -Q_0\omega\sin\omega t \quad \cdots⑤' \end{cases} \quad \cdots\cdots(答)$$

となる。

力学の単振動において，バネの弾性エネルギー $\frac{1}{2}kx^2$ と，重りの運動エネルギー $\frac{1}{2}mv^2$ の和が一定であった。本問の電気振動の $L, Q, \frac{1}{C}$ がそれぞれ単振動における m，x，k に対応していることから，コンデンサーの静電エネルギー $U_e = \frac{1}{2}\cdot\frac{1}{C}\cdot Q^2$ と，コイルの磁場のエネルギー $U_m = \frac{1}{2}\cdot L\cdot I^2$（$I^2$ は $\dot{Q}^2$）の和が保存される。実際に $U_e + U_m = (一定)$ を確認してみよう。④′，⑤′より，

$$U_e + U_m = \frac{1}{2}\cdot\frac{1}{C}\cdot(Q_0\cos\omega t)^2 + \frac{1}{2}\cdot L\cdot(-Q_0\omega\sin\omega t)^2$$

$$= \frac{1}{2}\cdot\frac{Q_0^2}{C}\cos^2\omega t + \frac{1}{2}\cdot LQ_0^2\underbrace{\omega^2}_{\frac{1}{LC}(③より)}\sin^2\omega t$$

$$= \frac{1}{2}\cdot\frac{Q_0^2}{C}\cos^2\omega t + \frac{1}{2}\cdot\frac{Q_0^2}{C}\sin^2\omega t$$

$$= \frac{Q_0^2}{2C}\underbrace{(\cos^2\omega t + \sin^2\omega t)}_{1} = \frac{Q_0^2}{2C}\ (一定)$$

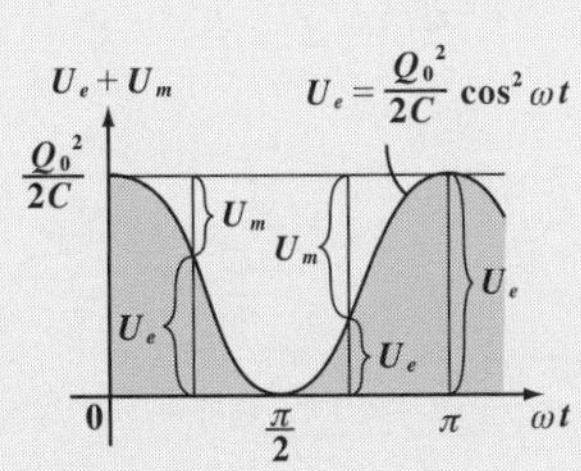

となって，LC 回路において**エネルギーの保存則**が成り立つ。エネルギーの損失（抵抗によるジュール熱）がないので，この電気振動は永遠に続くんだね。

解答　(ア) $\frac{Q}{C}$　(イ) $L\frac{d^2Q}{dt^2} = -\frac{1}{C}\cdot Q$　(ウ) $A_1\cos\omega t + A_2\sin\omega t$　(エ) 0

この問題も，ラプラス変換による別解を次に示そう。

別解

ラプラス変換の問題では，慣例として，時間 (t) 領域の変量は小文字で表し，s 領域での変量は大文字で表す。よって，時刻 t におけるコンデンサーの電荷は $q(t)$，回路に流れる電流は $i(t)$ とおき，$q(t)$ のラプラス変換は $\mathcal{L}[q(t)]=Q(s)$ とおくことにする。

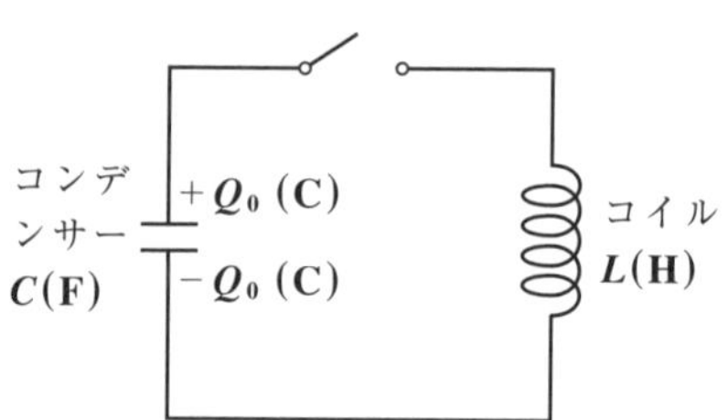

また，ラプラス変換の一般的な公式として，以下のものを利用する。

$$\mathcal{L}\left[\frac{d^2f(t)}{dt^2}\right]=s^2F(s)-sf(0)-f'(0) \qquad (\text{ただし，}\mathcal{L}[f(t)]=F(s))$$

$$\mathcal{L}[\cos at]=\frac{s}{s^2+a^2} \qquad \left(\mathcal{L}^{-1}\left[\frac{s}{s^2+a^2}\right]=\cos at\right)$$

ではまず，この LC 回路の（起電力）＝（電圧降下）の方程式を立てると，

$-L\cdot\dfrac{di(t)}{dt}=\dfrac{q(t)}{C}$ ……① となる。

ここで，$i(t)=\dfrac{dq(t)}{dt}$ ……② より，②を①に代入して，

$$-L\cdot\frac{d}{dt}\left(\frac{dq(t)}{dt}\right)=\frac{q(t)}{C} \qquad -L\cdot\frac{d^2q(t)}{dt^2}=\frac{q(t)}{C}$$

$\dfrac{d^2q(t)}{dt^2}=-\underbrace{\dfrac{1}{LC}}_{\omega^2}q(t)$ 　ここで，$\dfrac{1}{LC}=\omega^2$ とおくと，

$\dfrac{d^2q(t)}{dt^2}=-\underbrace{\omega^2}_{\text{定数}}q(t)$ ……③ となる。

③の両辺をラプラス変換して，$Q(s)\ (=\mathcal{L}[q(t)])$ を求めよう。

$$\underbrace{\mathcal{L}\left[\frac{d^2q(t)}{dt^2}\right]}_{s^2Q(s)-sq(0)-\dot{q}(0)}=-\omega^2\underbrace{\mathcal{L}[q(t)]}_{Q(s)}$$

公式
$\mathcal{L}[f(t)]=F(s)$ のとき，
$\mathcal{L}[f''(t)]=s^2F(s)-sf(0)-f'(0)$

$\dot{q}(t)$ は $\dfrac{dq(t)}{dt}$ のこと。

$$s^2Q(s)-s\cdot\underbrace{q(0)}_{Q_0}-\underbrace{\dot{q}(0)}_{0}=-\omega^2Q(s)\ \cdots\cdots④$$

ここで，$t=0$ のとき，コンデンサーの正極の電荷は $+Q_0(\mathrm{C})$ より，$q(0)=Q_0$ となる。また，$t=0$ でスイッチを入れた瞬間の電荷の変化はゆっくりしたもののはずだから，$t=0$ における電荷の変化速度 $\dot{q}(0)=0$ とおける。

以上を④に代入して，$Q(s)$ を求めると，

$$s^2Q(s)-sQ_0=-\omega^2Q(s)\qquad(s^2+\omega^2)Q(s)=Q_0\cdot s$$

$$\therefore Q(s)=\underbrace{Q_0}_{定数}\cdot\frac{s}{s^2+\omega^2}\ \cdots\cdots⑤\quad となる。$$

これで $Q(s)$ が求まったので，⑤の両辺をラプラス逆変換して，$q(t)$ を求めると，

$$\underbrace{\mathcal{L}^{-1}[Q(s)]}_{q(t)}=\underbrace{Q_0}_{定数}\underbrace{\mathcal{L}^{-1}\left[\frac{s}{s^2+\omega^2}\right]}_{\cos\omega t}$$

公式
$\mathcal{L}^{-1}\left[\dfrac{s}{s^2+a^2}\right]=\cos at$

$\therefore q(t)=Q_0\cos\omega t\ \cdots\cdots⑥$ となって，$q(t)$ が求められた。

次に，$\dot{q}(t)=\dfrac{dq(t)}{dt}=i(t)$ より，⑥の両辺を時刻 t で微分する。

$\therefore i(t)=Q_0\dfrac{d}{dt}(\cos\omega t)=-Q_0\omega\sin\omega t$ となって，電流 $i(t)$ も求められる。

これら $q(t)$ と $i(t)$ の結果は，P183 の結果と一致する。

演習問題 81 ● 強制振動の *RLC* 回路 ●

右図に示すように，自己インダクタンス $L(\mathrm{H})$ のコイルと電気容量 $C(\mathrm{F})$ の帯電していないコンデンサーと $R(\Omega)$ の抵抗を直列につなぎ，これに起電力 $V = V_0\cos\omega t(\mathrm{V})$ の交流電源を接続して閉回路を作る。時刻 $t = 0$ のときにスイッチを閉じ，十分に時間が経過した後にこの回路に現れる定常的な交流電流 $I(t)$ を求めよ。

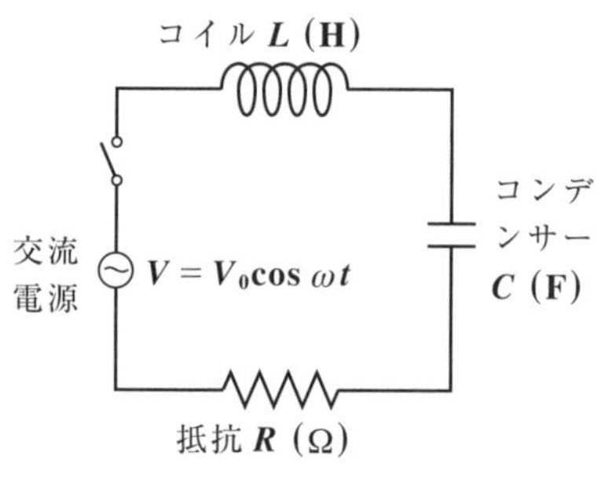

ヒント！ まず，(起電力)＝(電圧降下)の方程式を作り，この両辺を時刻 t で微分した後，この式に $I = \dfrac{dQ}{dt}$ を代入する。

解答＆解説

右図のように，$+Q(\mathrm{C})$，$-Q(\mathrm{C})$ の電荷がコンデンサーにあるとき，$-Q(\mathrm{C})$ の極板から $+Q(\mathrm{C})$ の極板に向かう向きを電流の正の向きにとって，

$I = \dfrac{dQ}{dt}$ ……① となる。

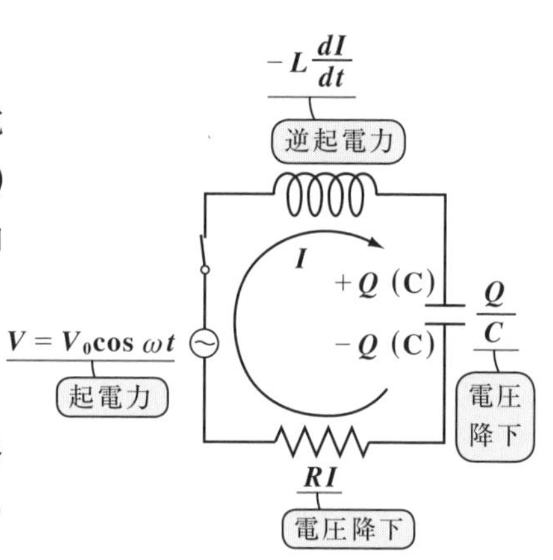

この交流電源が接続された *RLC* 回路について，(起電力)＝(電圧降下)の方程式を立てると，

$$\underbrace{V_0\cos\omega t}_{\text{交流電源による起電力}} - \underbrace{L\frac{dI}{dt}}_{\text{コイルによる逆起電力}} = \underbrace{RI}_{\text{抵抗による電圧降下}} + \underbrace{\frac{Q}{C}}_{\text{コンデンサーによる電圧降下}} \quad \cdots②$$

となる。これをまとめて，

$$L\frac{dI}{dt} + RI + \frac{Q}{C} = V_0\cos\omega t \quad \cdots\cdots③$$

③の両辺を t で微分すると，

$$L\frac{d^2I}{dt^2} + R\cdot\frac{dI}{dt} + \frac{1}{C}\underbrace{\frac{dQ}{dt}}_{I\,(①より)} = -V_0\omega\sin\omega t$$

I の 2 階微分方程式

$\therefore L\ddot{I}+R\dot{I}+\frac{1}{C}\cdot I=-V_0\omega\sin\omega t$ ……④ となる。(①より)

④の右辺は 0 ではないので，**非同次 2 階線形微分方程式**と呼ぶ。

④の一般解 I は，

(i) まず，④の特殊解 $\tilde{I}(t)$ と，

(ii) ④の**同伴方程式**：$L\ddot{I}+R\dot{I}+\frac{1}{C}\cdot I=0$ ……⑤ の一般解 (**同次方程式**ともいう。)

$A_1I_1(t)+A_2I_2(t)$ の和，すなわち，

$I(t)=\tilde{I}(t)+A_1I_1(t)+A_2I_2(t)$ ……⑥ (A_1，A_2：任意定数)

④の特殊解　これは，減衰振動する電流 ← t が大きくなると，省略可

となる。

この解法については，「**常微分方程式キャンパス・ゼミ**」を参照して下さい。

しかし，⑥の右辺の同次方程式の解 $A_1I_1(t)+A_2I_2(t)$ は，減衰，過減衰，または臨界減衰のいずれかの交流電流となる。

⑤の解法は，「**力学キャンパス・ゼミ**」で学習して下さい。また，この同次方程式の具体例は，「**電磁気学キャンパス・ゼミ**」を参照して下さい。

よって，時間が十分経過すると，この部分は 0 に近づくので，④の一般解 $I(t)$ は限りなく $\tilde{I}(t)$ に近づく。よって，

$I(t)=\tilde{I}(t)$ ……⑥′ となる。

ここで，交流電源の起電力が，$V=V_0\cos\omega t$ で，これが外部からの強制振動となる。よって，この回路に流れる定常の交流電流 $I(t)$ は，振幅や位相の違いはあっても，角周波数 ω の電流と考えられて，

$I(t)=\tilde{I}(t)=I_0\cos(\omega t-\phi)$ ……⑦ (I_0，ϕ：未定定数)

とおける。⑦を 2 回微分して，

$\dot{I}=-I_0\omega\sin(\omega t-\phi)$ ……⑦′，　$\ddot{I}=-I_0\omega^2\cos(\omega t-\phi)$ ……⑦″

⑦，⑦′，⑦″ を④に代入して，I_0 と ϕ を求めよう。

$$-LI_0\omega^2\cos(\omega t-\phi)-RI_0\omega\sin(\omega t-\phi)+\frac{1}{C}I_0\cos(\omega t-\phi)=-V_0\omega\sin\omega t$$

両辺を ω で割ってまとめると，

$$I_0\left\{R\sin(\omega t-\phi)+\left(L\omega-\frac{1}{C\omega}\right)\cos(\omega t-\phi)\right\}=V_0\sin\omega t \quad \cdots\cdots ⑧$$

ここで，右図に示すように，R と $L\omega-\dfrac{1}{C\omega}$ を 2 辺とする直角三角形を考え，その斜辺の長さを l とおくと，

$l=\sqrt{R^2+\left(L\omega-\dfrac{1}{C\omega}\right)^2}$ となる。

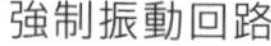

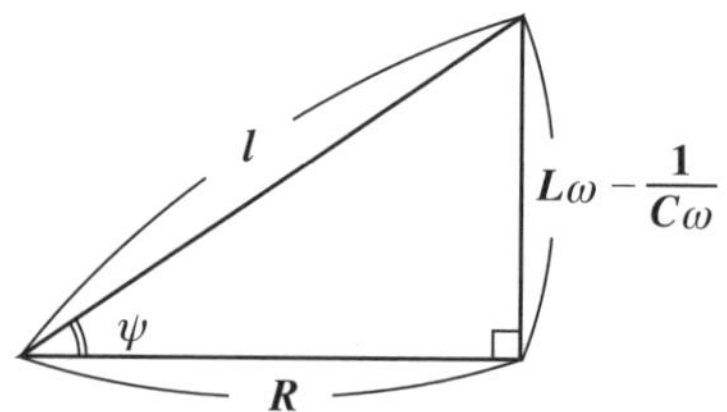

また，$\tan\psi=\dfrac{L\omega-\dfrac{1}{C\omega}}{R}$ となるように，角 ψ をとる。この l と ψ を使って，⑧を変形すると，

$I_0\left\{R\sin(\omega t-\phi)+\left(L\omega-\dfrac{1}{C\omega}\right)\cos(\omega t-\phi)\right\}=V_0\sin\omega t$ …⑧

$$I_0 l\left\{\frac{R}{l}\cdot\sin(\omega t-\phi)+\frac{L\omega-\frac{1}{C\omega}}{l}\cos(\omega t-\phi)\right\}=V_0\sin\omega t$$

（$\dfrac{R}{l}=\cos\psi$，$\dfrac{L\omega-\frac{1}{C\omega}}{l}=\sin\psi$）

三角関数の合成：
$\sin\alpha\cos\beta+\cos\alpha\sin\beta=\sin(\alpha+\beta)$

$$I_0 l\sin(\omega t-\phi+\psi)=V_0\sin\omega t$$

両辺を比較して，

$$\begin{cases} I_0 l=V_0 \cdots\cdots\cdots\cdots\cdots\cdots\cdots\cdots\cdots ⑨ \\ \omega t-\phi+\psi=\omega t+2n\pi \cdots\cdots ⑩ \end{cases}$$ （n：整数）

⑨より，$I_0=\dfrac{V_0}{l}$ $\left(l=\sqrt{R^2+\left(L\omega-\dfrac{1}{C\omega}\right)^2}\right)$

⑩より，$\phi=\psi-2n\pi$

$\therefore\ \tan\phi=\tan(\psi-2n\pi)=\tan\psi=\dfrac{L\omega-\dfrac{1}{C\omega}}{R}$ が導かれる。

以上より，十分時間が経過した後に，この回路に交流電源による強制振動として定常的に流れる交流電流 $I(t)$ は，⑦より，

$I(t)=\tilde{I}(t)=I_0\cos(\omega t-\phi)$ ……⑦

$I(t)=\dfrac{V_0}{l}\cos(\omega t-\phi)$ (A) となる。 ……………………………………………(答)

$\left(\text{ただし，}l=\sqrt{R^2+\left(L\omega-\dfrac{1}{C\omega}\right)^2},\ \phi=\tan^{-1}\dfrac{L\omega-\dfrac{1}{C\omega}}{R}\right)$

直流の抵抗に相当するもので，**インピーダンス**（または，**交流抵抗**）という。

演習問題 82 ● 強制振動による RLC 回路のインピーダンス ●

右図に示すように，自己インダクタンス $L = 1.21(H)$ のコイルと，電気容量 $C = 100(\mu F)$ の帯電していないコンデンサーと $R = 500(\Omega)$ の抵抗を直列につなぎ，これに角周波数 $\omega = 1000(1/s)$ の交流電源を接続して，閉回路を作った。この回路のインピーダンスを求めよ。

コイル $L = 1.21$ (H)
コンデンサー $C = 100(\mu F)$
交流電源
角周波数 $\omega = 1000(1/s)$
抵抗 $R = 500$ (Ω)

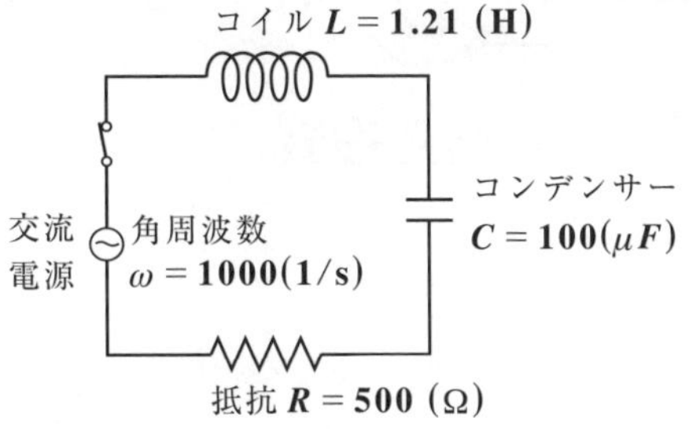

ヒント！ インピーダンスの公式：$l = \sqrt{R^2 + \left(L\omega - \frac{1}{C\omega}\right)^2}$ を使う。

解答＆解説

$R = 500(\Omega)$，$L\omega = 1.21 \times 1000 = 1210$ (Ω)

$$\frac{1}{C\omega} = \frac{1}{100 \times 10^{-6} \times 1000} = \frac{1}{10^{-1}} = 10 \ (\Omega)$$

$$\therefore L\omega - \frac{1}{C\omega} = 1210 - 10 = 1200 \ (\Omega)$$

以上より，求めるこの回路のインピーダンス l は，

$l =$ (ア)

$= \sqrt{500^2 + 1200^2} = \sqrt{5^2 \times 10^4 + 12^2 \times 10^4} = \sqrt{(25 + 144) \times 10^4}$

$= \sqrt{169 \times 10^4} =$ (イ) (Ω) となる。……………………………(答)

$L\omega$ の単位が $[\Omega]$ になり，$C\omega$ の単位が $[1/\Omega]$ となることを確認しておこう。

(i) $L\omega$ について，$\left[\mathrm{H} \cdot \frac{1}{\mathrm{s}}\right] = \left[\mathrm{V} \cdot \frac{\mathrm{s}}{\mathrm{A}} \cdot \frac{1}{\mathrm{s}}\right] = \left[\frac{\mathrm{V}}{\mathrm{A}}\right] = [\Omega]$ となる。

$V_- = -L\frac{dI}{dt}$ より

(ii) $C\omega$ について，$\left[\mathrm{F} \cdot \frac{1}{\mathrm{s}}\right] = \left[\frac{\mathrm{C}}{\mathrm{V}} \cdot \frac{1}{\mathrm{s}}\right] = \left[\frac{1}{\mathrm{V}} \cdot \frac{\mathrm{C}}{\mathrm{s}}\right] = \left[\frac{\mathrm{A}}{\mathrm{V}}\right] = \left[\frac{1}{\Omega}\right]$ だね。

$Q = CV$ より　　A

解答　(ア) $\sqrt{R^2 + \left(L\omega - \frac{1}{C\omega}\right)^2}$　　(イ) 1300

§1. 波動方程式

まず，時間変化する電磁場における 4 つのマクスウェルの方程式とそのイメージを下に示す。

図 1　時間変化する電磁場におけるマクスウェルの方程式

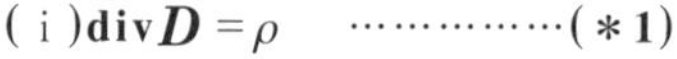

(ⅰ) $\mathrm{div}\boldsymbol{D} = \rho$ ……………(＊1)　　(ⅱ) $\mathrm{div}\boldsymbol{B} = 0$ …………(＊2)

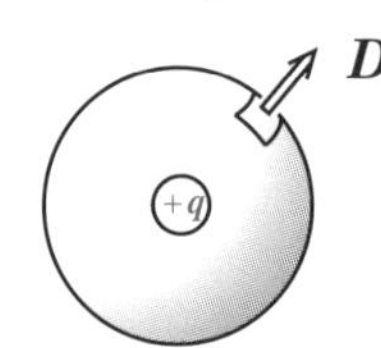

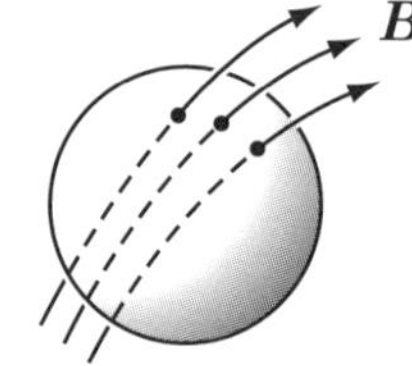

(ⅲ) $\mathrm{rot}\boldsymbol{H} = \boldsymbol{i} + \dfrac{\partial \boldsymbol{D}}{\partial t}$ ……(＊3)　　(ⅳ) $\mathrm{rot}\boldsymbol{E} = -\dfrac{\partial \boldsymbol{B}}{\partial t}$ ……(＊4)

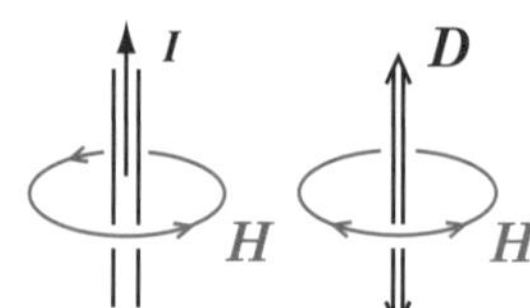

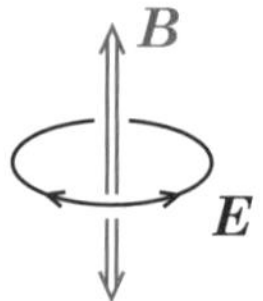

(＊3) と (＊4) から，「時間変化する電場 $\boldsymbol{E}$ のまわりに時間変化する磁場 $\boldsymbol{H}$ が生じ」かつ「時間変化する磁場 $\boldsymbol{H}$ のまわりに時間変化する電場 $\boldsymbol{E}$ が生じる」ことが分かるので，真空中を伝わる電磁波のイメージとして，図 2 に示すような大雑把なイメージを想定することができる。この真空中を伝播しながら時間変化する電場と磁場の関係を知るため，4 つのマクスウェルの方程式の中から，物質的な要素である“**電荷密度**” ρ と“**電流密度**” $\boldsymbol{i}$ を消去して，次の 4 つのマクスウェルの方程式を基に考えていくことにしよう。

図 2　電磁波の素朴なイメージ

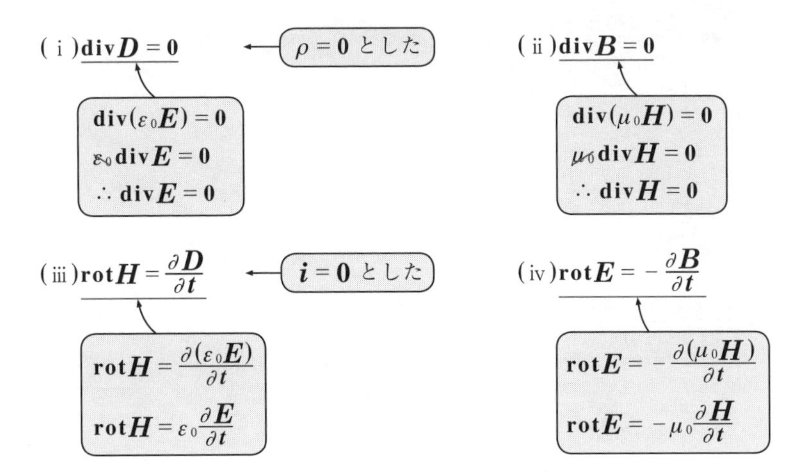

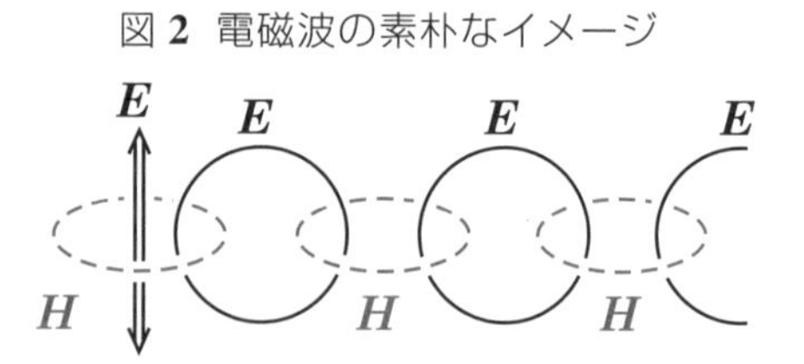

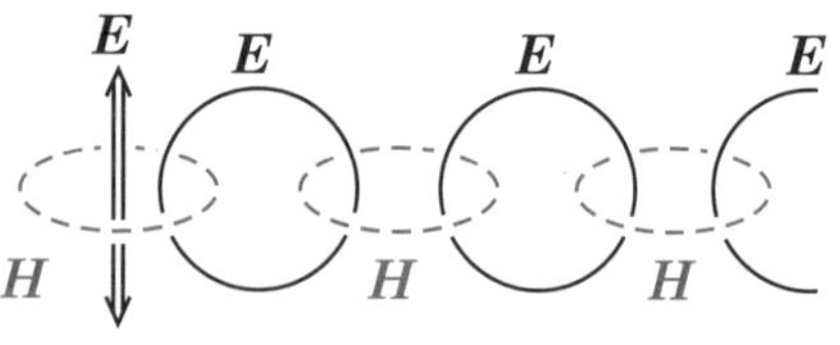

(i) $\mathrm{div}\boldsymbol{D} = 0$ ← $\rho = 0$ とした

$\mathrm{div}(\varepsilon_0 \boldsymbol{E}) = 0$
$\varepsilon_0 \mathrm{div}\boldsymbol{E} = 0$
$\therefore \mathrm{div}\boldsymbol{E} = 0$

(ii) $\mathrm{div}\boldsymbol{B} = 0$

$\mathrm{div}(\mu_0 \boldsymbol{H}) = 0$
$\mu_0 \mathrm{div}\boldsymbol{H} = 0$
$\therefore \mathrm{div}\boldsymbol{H} = 0$

(iii) $\mathrm{rot}\boldsymbol{H} = \dfrac{\partial \boldsymbol{D}}{\partial t}$ ← $\boldsymbol{i} = 0$ とした

$\mathrm{rot}\boldsymbol{H} = \dfrac{\partial(\varepsilon_0 \boldsymbol{E})}{\partial t}$
$\mathrm{rot}\boldsymbol{H} = \varepsilon_0 \dfrac{\partial \boldsymbol{E}}{\partial t}$

(iv) $\mathrm{rot}\boldsymbol{E} = -\dfrac{\partial \boldsymbol{B}}{\partial t}$

$\mathrm{rot}\boldsymbol{E} = -\dfrac{\partial(\mu_0 \boldsymbol{H})}{\partial t}$
$\mathrm{rot}\boldsymbol{E} = -\mu_0 \dfrac{\partial \boldsymbol{H}}{\partial t}$

ここで，$\boldsymbol{D} = \varepsilon_0 \boldsymbol{E}$，$\boldsymbol{B} = \mu_0 \boldsymbol{H}$（$\varepsilon_0$：真空の誘電率，$\mu_0$：真空の透磁率）を使って，すべて電場 $\boldsymbol{E}$ と磁場 $\boldsymbol{H}$ の式に書き換えると，電磁波を求めるための **4** つのマクスウェルの方程式は，次のようになる。

(i) $\mathrm{div}\boldsymbol{E} = 0$ ……………(＊1)′　(ii) $\mathrm{div}\boldsymbol{H} = 0$ ……………(＊2)′

(iii) $\mathrm{rot}\boldsymbol{H} = \varepsilon_0 \dfrac{\partial \boldsymbol{E}}{\partial t}$ ………(＊3)′　(iv) $\mathrm{rot}\boldsymbol{E} = -\mu_0 \dfrac{\partial \boldsymbol{H}}{\partial t}$ ……(＊4)′

xyz 直交座標系における電場 $\boldsymbol{E} = [E_1, E_2, E_3]$ の波動方程式が，上の
（x 成分）（y 成分）（z 成分）
(i) ～ (iv) のマクスウェルの方程式から導ける。

(＊4)′ の両辺の回転 (rot) をとることによって，電場 $\boldsymbol{E}$ の波動方程式：

$\Delta \boldsymbol{E} = \dfrac{1}{v^2} \dfrac{\partial^2 \boldsymbol{E}}{\partial t^2}$ ……(a)　$\left(v = \dfrac{1}{\sqrt{\varepsilon_0 \mu_0}} \right)$ を得る。(演習問題 **83**)

ここで，$v = \dfrac{1}{\sqrt{\varepsilon_0 \mu_0}}$ は，電磁波の真空中における伝播速度を表す。

実験データによると，$\begin{cases} \varepsilon_0 = 8.8542 \times 10^{-12} \, (\mathrm{C^2/Nm^2}) \\ \mu_0 = 1.2566 \times 10^{-6} \, (\mathrm{N/A^2}) \end{cases}$

より，$v = \dfrac{1}{\sqrt{\varepsilon_0 \mu_0}} = 2.9980 \times 10^8 \, (\mathrm{m/s})$

この値は，真空中の光速度 c の測定値と一致する。

よって，$\Delta \boldsymbol{E} = \dfrac{1}{c^2}\dfrac{\partial^2 \boldsymbol{E}}{\partial t^2}$ ……(a) の波動方程式が導ける。

ここで，$\boldsymbol{E} = [E_1,\ E_2,\ E_3]$ より，(a) を成分表示すると，

$$\left(\frac{\partial^2}{\partial x^2}+\frac{\partial^2}{\partial y^2}+\frac{\partial^2}{\partial z^2}\right)[E_1,\ E_2,\ E_3] = \frac{1}{c^2}\cdot\frac{\partial^2}{\partial t^2}[E_1,\ E_2,\ E_3]$$ となるので，

ラプラシアン $\Delta = \nabla^2$ のこと

・x 成分：$\dfrac{\partial^2 E_1}{\partial x^2}+\dfrac{\partial^2 E_1}{\partial y^2}+\dfrac{\partial^2 E_1}{\partial z^2} = \dfrac{1}{c^2}\dfrac{\partial^2 E_1}{\partial t^2}$

これを，次のように表すこともある。
$E_{1xx}+E_{1yy}+E_{1zz} = \dfrac{1}{c^2}E_{1tt}$
E_2，E_3 成分についても同様だ。

・y 成分：$\dfrac{\partial^2 E_2}{\partial x^2}+\dfrac{\partial^2 E_2}{\partial y^2}+\dfrac{\partial^2 E_2}{\partial z^2} = \dfrac{1}{c^2}\dfrac{\partial^2 E_2}{\partial t^2}$

・z 成分：$\dfrac{\partial^2 E_3}{\partial x^2}+\dfrac{\partial^2 E_3}{\partial y^2}+\dfrac{\partial^2 E_3}{\partial z^2} = \dfrac{1}{c^2}\dfrac{\partial^2 E_3}{\partial t^2}$ となる。

これより，$\Delta \boldsymbol{E} = \dfrac{1}{c^2}\dfrac{\partial^2 \boldsymbol{E}}{\partial t^2}$ …(a) が3次元の波動方程式であることが分かる。

磁場 $\boldsymbol{H}$ についても，マクスウェルの方程式：$\mathrm{rot}\boldsymbol{H} = \varepsilon_0\dfrac{\partial \boldsymbol{E}}{\partial t}$ …$(*3)'$ の両辺の回転 (rot) をとることにより，電場 $\boldsymbol{E}$ の波動方程式 (a) とまったく同じ形の方程式：$\Delta \boldsymbol{H} = \dfrac{1}{c^2}\dfrac{\partial^2 \boldsymbol{H}}{\partial t^2}$ …(b) が導かれる。(演習問題 **84**)

よって，電場 $\boldsymbol{E}$ と同様に，(b) を成分表示したものから，(b) が 3 次元の磁場 $\boldsymbol{H}$ の波動方程式であることが分かる。

§2. ダランベールの解

図 **1** に示すように，x 軸の **2** 点原点と点 $(L,\ 0)$ を端点 (固定点) として張られた弦が，鉛直方向に振動するとき，この運動 (波動) を支配する微分方程式 (波動方程式) は次式で与えられる。

図 **1** 弦の振動のイメージ

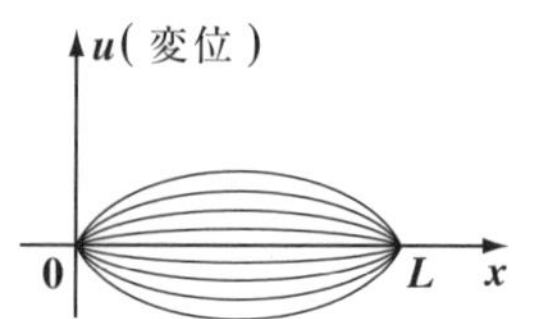

$$\frac{\partial^2 u}{\partial x^2} = \frac{1}{v^2}\frac{\partial^2 u}{\partial t^2} \quad \cdots\cdots(*)$$ (演習問題 **87**)

この 1 次元の波動方程式の一般解は，次の"**ダランベールの解**"で与えられる。(演習問題 **88**)

ダランベールの解

位置 x と時刻 t の 2 変数関数 $u(x,\ t)$ の 1 次元波動方程式：
$\frac{\partial^2 u}{\partial x^2} = \frac{1}{v^2}\frac{\partial^2 u}{\partial t^2}$ ……(＊) の一般解は，
$u(x,\ t) = f\left(t - \frac{x}{v}\right) + g\left(t + \frac{x}{v}\right)$ ……(＊＊) となる。
(ただし，f，g は 2 階微分可能な任意関数)
この解を"**ダランベールの解**"と呼ぶ。

ここで，ダランベールの解：$u(x,\ t) = f\left(t - \frac{x}{v}\right) + g\left(t + \frac{x}{v}\right)$ ……(＊＊) の $f\left(t - \frac{x}{v}\right)$ は，"**進行波**(しんこうは)"を表し，$g\left(t + \frac{x}{v}\right)$ は"**後退波**(こうたいは)"を表す。

そして，この 2 つの波の速さは共に $v(\text{m/s})$ となる。(演習問題 **89**)

ダランベールの解 (＊＊) は，この進行波と後退波の重ね合わせ (和) の形で表される。

ここで，進行波 $f\left(t - \frac{x}{v}\right)$ の例として，正弦波：

$u(x,\ t) = u_0 \sin\omega\left(t - \frac{x}{v}\right)$ ……(ア)　　を考えてみよう。

(u_0：振幅，ω：角周波数 $(1/\text{s})$，v：波の進行速度 (m/s))

これは，振幅 u_0，角周波数 ω の進行波で，これを変形すると，

$u(x,\ t) = u_0 \sin\left(\omega t - \frac{\omega}{v}x\right)$ より，　［$\frac{\omega}{v}$：k(波数)］

$u(x,\ t) = u_0 \sin(\omega t - kx)$ ……(ア)′ となる。

$\left(\text{ただし，} k = \frac{\omega}{v} = \frac{2\pi}{\lambda}\text{：波数}\right)$

§3. 電磁波

電磁波を求めるためのマクスウェルの方程式：

(ⅰ) $\mathrm{div}\boldsymbol{E} = 0$ ……………(＊1)′　(ⅱ) $\mathrm{div}\boldsymbol{H} = 0$ ……………(＊2)′

(ⅲ) $\mathrm{rot}\boldsymbol{H} = \varepsilon_0 \dfrac{\partial \boldsymbol{E}}{\partial t}$ ………(＊3)′　(ⅳ) $\mathrm{rot}\boldsymbol{E} = -\mu_0 \dfrac{\partial \boldsymbol{H}}{\partial t}$ ……(＊4)′

を用いて，電場 $\boldsymbol{E}$ と磁場 $\boldsymbol{H}$ の波動方程式：

$\Delta\boldsymbol{E} = \dfrac{1}{c^2}\dfrac{\partial^2 \boldsymbol{E}}{\partial t^2}$ ……(a)　$\Delta\boldsymbol{H} = \dfrac{1}{c^2}\dfrac{\partial^2 \boldsymbol{H}}{\partial t^2}$ ……(b)　を導いた。

(c：光速(約 3×10^8(m/s))

これから，(＊1)′～(＊4)′のマクスウェルの方程式をみたす電磁波が，電場 $\boldsymbol{E}$ と磁場 $\boldsymbol{H}$ が yz 平面に平行な任意の平面上で一定であるような平面波の場合を考える。するとこの平面波は x 軸方向に進む平面波となるので，$\boldsymbol{E}$ も $\boldsymbol{H}$ も共に x と時刻 t のみの 2 変数関数になる。

このとき，$\begin{cases} \boldsymbol{E}(x,t) = [E_1(x,t),\ E_2(x,t),\ E_3(x,t)] \\ \boldsymbol{H}(x,t) = [H_1(x,t),\ H_2(x,t),\ H_3(x,t)] \end{cases}$ とおける。

これから，(＊1)′～(＊4)′のマクスウェルの方程式をみたす解 $\boldsymbol{E}$ と $\boldsymbol{H}$ を求めると，$E_3 = 0$，$H_2 = 0$，かつ $E_2 \neq 0$，$H_3 \neq 0$ の進行波の解として，

$$\begin{cases} \boldsymbol{E}(x,t) = [\,0,\ E_2(x,t),\ 0\,] & \left(E_2(x,t) = f\left(t - \dfrac{x}{c}\right)\right) \\ \boldsymbol{H}(x,t) = [\,0,\ 0,\ H_3(x,t)\,] & \left(H_3(x,t) = \sqrt{\dfrac{\varepsilon_0}{\mu_0}}E_2(x,t)\right) \end{cases}$$

が導かれる。これより，$\boldsymbol{E} \perp \boldsymbol{H}$(直交)と $H = \sqrt{\dfrac{\varepsilon_0}{\mu_0}}E$ …①の関係を得る。
(演習問題 91)

次に，真空中を電磁波が伝播していくことにより，電磁波のエネルギーも一緒に運ばれる。電場と磁場のエネルギー密度(単位体積当たりのエネルギー)をそれぞれ u_e，u_m とおくと，

$u_e = \dfrac{1}{2}\varepsilon_0 E^2$ …② ←p100　$u_m = \dfrac{1}{2}\mu_0 H^2$ …③ ←p162　となる。

電磁波が存在する空間では，電場と磁場が共存するので，電磁波のエネルギー密度を $\boldsymbol{u}$ とおくと，②，③より，

$$u = u_e + u_m = \frac{1}{2}(\varepsilon_0 E^2 + \mu_0 \underbrace{H^2}_{\left(\sqrt{\frac{\varepsilon_0}{\mu_0}}E\right)^2 \text{（①より）}}) = \varepsilon_0 E^2 \quad \cdots\cdots ④$$

となる。（①より）

よって，単位時間（1秒間）に単位面積（1m^2）を通過する電磁波のエネルギーを S とおくと，④より，

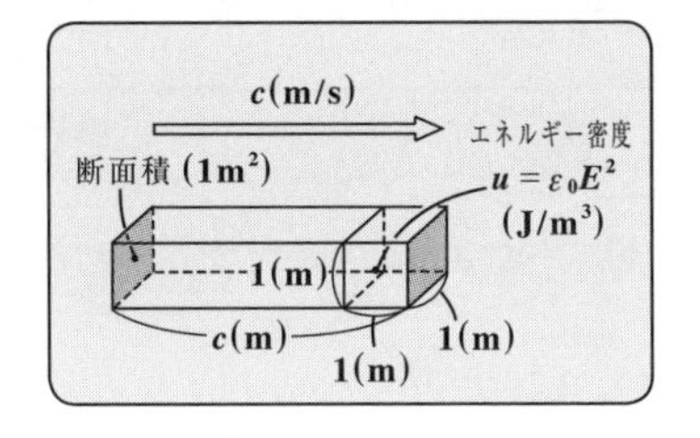

$$S = cu = c\varepsilon_0 E^2 \quad \cdots\cdots ⑤$$

となる。

c(m/s)
エネルギー密度
$u = \varepsilon_0 E^2$
(J/m³)
断面積 (1m²)
1(m)
c(m)
1(m)
1(m)

ここで，$c = \frac{1}{\sqrt{\varepsilon_0 \mu_0}}$ より，これを⑤に代入すると，

$$S = \frac{\varepsilon_0}{\sqrt{\varepsilon_0 \mu_0}}E^2 = E \cdot \underbrace{\sqrt{\frac{\varepsilon_0}{\mu_0}}E}_{H\text{（①より）}}$$

よって，①より，$S = EH \quad \cdots\cdots ⑥$

となる。

図1 ポインティング・ベクトル $\boldsymbol{S}$

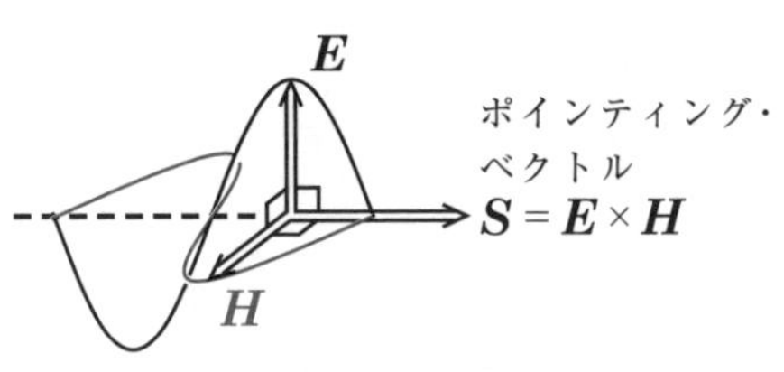

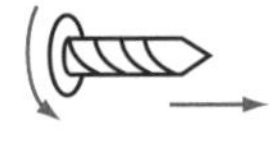

ここで，$\boldsymbol{E} \perp \boldsymbol{H}$ より，図1に示すように，新たなベクトル $\boldsymbol{S}$ を，

$$\boldsymbol{S} = \boldsymbol{E} \times \boldsymbol{H} \quad \cdots\cdots ⑦$$

で定義すれば，この大きさは，

$$\underbrace{\|\boldsymbol{S}\|}_{S} = \underbrace{\|\boldsymbol{E} \times \boldsymbol{H}\|}_{\|\boldsymbol{E}\|\|\boldsymbol{H}\|\underbrace{\sin\frac{\pi}{2}}_{1} = EH}$$

より，

$S = EH \quad \cdots\cdots$ ⑥が導かれる。

この $\boldsymbol{S} = \boldsymbol{E} \times \boldsymbol{H} \quad \cdots\cdots$ ⑦の向きは，電磁波が進行する向きと一致する。つまり，$\boldsymbol{S}$ は，電流密度 $\boldsymbol{i}$ と同様に，単位時間に単位面積を通過する電磁波のエネルギーの流れそのものを表すベクトルと言える。このベクトル $\boldsymbol{S}$ を，“**ポインティング・ベクトル**”と呼ぶ。

演習問題 83 ●電場 $\boldsymbol{E}$ の波動方程式●

真空中のマクスウェルの方程式：(i) $\mathrm{div}\boldsymbol{E}=0$ ……(＊1)′

(iv) $\mathrm{rot}\boldsymbol{E}=-\mu_0\dfrac{\partial\boldsymbol{H}}{\partial t}$ ……(＊4)′ (iii) $\mathrm{rot}\boldsymbol{H}=\varepsilon_0\dfrac{\partial\boldsymbol{E}}{\partial t}$ ……(＊3)′

を利用して，電場 $\boldsymbol{E}$ の波動方程式：

$\Delta\boldsymbol{E}=\dfrac{1}{c^2}\dfrac{\partial^2\boldsymbol{E}}{\partial t^2}$ ……(a) を導け。$\left(c=\dfrac{1}{\sqrt{\varepsilon_0\mu_0}}\right.$：光速（約 3×10^8 (m/s)）$\left.\right)$

ヒント！ まず，(＊4)′ の両辺の回転 (rot) をとる。その左辺に公式：$\mathrm{rot}(\mathrm{rot}\boldsymbol{f})=\mathrm{grad}(\mathrm{div}\boldsymbol{f})-\Delta\boldsymbol{f}$ を利用すると，(＊1)′ より，$-\Delta\boldsymbol{E}$ が導かれる。

解答＆解説

(iv) $\mathrm{rot}\boldsymbol{E}=-\mu_0\dfrac{\partial\boldsymbol{H}}{\partial t}$ ……(＊4)′ の両辺の回転 (rot) をとると，

$\mathrm{rot}(\mathrm{rot}\boldsymbol{E})=\mathrm{rot}\left(-\mu_0\dfrac{\partial\boldsymbol{H}}{\partial t}\right)$ …① となる。ここで，

(i) ①の左辺について，公式：$\mathrm{rot}(\mathrm{rot}\boldsymbol{f})=\mathrm{grad}(\mathrm{div}\boldsymbol{f})-\Delta\boldsymbol{f}$ を用いると，

(①の左辺) $=\mathrm{rot}(\mathrm{rot}\boldsymbol{E})=\mathrm{grad}(\mathrm{div}\boldsymbol{E})-\Delta\boldsymbol{E}=-\Delta\boldsymbol{E}$ …②となる。

$\mathrm{div}\boldsymbol{E}$：0（(＊1)′ より）

Δ：ラプラシアン $\left(\dfrac{\partial^2}{\partial x^2}+\dfrac{\partial^2}{\partial y^2}+\dfrac{\partial^2}{\partial z^2}\right)$ のこと

(ii) ①の右辺は，回転 (rot) と偏微分 $\dfrac{\partial}{\partial t}$ の操作の順序を入れ替えることができるものとして，

(①の右辺) $=\mathrm{rot}\left(-\mu_0\dfrac{\partial\boldsymbol{H}}{\partial t}\right)=-\mu_0\mathrm{rot}\left(\dfrac{\partial\boldsymbol{H}}{\partial t}\right)$

$-\mu_0$：定数

$=-\mu_0\dfrac{\partial}{\partial t}(\mathrm{rot}\boldsymbol{H})=-\mu_0\dfrac{\partial}{\partial t}\left(\varepsilon_0\dfrac{\partial\boldsymbol{E}}{\partial t}\right)=-\varepsilon_0\mu_0\dfrac{\partial^2\boldsymbol{E}}{\partial t^2}$ ……③

順序を入れ替えた

$\mathrm{rot}\boldsymbol{H}$：$\varepsilon_0\dfrac{\partial\boldsymbol{E}}{\partial t}$（(＊3)′ より）

ε_0：定数

以上②，③を①に代入して，

$-\Delta\boldsymbol{E}=-\varepsilon_0\mu_0\dfrac{\partial^2\boldsymbol{E}}{\partial t^2}$ $\therefore\ \Delta\boldsymbol{E}=\dfrac{1}{c^2}\dfrac{\partial^2\boldsymbol{E}}{\partial t^2}$ ……(a) が導かれる。 ………(終)

$\varepsilon_0\mu_0=\dfrac{1}{c^2}$

ε_0 (C²/Nm²)，μ_0 (N/A²) より，$\varepsilon_0\mu_0$ の単位は，$\left[\dfrac{C^2}{Nm^2}\cdot\dfrac{N}{A^2}\right]=\left[\dfrac{A^2s^2}{m^2A^2}\right]=\left[\dfrac{s^2}{m^2}\right]$ となる。（$C^2=A^2s^2$）

演習問題 84 ●磁場 $\boldsymbol{H}$ の波動方程式●

真空中のマクスウェルの方程式：(ii) $\mathrm{div}\boldsymbol{H}=0$ ……(＊2)´

(iii) $\mathrm{rot}\boldsymbol{H}=\varepsilon_0\dfrac{\partial \boldsymbol{E}}{\partial t}$ ……(＊3)´ (iv) $\mathrm{rot}\boldsymbol{E}=-\mu_0\dfrac{\partial \boldsymbol{H}}{\partial t}$ ……(＊4)´

を利用して，磁場 $\boldsymbol{H}$ の波動方程式：

$\Delta\boldsymbol{H}=\dfrac{1}{c^2}\cdot\dfrac{\partial^2\boldsymbol{H}}{\partial t^2}$ ……(b) を導け。$\left(c=\dfrac{1}{\sqrt{\varepsilon_0\mu_0}}\text{：光速（約 } 3\times10^8(\mathrm{m/s})\text{）}\right)$

ヒント！ 前問同様に，まず(＊3)´の両辺の回転をとることから始めよう。

解答＆解説

公式：
$\mathrm{rot}(\mathrm{rot}\boldsymbol{f})$
$=\mathrm{grad}(\mathrm{div}\boldsymbol{f})-\Delta\boldsymbol{f}$ より

(＊3)´の両辺の回転(rot)をとると，

$\mathrm{rot}(\mathrm{rot}\boldsymbol{H})=\mathrm{rot}\left(\varepsilon_0\dfrac{\partial\boldsymbol{E}}{\partial t}\right)$ …① となる。ここで，

(i)(①の左辺) $=\mathrm{rot}(\mathrm{rot}\boldsymbol{H})=$ (ア)

$=$ (イ) ……②となる。((＊2)´より)

(ii) ①の右辺は，回転(rot)と偏微分 $\dfrac{\partial}{\partial t}$ の操作の順序を入れ替えることができるものとして，

(①の右辺) $=\mathrm{rot}\left(\varepsilon_0\dfrac{\partial\boldsymbol{E}}{\partial t}\right)=\varepsilon_0\cdot\mathrm{rot}\left(\dfrac{\partial\boldsymbol{E}}{\partial t}\right)$

$=\varepsilon_0\cdot\dfrac{\partial}{\partial t}(\mathrm{rot}\boldsymbol{E})=$ (ウ)

$=$ (エ) ……③となる。((＊4)´より)

以上②，③を①に代入して，

(オ)　　∴ $\Delta\boldsymbol{H}=\dfrac{1}{c^2}\cdot\dfrac{\partial^2\boldsymbol{H}}{\partial t^2}$ ……(b) が導かれる。……(終)

解答 (ア) $\mathrm{grad}(\mathrm{div}\boldsymbol{H})-\Delta\boldsymbol{H}$ (イ) $-\Delta\boldsymbol{H}$ (ウ) $\varepsilon_0\cdot\dfrac{\partial}{\partial t}\left(-\mu_0\dfrac{\partial\boldsymbol{H}}{\partial t}\right)$

(エ) $-\varepsilon_0\mu_0\dfrac{\partial^2\boldsymbol{H}}{\partial t^2}$ (オ) $-\Delta\boldsymbol{H}=-\varepsilon_0\mu_0\dfrac{\partial^2\boldsymbol{H}}{\partial t^2}$

演習問題 85　●偏微分方程式（Ⅰ）●

次の偏微分方程式をみたす **2** 変数関数 $u(x,\ y)$ の一般解を求めよ。

(1) $\dfrac{\partial u}{\partial x}=e^x$　　(2) $\dfrac{\partial^2 u}{\partial y^2}=2y$　　(3) $\dfrac{\partial^2 u}{\partial y\partial x}=0$

ヒント！ $u=u(x,\ y)$ であることに気を付けて解を求める。x で積分するのであれば，任意定数 C の代わりに y の任意関数を含む解となる。

解答＆解説

(1) $\dfrac{\partial u}{\partial x}=e^x$ の両辺を x で積分して，

$$u(x,\ y)=\int e^x dx=e^x+\underline{f(y)}$$ （ただし，$f(y)$：y の任意関数）……(答)

（これが，任意定数 C ではなく，y の任意関数 $f(y)$ になる。）

(2) $\dfrac{\partial^2 u}{\partial y^2}=2y$ の両辺を y で積分して，

$$\frac{\partial u}{\partial y}=\int 2y\,dy=y^2+f(x)$$

さらに，この両辺を y で積分して，

（y から見て，定数扱い）

$$u(x,\ y)=\int\{y^2+f(x)\}\,dy=\frac{1}{3}y^3+y\cdot\underline{f(x)}+g(x)$$ …………………(答)

（ただし，$f(x)$，$g(x)$：x の任意関数）

(3) $\dfrac{\partial}{\partial y}\left(\dfrac{\partial u}{\partial x}\right)=0$ の両辺をまず y で積分して，

$$\frac{\partial u}{\partial x}=\underline{\widetilde{f(x)}}$$ （ただし，$\widetilde{f(x)}$：x の任意関数）

（任意定数 C ではなく，x の任意関数になる。注意しよう！）

さらに，この両辺を x で積分して，

$$u(x,\ y)=\int\widetilde{f(x)}\,dx=f(x)+g(y)$$ ……………………………………(答)

（ただし，$f(x)$：$\widetilde{f(x)}$ の原数関数
　　　　$g(y)$：y の任意関数）

演習問題 86　● 偏微分方程式(Ⅱ) ●

次の偏微分方程式をみたす **2** 変数関数 $u(x,\ y)$ の一般解を求めよ。

(1) $\dfrac{\partial u}{\partial y}=\sin y$　　(2) $\dfrac{\partial^2 u}{\partial x^2}=\log y$　　(3) $\dfrac{\partial^2 u}{\partial x\partial y}=5$

ヒント！ 前問同様，y で積分するときは，x の任意関数を含む解となる。

解答＆解説

(1) $\dfrac{\partial u}{\partial y}=\sin y$　の両辺を y で積分して，

$u(x,\ y)=\int\sin y\,dy=$ (ア) (ただし，$f(x)$：x の任意関数)…(答)

(2) $\dfrac{\partial^2 u}{\partial x^2}=\log y$　の両辺を x で積分して，

$\dfrac{\partial u}{\partial x}=\int\log y\,dx=$ (イ) $\int dx=x\cdot\log y+$ (ウ)

さらに，この両辺を x で積分して，

$u(x,\ y)=\int\{x\cdot\log y+$ (ウ) $\}\,dx=\dfrac{1}{2}x^2\cdot\log y+$ (エ) $+g(y)$ …(答)

(ただし，$f(y)$，$g(y)$：y の任意関数)

(3) $\dfrac{\partial}{\partial x}\left(\dfrac{\partial u}{\partial y}\right)=5$　の両辺をまず x で積分して，

$\dfrac{\partial u}{\partial y}=$ (オ)　(ただし，$\widetilde{f(y)}$：y の任意関数)

さらに，この両辺を y で積分して，

$u(x,\ y)=\int\{$ (オ) $\}\,dx=$ (カ) ……………………(答)

(ただし，$f(y)$：$\widetilde{f(y)}$ の原始関数，$g(x)$：x の任意関数)

解答　(ア) $-\cos y+f(x)$　(イ) $\log y$　(ウ) $f(y)$　(エ) $x\cdot f(y)$

(オ) $5x+\widetilde{f(y)}$　(カ) $5xy+f(y)+g(x)$

演習問題 87　●1次元の波動方程式●

右図に示すように，x 軸の 2 点原点と点 $(L,\ 0)$ を端点 (固定点) として張られた弦が，鉛直方向に振動するものとする。弦の平衡状態からの鉛直方向の微小な変位を u とおくと，これは位置 x と時刻 t の 2 変数関数 $u(x,\ t)$ となる。

弦の振動のイメージ

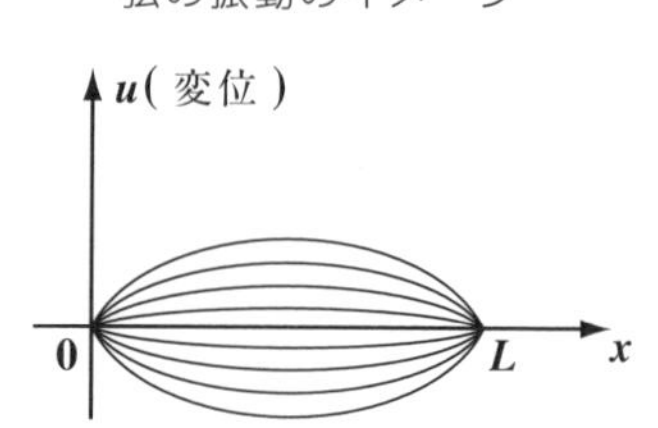

弦の微小部分 $[x,\ x+\Delta x]$ について，鉛直方向に運動方程式を立てることにより，弦の振動を表す 1 次元の波動方程式：

$$\frac{\partial^2 u}{\partial x^2}=\frac{1}{v^2}\frac{\partial^2 u}{\partial t^2}\quad\cdots\cdots(*)\quad\left(v=\sqrt{\frac{T}{\rho}}\right)$$ が成り立つことを確かめよ。

(ただし，弦は一様な線密度 $\rho(\mathbf{kg/m})$ をもつものとし，また，弦の張力 $T(\mathbf{N})$ は弦のどの場所においても一定であるものとする。)

ヒント！ 弦の微小部分の質量 m は，$m=\Delta x\cdot\rho(\mathbf{kg})$，鉛直方向の加速度 α は，$\alpha=\dfrac{\partial^2 u}{\partial t^2}(\mathbf{m/s^2})$ となる。運動方程式 $f=m\cdot\alpha$ の力 f は，この部分に働く張力の鉛直方向の成分となるんだね。

解答＆解説

右図に示すように，弦の微小部分 $[x,\ x+\Delta x]$ について，鉛直方向に，運動方程式：

$f=m\cdot\alpha$　……①

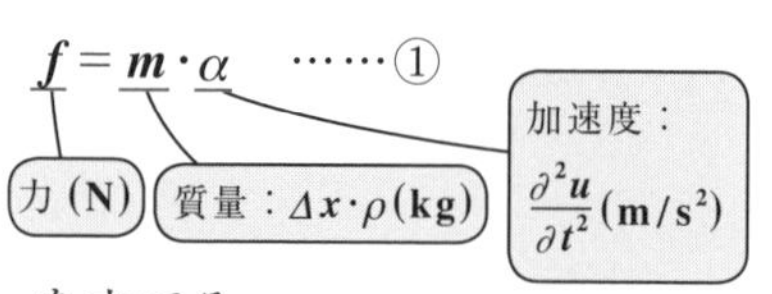

を立てる。

弦の Δx の微小部分に働く力

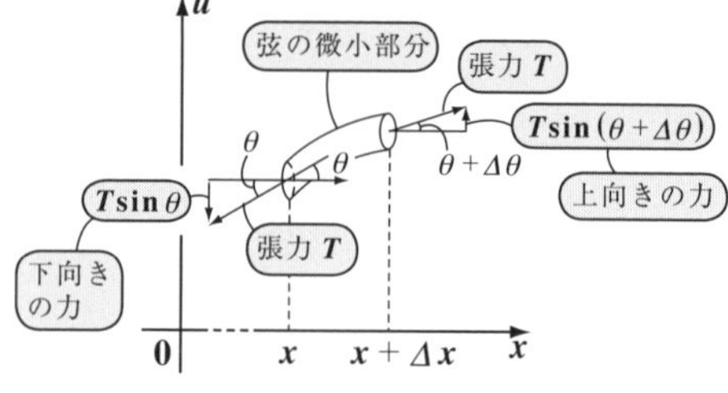

(①の右辺) $=m\cdot\alpha=$ (ア)　……②

①の左辺の f は，Δx の微小長さの弦に働く張力の鉛直方向の成分だから，

上向きの力　　下向きの力

$$(\text{①の左辺}) = T\cdot\sin(\theta+\Delta\theta) - T\cdot\sin\theta$$

$\tan(\theta+\Delta\theta) = \left(\frac{\partial u}{\partial x}\right)_{x+\Delta x}$　　$\tan\theta = \left(\frac{\partial u}{\partial x}\right)_x$

$\theta \fallingdotseq 0$ より，$\sin\theta \fallingdotseq \tan\theta$，$\sin(\theta+\Delta\theta) \fallingdotseq \tan(\theta+\Delta\theta)$ となる。また，$\tan\theta$ は x における，$\tan(\theta+\Delta\theta)$ は $x+\Delta x$ における弦(曲線)の接線の傾きを表すことになる。

$$= T\left\{\left(\frac{\partial u}{\partial x}\right)_{x+\Delta x} - \left(\frac{\partial u}{\partial x}\right)_x\right\}$$

$$= T\cdot \boxed{(イ)} \quad \cdots\cdots③$$

ここで，$g(x) = \left(\frac{\partial u}{\partial x}\right)_x$ とおくと，

$g(x+\Delta x) = \left(\frac{\partial u}{\partial x}\right)_{x+\Delta x}$

関数の 1 次近似式より，

$g'(x) \fallingdotseq \frac{g(x+\Delta x)-g(x)}{\Delta x}$

$\therefore g(x+\Delta x) - g(x) = \Delta x\cdot g'(x)$

$\therefore \left(\frac{\partial u}{\partial x}\right)_{x+\Delta x} - \left(\frac{\partial u}{\partial x}\right)_x = \Delta x\cdot\frac{\partial^2 u}{\partial x^2}$

となる。②，③を①の運動方程式に代入して，

$$T\cdot\Delta x\frac{\partial^2 u}{\partial x^2} = \Delta x\cdot\rho\cdot\frac{\partial^2 u}{\partial t^2}$$

両辺を $T\cdot\Delta x$ で割ると，

$$\frac{\partial^2 u}{\partial x^2} = \frac{\rho}{T}\cdot\frac{\partial^2 u}{\partial t^2} \quad \cdots\cdots④$$ となる。

ここで，$\frac{T}{\rho}$ の単位は，$\left[\frac{\mathrm{N}}{\mathrm{kg/m}}\right] = \left[\frac{\boxed{(ウ)}}{\mathrm{kg/m}}\right] = [\mathrm{m^2/s^2}]$

となって，$\boxed{(エ)}$ の 2 乗の単位となるので，

$\frac{T}{\rho} = v^2$，すなわち $\frac{\rho}{T} = \frac{1}{v^2}$　とおくと，④は弦の振動を表す 1 次元の波動方程式：

$$\frac{\partial^2 u}{\partial x^2} = \frac{1}{v^2}\frac{\partial^2 u}{\partial t^2} \quad \cdots\cdots(*) \quad \left(v = \sqrt{\frac{T}{\rho}}\right)$$ となる。…………………………(終)

解答　(ア) $\Delta x\cdot\rho\cdot\frac{\partial^2 u}{\partial t^2}$　(イ) $\Delta x\frac{\partial^2 u}{\partial x^2}$　(ウ) $\mathrm{kg\cdot m/s^2}$

(エ) 速度

演習問題 88　● ダランベールの解 ●

位置 x と時刻 t の 2 変数関数 $u(x,\ t)$ の 1 次元波動方程式：

$\dfrac{\partial^2 u}{\partial x^2} = \dfrac{1}{v^2}\dfrac{\partial^2 u}{\partial t^2}$ ……(＊)　の一般解は，

$u(x,\ t) = f\left(t - \dfrac{x}{v}\right) + g\left(t + \dfrac{x}{v}\right)$ ……(＊＊) となる。

$\alpha = t - \dfrac{x}{v}$ ，$\beta = t + \dfrac{x}{v}$ とおき，$\dfrac{\partial^2 u}{\partial\alpha\partial\beta}$ を求めることによって，

(＊＊) が (＊) の一般解であることを示せ。

ヒント！ (＊＊) の解をダランベールの解という。変数 x と t の 2 変数関数 $u(x,\ t)$ が全微分可能のとき，$du = \dfrac{\partial u}{\partial x}dx + \dfrac{\partial u}{\partial t}dt$ ……(ア) となるね。

ここで，x と t が，さらに 2 つの変数 α と β の関数，すなわち

$x = x(\alpha, \beta)$，$t = t(\alpha, \beta)$ で表されるとき，u は，x と t を介して α と β の 2 変数関数と考えることができる。この α と β による偏微分 $\dfrac{\partial u}{\partial\alpha}$ と $\dfrac{\partial u}{\partial\beta}$ は，(ア) を利用して次の式で求められるんだね。

$$\frac{\partial u}{\partial\alpha} = \frac{\partial u}{\partial x}\cdot\frac{\partial x}{\partial\alpha} + \frac{\partial u}{\partial t}\cdot\frac{\partial t}{\partial\alpha}$$

← (ア) の両辺を形式的に $\partial\alpha$ で割った形だね。

$$\frac{\partial u}{\partial\beta} = \frac{\partial u}{\partial x}\cdot\frac{\partial x}{\partial\beta} + \frac{\partial u}{\partial t}\cdot\frac{\partial t}{\partial\beta}$$

← (ア) の両辺を形式的に $\partial\beta$ で割った形だね。

解答＆解説

(＊) の解が，(＊＊) のダランベールの解となることを示す。

まず，$\alpha = t - \dfrac{x}{v}$ ……①，$\beta = t + \dfrac{x}{v}$ ……②　とおくと，

$\dfrac{① + ②}{2}$ より，$t =$ [(ア)　　] ……③

$\dfrac{② - ①}{2}\cdot v$ より，$x =$ [(イ)　　] ……④　となる。

ここで，u は x と t を介して，変数 α と β の関数でもあるので，

まず，u を β で偏微分すると，

$$\frac{\partial u}{\partial \beta}=\frac{\partial u}{\partial x}\cdot\underbrace{\frac{\partial x}{\partial \beta}}_{\frac{v}{2}}+\frac{\partial u}{\partial t}\cdot\underbrace{\frac{\partial t}{\partial \beta}}_{\frac{1}{2}}=\frac{v}{2}\frac{\partial u}{\partial x}+\frac{1}{2}\frac{\partial u}{\partial t}\quad\cdots\cdots⑤\quad(③，④より)$$

⑤をさらに α で偏微分すると，

$$\frac{\partial^2 u}{\partial\alpha\partial\beta}=\frac{\partial}{\partial\alpha}\left(\frac{\partial u}{\partial\beta}\right)=\frac{\partial}{\partial\alpha}\left(\underbrace{\frac{v}{2}}_{定数}\cdot\frac{\partial u}{\partial x}+\underbrace{\frac{1}{2}}_{定数}\cdot\frac{\partial u}{\partial t}\right)=\frac{v}{2}\cdot\frac{\partial}{\partial\alpha}\left(\frac{\partial u}{\partial x}\right)+\frac{1}{2}\cdot\frac{\partial}{\partial\alpha}\left(\frac{\partial u}{\partial t}\right)$$

$$=\frac{v}{2}\left(\underbrace{\frac{\partial x}{\partial\alpha}}_{-\frac{v}{2}}\cdot\frac{\partial^2 u}{\partial x^2}+\underbrace{\frac{\partial t}{\partial\alpha}}_{\frac{1}{2}}\cdot\frac{\partial^2 u}{\partial t\partial x}\right)+\frac{1}{2}\left(\underbrace{\frac{\partial x}{\partial\alpha}}_{-\frac{v}{2}}\cdot\boxed{(ウ)}+\underbrace{\frac{\partial t}{\partial\alpha}}_{\frac{1}{2}}\cdot\boxed{(エ)}\right)$$

$$=\frac{v}{2}\left(-\frac{v}{2}\cdot\frac{\partial^2 u}{\partial x^2}+\frac{1}{2}\cdot\frac{\partial^2 u}{\partial t\partial x}\right)+\frac{1}{2}\left(-\frac{v}{2}\cdot\frac{\partial^2 u}{\partial x\partial t}+\frac{1}{2}\frac{\partial^2 u}{\partial t^2}\right)\quad(③，④より)$$

ただし，シュワルツの公式：$\frac{\partial^2 u}{\partial t\partial x}=\frac{\partial^2 u}{\partial x\partial t}$ が成り立つものとする。

$$=-\frac{v^2}{4}\cdot\frac{\partial^2 u}{\partial x^2}+\frac{1}{4}\cdot\frac{\partial^2 u}{\partial t^2}=-\frac{v^2}{4}\underbrace{\left(\frac{\partial^2 u}{\partial x^2}-\frac{1}{v^2}\cdot\frac{\partial^2 u}{\partial t^2}\right)}_{0\ ((*)\text{を}u\text{はみたすから})}=0$$

∴偏微分方程式 $\frac{\partial^2 u}{\partial\alpha\partial\beta}=0$ ……⑥を u はみたす。⑥の両辺を α で積分して，

$\frac{\partial u}{\partial\beta}=\widetilde{g(\beta)}$　　さらに，これを β で積分して，

$$u=\int\widetilde{g(\beta)}d\beta=f(\alpha)+g(\beta)\quad\cdots\cdots⑦$$

（ただし，$f(\alpha)$：α の任意関数，$g(\beta)$：$\widetilde{g(\beta)}$ の原数関数）

⑦に①，②を代入して，$(*)$ の波動方程式の解は，ダランベールの解：

$u(x,\ t)=f\left(t-\frac{x}{v}\right)+g\left(t+\frac{x}{v}\right)$　……$(**)$ として与えられる。　……(終)

解答　(ア) $\frac{\alpha+\beta}{2}$　(イ) $\frac{v}{2}(\beta-\alpha)$　(ウ) $\frac{\partial^2 u}{\partial x\partial t}$　(エ) $\frac{\partial^2 u}{\partial t^2}$

演習問題 89　●進行波・後退波●

ダランベールの解：$u(x,\ t)=f\left(t-\dfrac{x}{v}\right)+g\left(t+\dfrac{x}{v}\right)$ ……(＊＊) は，進行波 $f\left(t-\dfrac{x}{v}\right)$ と後退波 $g\left(t+\dfrac{x}{v}\right)$ の重ね合わせ（和）の形で表されている。この進行波 $f\left(t-\dfrac{x}{v}\right)$ と後退波 $g\left(t+\dfrac{x}{v}\right)$ の速さは共に $v(\mathrm{m/s})$ であることを確かめよ。

ヒント！ 時刻 $t=0$ のとき $x=0$ 前後にあった f の波形と同じ波形が，$x=x_1(>0)$ の位置に現われる時刻 $t=t_1$ は，x_1 を用いてどう表されるかを考えよう。後退波 $g\left(t+\dfrac{x}{v}\right)$ も同様に考えるといい。

解答＆解説

・進行波 $f\left(t-\dfrac{x}{v}\right)$ について，図 **1** に示すように，時刻 $t=0$ のとき，$x=0$ の前後に f によって描かれた波形と同じ波形が，$x=x_1(>0)$ の位置では，時刻 $t=t_1=$ (ア) 秒後に現われることになる。

図 **1** 進行波 $f\left(t-\dfrac{x}{v}\right)$

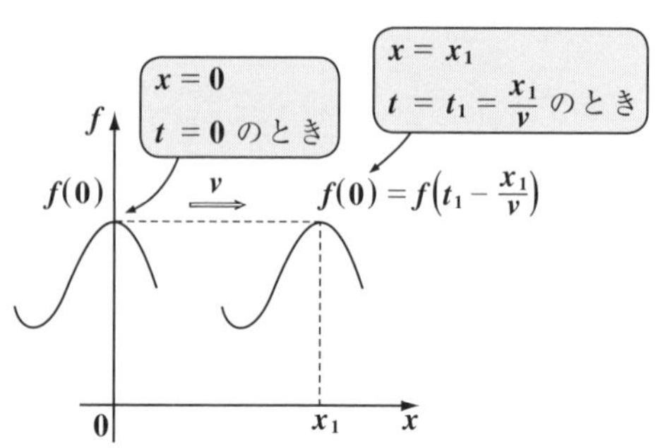

なぜなら，$t=t_1=$ (ア)，$x=x_1$ を，$f\left(t-\dfrac{x}{v}\right)$ に代入すると，

$f\left(t_1-\dfrac{x_1}{v}\right)=f\left(\boxed{(ア)}-\dfrac{x_1}{v}\right)=f(0)$ となって，$t=0$，$x=0$ のときと同じ値をとるからである。よって，波の速さは，

$\dfrac{x_1}{t_1}=\dfrac{x_1}{\boxed{(ア)}}=v(\mathrm{m/s})$ となる。 ……………………………………………(終)

・次，後退波 $g\left(t+\frac{x}{v}\right)$ についても同様に考える。図 2 に示すように，時刻 $t=0$ のとき $x=0$ 前後に g により描かれた波形と同じ波形が，$x=$ (イ) (<0) の位置では，時刻 $t=t_1=\frac{x_1}{v}$ 秒後に現われることになる。$g\left(t+\frac{x}{v}\right)$ に $t=t_1=\frac{x_1}{v}$，$x=$ (イ) を代入

図 2 後退波 $g\left(t+\frac{x}{v}\right)$

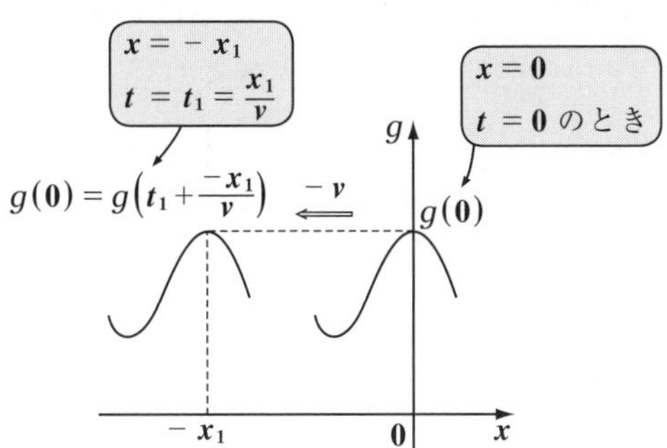

して，$g\left(t_1+\frac{\text{(イ)}}{v}\right)=g\left(\frac{x_1}{v}\text{(ウ)}\right)=g(0)$ となって，$t=0$，$x=0$ のときと同じ値をとるからである。よって，波の速さは，

$\frac{|\text{(イ)}|}{t_1}=\frac{x_1}{\frac{x_1}{v}}=v(\mathrm{m/s})$ となる。 ……………………………………(終)

・進行波 $f\left(t-\frac{x}{v}\right)$ について，

$f\left(t-\frac{x}{v}\right)=f\left(-\frac{1}{v}(x-vt)\right)$ ← 時刻 $t\,(>0)$ に対応

時刻 $t=0$ に対応

これは，$f\left(-\frac{1}{v}x\right)$ の波形を x 軸正方向に vt だけ平行移動した波形を表す。よって，この波の速さは，

$\frac{vt}{t}=v(\mathrm{m/s})$ となる。

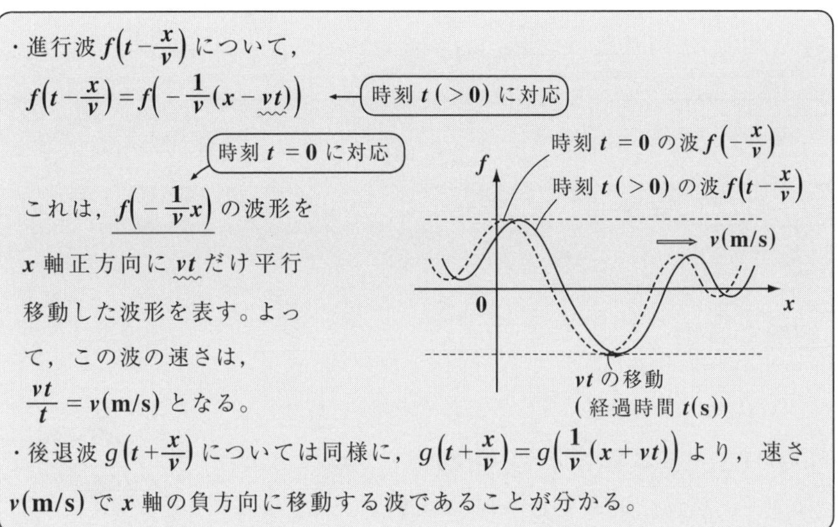

・後退波 $g\left(t+\frac{x}{v}\right)$ については同様に，$g\left(t+\frac{x}{v}\right)=g\left(\frac{1}{v}(x+vt)\right)$ より，速さ $v(\mathrm{m/s})$ で x 軸の負方向に移動する波であることが分かる。

解答 (ア) $\frac{x_1}{v}$ (イ) $-x_1$ (ウ) $-\frac{x_1}{v}$

演習問題 90　● 球面波と平面波 ●

ある波源 O から発生した球面波も，O からの距離が十分大きくなると，曲率が小さくなって，ほぼ平面波になる。O からこの平面波の波面までの距離を $q(=\mathrm{OQ})$ とおき，$\overrightarrow{\mathrm{OQ}}$ と同じ向きの単位ベクトルを $\boldsymbol{n}=[l,\ m,\ n]$ とおく。また，この平面波上の任意の

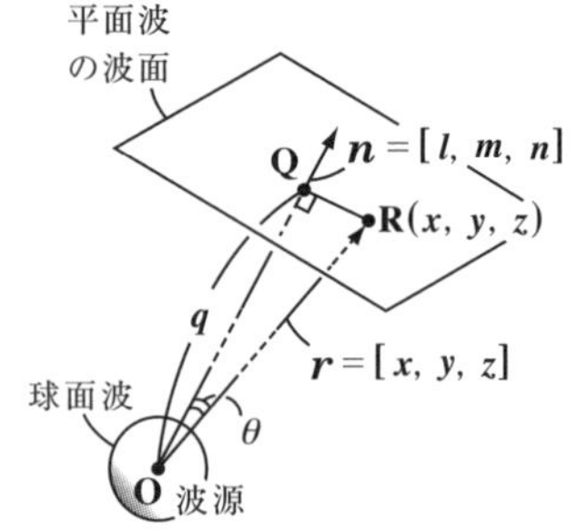

点を $\mathrm{R}(x,\ y,\ z)$ とおき，$\overrightarrow{\mathrm{OR}}=\boldsymbol{r}$ とおくと，$\boldsymbol{r}=[x,\ y,\ z]$ となる。この平面波の変位 $u(x,\ y,\ z,\ t)$ は，3 次元の波動方程式：

$$\frac{\partial^2 u}{\partial x^2}+\frac{\partial^2 u}{\partial y^2}+\frac{\partial^2 u}{\partial z^2}=\frac{1}{v^2}\cdot\frac{\partial^2 u}{\partial t^2}\quad\cdots\cdots(*)$$

(v：波の伝播速度) をみたすものとする。このとき，次の各問いに答えよ。

(1) q を $l,\ m,\ n,\ x,\ y,\ z$ で表せ。　(2) $\dfrac{\partial^2 u}{\partial x^2}$ を $\dfrac{\partial^2 u}{\partial q^2}$ で表せ。

(3) $\dfrac{\partial^2 u}{\partial q^2}=\dfrac{1}{v^2}\cdot\dfrac{\partial^2 u}{\partial t^2}\quad\cdots\cdots(**)$ が成り立つことを示せ。

ヒント！ (1) $q=\|\boldsymbol{r}\|\cos\theta=\|\boldsymbol{n}\|\,\|\boldsymbol{r}\|\cos\theta$ から導ける。(2) $\dfrac{\partial u}{\partial x}=\dfrac{\partial q}{\partial x}\cdot\dfrac{\partial u}{\partial q}=l\dfrac{\partial u}{\partial q}$ となる。(3) (2) より，$\dfrac{\partial^2 u}{\partial x^2}=l^2\dfrac{\partial^2 u}{\partial q^2}$ となり，$\dfrac{\partial^2 u}{\partial y^2}$，$\dfrac{\partial^2 u}{\partial z^2}$ も同様に変形すればいいんだね。

解答＆解説

(1) $\triangle\mathrm{OQR}$ は，$\angle\mathrm{OQR}=\dfrac{\pi}{2}$ の直角三角形であり，

$\angle\mathrm{QOR}=\theta$ とおくと，$q=\|\boldsymbol{r}\|\cos\theta$ ……① となる。

ここで，単位ベクトル $\boldsymbol{n}=[l,\ m,\ n]$ は，

$\boldsymbol{n}\,/\!/\,\overrightarrow{\mathrm{OQ}}$ かつ $\|\boldsymbol{n}\|=\sqrt{l^2+m^2+n^2}=1$ より，

①の右辺に $\|\boldsymbol{n}\|(=1)$ をかけて変形すると，

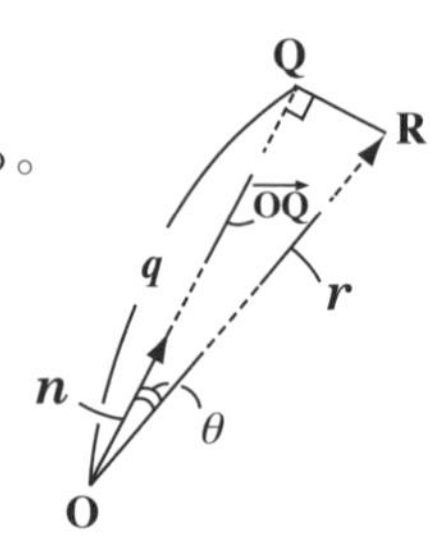

$$q = \underbrace{\overbrace{\|\boldsymbol{n}\|}^{1} \cdot \|\boldsymbol{r}\| \cos\theta}_{\boldsymbol{n}\cdot\boldsymbol{r}\,(\text{内積})} = \boldsymbol{n} \cdot \boldsymbol{r} = [l,\ m,\ n] \cdot [x,\ y,\ z]$$ より,

$q = lx + my + nz$ …② (l, m, n：定数, x, y, z：変数) となる。…(答)

(2) ②より, $\dfrac{\partial q}{\partial x} = l$ ……③ となる。よって, u を x で1階偏微分すると,

$$\frac{\partial u}{\partial x} = \underbrace{\frac{\partial q}{\partial x}}_{l\,(③より)} \cdot \frac{\partial u}{\partial q} = l \cdot \frac{\partial u}{\partial q} \quad ……④$$ となる。

④をさらに, x で偏微分して,

$$\frac{\partial^2 u}{\partial x^2} = \frac{\partial}{\partial x}\Bigg(\underbrace{\frac{\partial u}{\partial x}}_{l\cdot\frac{\partial u}{\partial q}\,(④より)}\Bigg) = \frac{\partial}{\partial x}\left(l\,\frac{\partial u}{\partial q}\right) = l\,\frac{\partial}{\partial x}\left(\frac{\partial u}{\partial q}\right) = l \cdot \underbrace{\frac{\partial q}{\partial x}}_{l\,(③より)} \cdot \frac{\partial}{\partial q}\left(\frac{\partial u}{\partial q}\right)$$

$$\therefore \frac{\partial^2 u}{\partial x^2} = l^2 \frac{\partial^2 u}{\partial q^2} \quad ……⑤$$ となる。……………………………………………(答)

(3) $\dfrac{\partial^2 u}{\partial y^2}$, $\dfrac{\partial^2 u}{\partial z^2}$ についても, 同様の変形を行うと,

$$\frac{\partial^2 u}{\partial y^2} = m^2 \frac{\partial^2 u}{\partial q^2} \quad ………⑥ \quad \left(\because \frac{\partial u}{\partial y} = m \cdot \frac{\partial u}{\partial q}\right)$$

$$\frac{\partial^2 u}{\partial z^2} = n^2 \frac{\partial^2 u}{\partial q^2} \quad ………⑦ \quad \left(\because \frac{\partial u}{\partial z} = n \cdot \frac{\partial u}{\partial q}\right)$$ となる。

⑤＋⑥＋⑦より,

$$\frac{\partial^2 u}{\partial x^2} + \frac{\partial^2 u}{\partial y^2} + \frac{\partial^2 u}{\partial z^2} = l^2 \frac{\partial^2 u}{\partial q^2} + m^2 \frac{\partial^2 u}{\partial q^2} + n^2 \frac{\partial^2 u}{\partial q^2}$$

$$= \underbrace{(l^2 + m^2 + n^2)}_{\|\boldsymbol{n}\|^2 = 1} \frac{\partial^2 u}{\partial q^2} = \frac{\partial^2 u}{\partial q^2} \quad ……⑧$$ となる。

⑧を $(*)$ の左辺に代入すると,

結局, q と t を独立変数とする1次元波動方程式が導かれるんだね。

$$\frac{\partial^2 u}{\partial q^2} = \frac{1}{v^2}\,\frac{\partial^2 u}{\partial t^2} \quad ……(**)$$ が成り立つ。…………………………(終)

演習問題 91 ●平面電磁波●

真空中のマクスウェルの方程式より，真空中を光速 c で伝播する電磁波を表す電場 $\boldsymbol{E}$ と磁場 $\boldsymbol{H}$ の波動方程式：

$$\Delta \boldsymbol{E} = \frac{1}{c^2}\frac{\partial^2 \boldsymbol{E}}{\partial t^2} \quad \cdots\cdots(a) \text{と，} \qquad \Delta \boldsymbol{H} = \frac{1}{c^2}\frac{\partial^2 \boldsymbol{H}}{\partial t^2} \quad \cdots\cdots(b)$$

が導かれる。(演習問題 **83**, **84**) この電磁波を，電場 $\boldsymbol{E}$ と磁場 $\boldsymbol{H}$ が yz 平面に平行な任意の平面上で一定であるような平面波であるものとする。このとき，この平面波の進行方向は x 軸方向となるので，$\boldsymbol{E}$ も $\boldsymbol{H}$ も共に x と時刻 t のみの **2** 変数関数，すなわち，

$$\begin{cases} \boldsymbol{E}(x,\ t) = [E_1(x,\ t),\ E_2(x,\ t),\ E_3(x,\ t)] & \cdots\cdots① \\ \boldsymbol{H}(x,\ t) = [H_1(x,\ t),\ H_2(x,\ t),\ H_3(x,\ t)] & \cdots\cdots② \end{cases}$$ と表される。

このとき，真空中の **4** つのマクスウェルの方程式：

(i) $\mathrm{div}\boldsymbol{E} = 0 \quad \cdots\cdots\cdots\cdots(*1)'$ (ii) $\mathrm{div}\boldsymbol{H} = 0 \quad \cdots\cdots\cdots\cdots(*2)'$

(iii) $\mathrm{rot}\boldsymbol{H} = \varepsilon_0\dfrac{\partial \boldsymbol{E}}{\partial t} \quad \cdots\cdots\cdots(*3)'$ (iv) $\mathrm{rot}\boldsymbol{E} = -\mu_0\dfrac{\partial \boldsymbol{H}}{\partial t} \quad \cdots\cdots(*4)'$

を解くことによって，$\boldsymbol{E} \perp \boldsymbol{H} \quad \cdots\cdots(*1)$ と，$H = \sqrt{\dfrac{\varepsilon_0}{\mu_0}}E \quad \cdots\cdots(*2)$

を導け。

ヒント！ まず，$(*1)' \sim (*4)'$ を $\boldsymbol{E}$ と $\boldsymbol{H}$ の成分 E_1, E_2, E_3, H_1, H_2, H_3 を用いて表示する。$(*1)'$ と $(*3)'$ から，$E_1 = 0$ が，そして，$(*2)'$ と $(*4)'$ から，$H_1 = 0$ が導かれるので，$\boldsymbol{E} = [0,\ E_2(x,\ t),\ E_3(x,\ t)]$, $\boldsymbol{H} = [0,\ H_2(x,\ t),\ H_3(x,\ t)]$ とおける。ここで，$(*3)'$ と $(*4)'$ から，$E_3 = 0$ かつ $H_2 = 0$ とした場合の解 E_2 と H_3 を求めると，この E_2 と H_3 は，それぞれ電場の波動方程式：$\dfrac{\partial^2 E_2}{\partial x^2} = \dfrac{1}{c^2}\cdot\dfrac{\partial^2 E_2}{\partial t^2}$ と磁場の波動方程式：$\dfrac{\partial^2 H_3}{\partial x^2} = \dfrac{1}{c^2}\cdot\dfrac{\partial^2 H_3}{\partial t^2}$ をみたすことが分かる。E_2 がダランベールの解：$E_2 = f\left(t - \dfrac{x}{v}\right)$ をもつものとして，$(*3)'$ と $(*4)'$ から $H_3 = \sqrt{\dfrac{\varepsilon_0}{\mu_0}}E_2$ を導く。

解答＆解説

まず，$\boldsymbol{E}$ と $\boldsymbol{H}$ が，①と②で示すように x と t の 2 変数関数なので，

(ⅰ)(＊1)′より，$E_{1x}+\cancel{E_{2y}}+\cancel{E_{3z}}=0$　$\therefore \dfrac{\partial E_1}{\partial x}=0$ ……③　となる。

$\dfrac{\partial E_2}{\partial y}=0$　$\dfrac{\partial E_3}{\partial z}=0$ ← E_2，E_3 も x と t のみの関数より，y や z で偏微分すると 0 になる。

(ⅱ)(＊2)′より，$H_{1x}+\cancel{H_{2y}}+\cancel{H_{3z}}=0$　$\therefore \dfrac{\partial H_1}{\partial x}=0$ ……④

$\dfrac{\partial H_2}{\partial y}=0$　$\dfrac{\partial H_3}{\partial z}=0$ ← H_2，H_3 も x と t のみの関数より，y や z で偏微分すると 0 になる。

(ⅲ)$\mathrm{rot}\boldsymbol{H}=\varepsilon_0\dfrac{\partial \boldsymbol{E}}{\partial t}$ ……(＊3)′より，

$[0,\ -H_{3x},\ H_{2x}]=\varepsilon_0[E_{1t},\ E_{2t},\ E_{3t}]$

よって，

$0=\varepsilon_0\dfrac{\partial E_1}{\partial t}$ …⑤，　$-\dfrac{\partial H_3}{\partial x}=\varepsilon_0\dfrac{\partial E_2}{\partial t}$ …⑤′

$\dfrac{\partial H_2}{\partial x}=\varepsilon_0\dfrac{\partial E_3}{\partial t}$ ……⑤′′　が導ける。

rot$\boldsymbol{H}$ の計算

$$\begin{array}{cccc}\dfrac{\partial}{\partial x} & \dfrac{\partial}{\partial y} & \dfrac{\partial}{\partial z} & \dfrac{\partial}{\partial x}\\ H_1 & H_2 & H_3 & H_1\end{array}$$

$,\ H_{2x}][\ 0,\ -H_{3x}$

(ⅳ)$\mathrm{rot}\boldsymbol{E}=-\mu_0\dfrac{\partial \boldsymbol{H}}{\partial t}$ …(＊4)′より，

$[0,\ -E_{3x},\ E_{2x}]=-\mu_0[H_{1t},\ H_{2t},\ H_{3t}]$

よって，

$0=-\mu_0\dfrac{\partial H_1}{\partial t}$ …⑥，　$\dfrac{\partial E_3}{\partial x}=\mu_0\dfrac{\partial H_2}{\partial t}$ …⑥′

$\dfrac{\partial E_2}{\partial x}=-\mu_0\dfrac{\partial H_3}{\partial t}$ …⑥′′

rot$\boldsymbol{E}$ の計算

$$\begin{array}{cccc}\dfrac{\partial}{\partial x} & \dfrac{\partial}{\partial y} & \dfrac{\partial}{\partial z} & \dfrac{\partial}{\partial x}\\ E_1 & E_2 & E_3 & E_1\end{array}$$

$,\ E_{2x}][\ 0,\ -E_{3x}$

・③と⑤より，$\dfrac{\partial E_1}{\partial x}=0$ かつ $\dfrac{\partial E_1}{\partial t}=0$　　よって，$E_1(x,t)$ は，x と t のいずれで微分しても 0 だから，定数である。

・④と⑥より，$\dfrac{\partial H_1}{\partial x}=0$ かつ $\dfrac{\partial H_1}{\partial t}=0$　　よって，$H_1(x,t)$ も定数となる。

この定数の E_1 と H_1 は，変動する電磁場とは無関係なので，これらを共に 0 としよう。

以上より，①と②の電場と磁場は，

$$\begin{cases} \boldsymbol{E}(x,\ t) = [\underset{\overset{\parallel}{E_1}}{\textcircled{0}},\ E_2(x,\ t),\ E_3(x,\ t)] & \cdots\cdots①' \\ \boldsymbol{H}(x,\ t) = [\underset{\overset{\parallel}{H_1}}{\textcircled{0}},\ H_2(x,\ t),\ H_3(x,\ t)] & \cdots\cdots②' \end{cases}$$

となる。

$\boldsymbol{E} = [E_1,\ E_2,\ E_3]$ …①
$\boldsymbol{H} = [H_1,\ H_2,\ H_3]$ …②

ここで，E_3 と H_2 が現われる微分方程式：

$$\frac{\partial H_2}{\partial x} = \varepsilon_0 \frac{\partial E_3}{\partial t} \quad \cdots⑤'' \quad と \quad \frac{\partial E_3}{\partial x} = \mu_0 \frac{\partial H_2}{\partial t} \quad \cdots⑥'$$

をみたす解として，$E_3(x,\ t) = 0$，$H_2(x,\ t) = 0$ があるので，この場合の電磁波を考えれば，①′，②′は，

$E_3 = 0$ のとき，$\frac{\partial E_3}{\partial t} = 0$ かつ $\frac{\partial E_3}{\partial x} = 0$
$H_2 = 0$ のときも同様に，$\frac{\partial H_2}{\partial t} = 0$ かつ $\frac{\partial H_2}{\partial x} = 0$
となって，⑤″と⑥′をみたすんだね。

$$\begin{cases} \boldsymbol{E}(x,\ t) = [0,\ E_2(x,\ t),\ \underset{\overset{\parallel}{E_3}}{\textcircled{0}}] & \cdots\cdots①'' \\ \boldsymbol{H}(x,\ t) = [0,\ \underset{\overset{\parallel}{H_2}}{\textcircled{0}},\ H_3(x,\ t)] & \cdots\cdots②'' \end{cases}$$

とおくことができる。(ただし，E_2 と H_3 は恒等的に **0** でないものとする。)

よって，図 **1** に示すように，電場 $\boldsymbol{E}$ は y 軸方向にのみ変動し，磁場 $\boldsymbol{H}$ は z 軸方向にのみ変動する。

これから，電場 $\boldsymbol{E}$ と磁場 $\boldsymbol{H}$ は直交するので，$\boldsymbol{E} \perp \boldsymbol{H}$ ……(＊1)

が成り立つ。 …………………(終)

図 **1** 変動する電磁場のイメージ

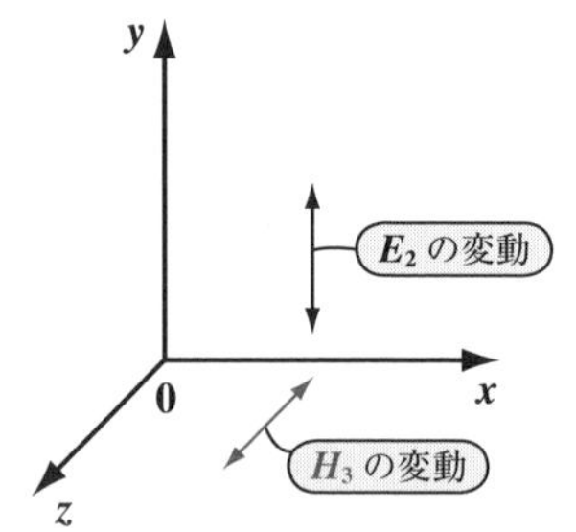

次に，①″の E_2 と②″の H_3 が対となって入っている微分方程式は，

$$\begin{cases} -\frac{\partial H_3}{\partial x} = \varepsilon_0 \frac{\partial E_2}{\partial t} & \cdots⑤' \ と \\ \frac{\partial E_2}{\partial x} = -\mu_0 \frac{\partial H_3}{\partial t} & \cdots⑥'' \end{cases}$$

の **2** つである。

$\boldsymbol{E}$ の $\boldsymbol{H}$ の関係を求めるために，E_2 と H_3 の連立方程式⑤′と⑥″を使う。

この⑤′と⑥″をみたす恒等的に **0** ではない E_2 と H_3 を，以下に求める。

⑤´の両辺を t で偏微分して，さらに μ_0 倍すると，

$$-\mu_0\frac{\partial^2 H_3}{\partial t\partial x}=\underbrace{\varepsilon_0\mu_0}_{\frac{1}{c^2}}\frac{\partial^2 E_2}{\partial t^2}\quad\cdots\cdots⑦$$

まず，H_3 を消去して，E_2 のみたす微分方程式を求めよう。

⑥´´を x で偏微分して，左右両辺を入れ替えると，

$$-\mu_0\underbrace{\frac{\partial^2 H_3}{\partial x\partial t}}_{\frac{\partial^2 H_3}{\partial t\partial x}}=\frac{\partial^2 E_2}{\partial x^2}\quad\cdots\cdots⑧$$

（シュワルツの定理：$\frac{\partial^2 H_3}{\partial x\partial t}=\frac{\partial^2 H_3}{\partial t\partial x}$ が成り立つものとする。）

⑦－⑧より，$0=\frac{1}{c^2}\frac{\partial^2 E_2}{\partial t^2}-\frac{\partial^2 E_2}{\partial x^2}$　　$\therefore\ \frac{\partial^2 E_2}{\partial x^2}=\frac{1}{c^2}\frac{\partial^2 E_2}{\partial t^2}$　……⑨

同様に，⑤´の両辺を x で偏微分して，

次に，E_2 を消去して，H_3 のみたす微分方程式を求める。

$$-\frac{\partial^2 H_3}{\partial x^2}=\varepsilon_0\frac{\partial^2 E_2}{\partial x\partial t}\quad\cdots\cdots⑩$$

⑥´´の両辺を t で偏微分して，さらに ε_0 倍し，左右両辺を入れ替えると，

$$-\underbrace{\varepsilon_0\mu_0}_{\frac{1}{c^2}}\frac{\partial^2 H_3}{\partial t^2}=\varepsilon_0\underbrace{\frac{\partial^2 E_2}{\partial t\partial x}}_{\frac{\partial^2 E_2}{\partial x\partial t}}\quad\cdots\cdots⑪$$

（シュワルツの定理より）

⑪－⑩より，$-\frac{1}{c^2}\frac{\partial^2 H_3}{\partial t^2}+\frac{\partial^2 H_3}{\partial x^2}=0$　　$\therefore\ \frac{\partial^2 H_3}{\partial x^2}=\frac{1}{c^2}\frac{\partial^2 H_3}{\partial t^2}$　……⑫

⑨と⑫は共に，1次元の波動方程式で，それぞれ進行波と後退波のダランベールの解を持つ。すなわち，

・電場の波動方程式

$$\frac{\partial^2 E_2}{\partial x^2}=\frac{1}{c^2}\cdot\frac{\partial^2 E_2}{\partial t^2}\quad\cdots\cdots⑨$$ は，

次のダランベールの解

$$E_2(x,\,t)=\underbrace{f\left(t-\frac{x}{c}\right)}_{\text{進行波}}+\underbrace{g\left(t+\frac{x}{c}\right)}_{\text{後退波}}$$

をもつ。

・磁場の波動方程式

$$\frac{\partial^2 H_3}{\partial x^2}=\frac{1}{c^2}\cdot\frac{\partial^2 H_3}{\partial t^2}\quad\cdots\cdots⑫$$ は，

次のダランベールの解

$$H_3(x,\,t)=\underbrace{\tilde{f}\left(t-\frac{x}{c}\right)}_{\text{進行波}}+\underbrace{\tilde{g}\left(t+\frac{x}{c}\right)}_{\text{後退波}}$$

をもつ。

ここで，進行波のみの解をもつものとすると，

$\boldsymbol{E}_2 = f\left(t - \frac{x}{c}\right)$ ……⑬　　$\boldsymbol{H}_3 = \tilde{f}\left(t - \frac{x}{c}\right)$ ……⑭　となる。

この f も $\tilde{f}$ も $t - \frac{x}{c}$ の任意の関数だから，1 例として，$\boldsymbol{E}_2$ が，振幅 $\boldsymbol{E}_0$，角周波数 ω の正弦波の進行波の解：

$\boldsymbol{E}_2(x, t) = \boldsymbol{E}_0 \sin\omega\left(t - \frac{x}{c}\right)$ ……⑬´をもつものとして，$\boldsymbol{H}_3(x, t)$ を求める。

(i) ⑤´を変形して，これに⑬´を代入すると，

$-\frac{\partial \boldsymbol{H}_3}{\partial x} = \varepsilon_0 \frac{\partial \boldsymbol{E}_2}{\partial t}$ ……⑤´

$\frac{\partial \boldsymbol{E}_2}{\partial x} = -\mu_0 \frac{\partial \boldsymbol{H}_3}{\partial t}$ ……⑥´´

$c = \frac{1}{\sqrt{\varepsilon_0 \mu_0}}$

$$\frac{\partial \boldsymbol{H}_3}{\partial x} = -\varepsilon_0 \frac{\partial \boldsymbol{E}_2}{\partial t} \quad \left(\boldsymbol{E}_2 = \boldsymbol{E}_0 \sin\omega\left(t - \frac{x}{c}\right) \cdots ⑬´\right)$$

$$= -\varepsilon_0 \omega \boldsymbol{E}_0 \cos\omega\left(t - \frac{x}{c}\right) \quad ……⑮$$

となる。

(ii) ⑥´´を変形して，これに⑬´を代入すると，

$$\frac{\partial \boldsymbol{H}_3}{\partial t} = -\frac{1}{\mu_0} \cdot \frac{\partial \boldsymbol{E}_2}{\partial x} \quad \left(\boldsymbol{E}_2 = \boldsymbol{E}_0 \sin\omega\left(t - \frac{x}{c}\right) \cdots ⑬´\right) = -\frac{1}{\mu_0}\left(-\frac{\omega}{c}\right)\boldsymbol{E}_0 \cos\omega\left(t - \frac{x}{c}\right)$$

$$= \frac{\omega}{\mu_0 c} \boldsymbol{E}_0 \cos\omega\left(t - \frac{x}{c}\right) = \sqrt{\frac{\varepsilon_0}{\mu_0}}\, \omega \boldsymbol{E}_0 \cos\omega\left(t - \frac{x}{c}\right) \quad ……⑯$$ となる。

$\left(c = \frac{1}{\sqrt{\varepsilon_0 \mu_0}}\right)$

(i) ここで，⑮の両辺を x で積分すると，

$$\boldsymbol{H}_3 = -\varepsilon_0 \omega \boldsymbol{E}_0 \int \cos\omega\left(t - \frac{x}{c}\right) dx$$

$$= -\varepsilon_0 \omega \boldsymbol{E}_0 \left(-\frac{c}{\omega}\right) \sin\omega\left(t - \frac{x}{c}\right) + \underline{p(t)}$$

任意定数ではなく，t の任意関数

$$= \varepsilon_0 c \boldsymbol{E}_0 \sin\omega\left(t - \frac{x}{c}\right) + p(t)$$

$\left(c = \frac{1}{\sqrt{\varepsilon_0 \mu_0}}\right)$

$$= \sqrt{\frac{\varepsilon_0}{\mu_0}}\, \boldsymbol{E}_0 \sin\omega\left(t - \frac{x}{c}\right) + p(t) \quad ……⑰$$ となる。

(ⅱ) 同様に，⑯の両辺を t で積分すると，

$$H_3=\sqrt{\frac{\varepsilon_0}{\mu_0}}\omega E_0\int\cos\omega\left(t-\frac{x}{c}\right)dt$$

$$=\sqrt{\frac{\varepsilon_0}{\mu_0}}\omega E_0\frac{1}{\omega}\sin\omega\left(t-\frac{x}{c}\right)+\underline{q(x)}$$

（$q(x)$：x の任意関数）

$$=\sqrt{\frac{\varepsilon_0}{\mu_0}}E_0\sin\omega\left(t-\frac{x}{c}\right)+q(x)\quad\cdots\cdots⑱$$ となる。

⑰と⑱は同じ H_3 を表すから，$p(t)=q(x)=C$(定数) となる。

ここで，この定数 C を 0 とおくと，$H_3=\tilde{f}\left(t-\frac{x}{c}\right)$ は，

$$H_3(x,\ t)=\tilde{f}\left(t-\frac{x}{c}\right)=\sqrt{\frac{\varepsilon_0}{\mu_0}}\underline{E_0\sin\omega\left(t-\frac{x}{c}\right)}$$

（$E_2(x,\ t)=f\left(t-\frac{x}{c}\right)\ \cdots\cdots⑬'$）

よって，H_3 と E_2 の関係として，$H_3(x,\ t)=\sqrt{\frac{\varepsilon_0}{\mu_0}}E_2(x,\ t)$ が導かれる。

これより，磁場 H_3 は，電場 E_2 の波形を係数倍しただけの同じ形の波形を描くので，$H=\sqrt{\frac{\varepsilon_0}{\mu_0}}E\quad\cdots\cdots(*2)$ が成り立つ。 ……………………(終)

$H=\sqrt{\frac{\varepsilon_0}{\mu_0}}E$ の数係数 $\sqrt{\frac{\varepsilon_0}{\mu_0}}$ が正より，図 2 に示すように，平面電磁波は，$\boldsymbol{E}$ から $\boldsymbol{H}$ へ回したとき右ネジが進む向き (x 軸の正の向き) に光速 c で進行する。

図 2　平面電磁波のイメージ

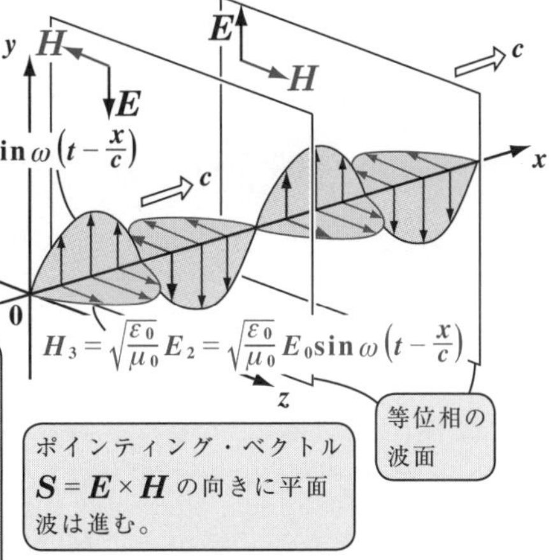

$E_2=0$，$H_3=0$ かつ $E_3\neq0$，$H_2\neq0$ の解の場合は，同様にして，

$H_2=-\sqrt{\frac{\varepsilon_0}{\mu_0}}E_3$ が導かれる。

これは，$\boldsymbol{E}$ と $\boldsymbol{H}$ はそのままに，y 軸と z 軸を x 軸正方向に向かって，x 軸の周りに反時計回りに $90°$ だけ回転した場合となる。

演習問題 92

右図のように，原点 O を中心とする半径 2 の球面から電磁波が発生し，それが周りの空間に球面波として広がる場合を考える。球面波の進行方向に r 軸をとり，電場 $\boldsymbol{E}$ は，天頂角 θ 方向を向き，磁場 $\boldsymbol{H}$ は，方位角 φ 方向を向くものとする。このとき，電場 $\boldsymbol{E}$ の θ 成分 E_θ のみたす波動方程式を導き，解 E_θ の 1 例を求めよ。

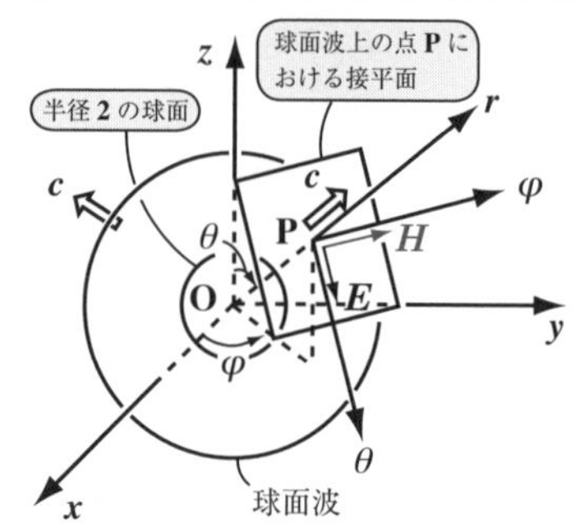

ヒント！ 球面電磁波が伝播する様子は，r 軸の付近において，局所的に見れば，平面電磁波と同様になると考えていい。演習問題 91 の図 1(P210) に示したように電場 $\boldsymbol{E}$ と磁場 $\boldsymbol{H}$ は直交し，かつ進行方向の r 軸とも直交する。$\boldsymbol{E}$ は r と t のみの関数となり，球面波の対称性から天頂角 θ や方位角 φ に依存しないので，$\boldsymbol{E}(r,\ t)$ と表される。また，その r，θ，φ 成分をそれぞれ E_r，E_θ，E_φ で表せば，問題の図から，$E_r = 0$，$E_\varphi = 0$ だから，$\boldsymbol{E}(r,\ t) = [0,\ E_\theta(r,\ t),\ 0]$ とおける。
この $E_\theta(r,\ t)$ のラプラシアン $\nabla^2 E_\theta$ の球座標表示を作り，これを，E_θ がみたす波動方程式 $\nabla^2 E_\theta = \dfrac{1}{c^2}\cdot\dfrac{\partial^2 E_\theta}{\partial t^2}$ の左辺に代入する。
(∇^2 の球座標表示については，演習問題 32 (P66) 参照)

解答＆解説

電場 $\boldsymbol{E}$ は，球面波上の点 P における接平面に平行であり，対称性より，原点 O と点 P までの距離 r と時刻 t だけの関数となる。よって，これを r, θ, φ の球座標で表すと，図から，$\boldsymbol{E}(r,\ t) = [0,\ E_\theta(r,\ t),\ 0]$ とおける。この $E_\theta(r,\ t)$ がみたす波動方程式は，

$$\underline{\nabla^2 E_\theta} = \frac{1}{c^2}\cdot\frac{\partial^2 E_\theta}{\partial t^2} \quad \cdots\cdots①$$

となる。

($\nabla^2 E_\theta$ の下に：$\Delta = \nabla\cdot\nabla$)

← $\nabla^2 \boldsymbol{E} = \dfrac{1}{c^2}\cdot\dfrac{\partial^2 \boldsymbol{E}}{\partial t^2}$ より
($\boldsymbol{E}$ = $[0,\ E_\theta,\ 0]$，$\dfrac{\partial^2 \boldsymbol{E}}{\partial t^2}$ = $\dfrac{\partial^2}{\partial t^2}[0,\ E_\theta,\ 0]$)

ここで，E_θ のラプラシアン $\nabla^2 E_\theta$ の球座標表示は，

$$\nabla^2 E_\theta = \frac{1}{r^2}\cdot\frac{\partial}{\partial r}\left(r^2\frac{\partial E_\theta}{\partial r}\right) + \frac{1}{r^2}\frac{1}{\sin\theta}\cdot\frac{\partial}{\partial\theta}\left(\sin\theta\frac{\partial E_\theta}{\partial\theta}\right) + \frac{1}{r^2\sin^2\theta}\frac{\partial^2 E_\theta}{\partial\varphi^2} \quad \cdots\cdots ②$$

演習問題 32 (P66) より

$\frac{\partial E_\theta}{\partial\theta} = 0$，$\frac{\partial}{\partial\varphi}\left(\frac{\partial E_\theta}{\partial\varphi}\right) = 0$（$\frac{\partial E_\theta}{\partial\varphi} = 0$）

となるが，$E_\theta(r, t)$ は天頂角 θ と方位角 φ に依存しないので，

$\frac{\partial E_\theta}{\partial\theta} = 0$ かつ $\frac{\partial E_\theta}{\partial\varphi} = 0$ となる。よって，②は，

$\nabla^2 E_\theta = \frac{1}{r^2}\cdot\frac{\partial}{\partial r}\left(r^2\frac{\partial E_\theta}{\partial r}\right)$ ……③となる。この③を①に代入して，

$\frac{1}{r^2}\cdot\frac{\partial}{\partial r}\left(r^2\frac{\partial E_\theta}{\partial r}\right) = \frac{1}{c^2}\cdot\frac{\partial^2 E_\theta}{\partial t^2}$ ……①´

ここで，①´の左辺を変形すると，

$$\frac{1}{r^2}\cdot\frac{\partial}{\partial r}\left(r^2\frac{\partial E_\theta}{\partial r}\right) = \frac{1}{r^2}\left(2r\cdot\frac{\partial E_\theta}{\partial r} + r^2\frac{\partial^2 E_\theta}{\partial r^2}\right)$$

← $(f\cdot g)' = f'g + fg'$

$$= \frac{2}{r}\frac{\partial E_\theta}{\partial r} + \frac{\partial^2 E_\theta}{\partial r^2} = \frac{1}{r}\cdot\frac{\partial^2 (rE_\theta)}{\partial r^2} \quad \cdots ④$$

$$\frac{1}{r}\frac{\partial^2(rE_\theta)}{\partial^2 r} = \frac{1}{r}\cdot\frac{\partial}{\partial r}\left(\frac{\partial(rE_\theta)}{\partial r}\right) = \frac{1}{r}\cdot\frac{\partial}{\partial r}\left(1\cdot E_\theta + r\cdot\frac{\partial E_\theta}{\partial r}\right)$$
$$= \frac{1}{r}\cdot\left(\frac{\partial E_\theta}{\partial r} + 1\cdot\frac{\partial E_\theta}{\partial r} + r\frac{\partial^2 E_\theta}{\partial r^2}\right) = \frac{2}{r}\frac{\partial E_\theta}{\partial r} + \frac{\partial^2 E_\theta}{\partial r^2}$$ より

④を①´の左辺に代入して，

$\frac{1}{r}\cdot\frac{\partial^2 (rE_\theta)}{\partial r^2} = \frac{1}{c^2}\cdot\frac{\partial^2 E_\theta}{\partial t^2}$　　この両辺に r をかけて，

$\frac{\partial^2 (rE_\theta)}{\partial r^2} = \frac{1}{c^2}\cdot\frac{\partial^2 (rE_\theta)}{\partial t^2}$ ← rE_θ は，この波動方程式の解より，$rE_\theta = f\left(t - \frac{r}{c}\right)$ とおける。

$\therefore\ rE_\theta = f\left(t - \frac{r}{c}\right)$ ← 題意より，原点を中心とする半径 2 の球面から周りの空間に電磁波が伝播していくので，ここでは進行波のみを解とした。

ここで，f は $t - \frac{r}{c}$ の任意の関数だから，1 例として，rE_θ が振幅 E_0，角周波数 ω の正弦波の進行波：$rE_\theta = E_0\sin\omega\left(t - \frac{r}{c}\right)$ をもつものとすれば，

$E_\theta = \frac{1}{r}\cdot E_0\sin\omega\left(t - \frac{r}{c}\right)$ となる。…………………………………………(答)

電場の振幅が $\frac{1}{r}$ 倍に減衰する。

演習問題 93　●円筒電磁波●

右図のように，上下に無限に伸びる直線状の細い導線に交流電流を流すとき，この導線の周りに電磁波が生じ，同心円状に円筒波面として広がる。この円筒波面の進行方向に r 軸をとると，電場 $\boldsymbol{E}$ は，z 軸方向を向き，磁場 $\boldsymbol{H}$ は，θ 方向を向く。このとき，電場 $\boldsymbol{E}$ の z 成分 E_z のみたす波動方程式を導き，$r \gg 1$ の場合の解 E_z の1例を求めよ。

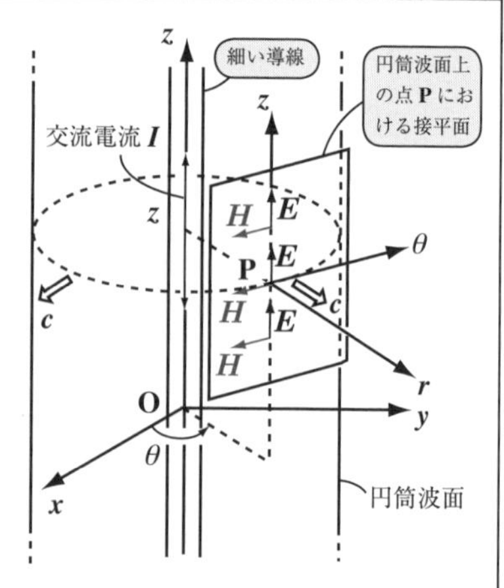

ヒント！ 電場 $\boldsymbol{E}$ と磁場 $\boldsymbol{H}$ は直交し，かつ進行方向の r 軸とも直交する。電場 $\boldsymbol{E}$ は r と t のみの関数であり，円筒波面の対称性から方位角 θ や z 座標に依存しないので，$\boldsymbol{E}(r, t) = [0,\ 0,\ E_z(r, t)]$ と表せる。$E_z(r, t)$ の波動方程式に $\nabla^2 E_z$ の円柱座標表示を代入して，$\sqrt{r}E_z$ の波動方程式を導けばいい。
(∇^2 の円柱座標表示については，演習問題 33 (P70) 参照)

解答＆解説

円筒波面の対称性より，電場 $\boldsymbol{E}$ は，導線の中心軸からの垂直距離 r と時刻 t のみの関数となる。よって，これを $r,\ \theta,\ z$ の円柱座標で表すと，図から，$\boldsymbol{E}(r, t) = [0,\ 0,\ E_z(r, t)]$ となる。この $E_z(r, t)$ の波動方程式は，

$$\nabla^2 E_z = \frac{1}{c^2} \cdot \frac{\partial^2 E_z}{\partial t^2} \quad \cdots\cdots ①$$

となる。← $\nabla^2 \boldsymbol{E} = \frac{1}{c^2} \cdot \frac{\partial^2 \boldsymbol{E}}{\partial t^2}$ より（$\nabla^2\boldsymbol{E} = [0,\ 0,\ E_z]$，$\frac{\partial^2}{\partial t^2}[0,\ 0,\ E_z]$）

ここで，E_z のラプラシアン $\nabla^2 E_z$ の円柱座標表示は，

$$\nabla^2 E_z = \frac{1}{r} \cdot \frac{\partial}{\partial r}\left(r \frac{\partial E_z}{\partial r}\right) + \frac{1}{r^2} \cdot \frac{\partial^2 E_z}{\partial \theta^2} + \frac{\partial^2 E_z}{\partial z^2} = \frac{1}{r} \cdot \frac{\partial}{\partial r}\left(r \frac{\partial E_z}{\partial r}\right)$$

（演習問題 33 (P70) より）（$\frac{\partial}{\partial \theta}\left(\frac{\partial E_z}{\partial \theta}\right) = 0$，$\frac{\partial}{\partial z}\left(\frac{\partial E_z}{\partial z}\right) = 0$）

$\therefore\ \nabla^2 E_z = \dfrac{1}{r}\cdot\dfrac{\partial}{\partial r}\left(r\dfrac{\partial E_z}{\partial r}\right)$ ……②となる。　②を①に代入して，

$\dfrac{1}{r}\cdot\dfrac{\partial}{\partial r}\left(r\dfrac{\partial E_z}{\partial r}\right) = \dfrac{1}{c^2}\cdot\dfrac{\partial^2 E_z}{\partial t^2}$ …①′　①′の左辺を変形すると，

$(f\cdot g)' = f'g + fg'$

$\dfrac{1}{r}\cdot\dfrac{\partial}{\partial r}\left(r\dfrac{\partial E_z}{\partial r}\right) = \dfrac{1}{r}\left(1\cdot\dfrac{\partial E_z}{\partial r} + r\dfrac{\partial^2 E_z}{\partial r^2}\right) = \dfrac{1}{r}\cdot\dfrac{\partial E_z}{\partial r} + \dfrac{\partial^2 E_z}{\partial r^2}$ …③　となる。

ここで，E_z に $\sqrt{r}$ をかけたものを r で 2 階偏微分すると，

$$\frac{\partial^2(\sqrt{r}E_z)}{\partial r^2} = \frac{\partial}{\partial r}\cdot\frac{\partial(r^{\frac{1}{2}}E_z)}{\partial r} = \frac{\partial}{\partial r}\left(\frac{1}{2}r^{-\frac{1}{2}}E_z + r^{\frac{1}{2}}\frac{\partial E_z}{\partial r}\right)$$

$(f\cdot g)' = f'g + fg'$

$$= -\frac{1}{4}r^{-\frac{3}{2}}E_z + \frac{1}{2}r^{-\frac{1}{2}}\frac{\partial E_z}{\partial r} + \frac{1}{2}r^{-\frac{1}{2}}\frac{\partial E_z}{\partial r} + r^{\frac{1}{2}}\frac{\partial^2 E_z}{\partial r^2}$$

$$= -\frac{1}{4}\frac{1}{r\sqrt{r}}E_z + \frac{1}{\sqrt{r}}\frac{\partial E_z}{\partial r} + \sqrt{r}\frac{\partial^2 E_z}{\partial r^2} = \sqrt{r}\left(-\frac{E_z}{4r^2} + \frac{1}{r}\frac{\partial E_z}{\partial r} + \frac{\partial^2 E_z}{\partial r^2}\right)$$

$\therefore\ \dfrac{\partial^2(\sqrt{r}E_z)}{\partial r^2} = \sqrt{r}\left\{-\dfrac{E_z}{4r^2} + \dfrac{1}{r}\dfrac{\partial}{\partial r}\left(r\dfrac{\partial E_z}{\partial r}\right)\right\}$（③より）

$\dfrac{1}{r}\dfrac{\partial}{\partial r}\left(r\cdot\dfrac{\partial E_z}{\partial r}\right)$（③より）

これを変形して，

$\dfrac{1}{r}\dfrac{\partial}{\partial r}\left(r\cdot\dfrac{\partial E_z}{\partial r}\right) = \dfrac{1}{\sqrt{r}}\cdot\dfrac{\partial^2(\sqrt{r}E_z)}{\partial r^2} + \dfrac{E_z}{4r^2}$ ……④　（$\dfrac{E_z}{4r^2}$ は 0 $(\because r \gg 1)$）

ここで，$r \gg 1$ のとき，④の右辺の第 2 項は 0 とおけるので，④は，

$\dfrac{1}{r}\cdot\dfrac{\partial}{\partial r}\left(r\cdot\dfrac{\partial E_z}{\partial r}\right) = \dfrac{1}{\sqrt{r}}\cdot\dfrac{\partial^2(\sqrt{r}E_z)}{\partial r^2}$ …④′となる。④′を①′に代入して，

$\dfrac{1}{\sqrt{r}}\cdot\dfrac{\partial^2(\sqrt{r}E_z)}{\partial r^2} = \dfrac{1}{c^2}\cdot\dfrac{\partial^2 E_z}{\partial t^2}$　　両辺に $\sqrt{r}$ をかけて，

$\dfrac{\partial^2(\sqrt{r}E_z)}{\partial r^2} = \dfrac{1}{c^2}\cdot\dfrac{\partial^2(\sqrt{r}E_z)}{\partial t^2}$

$\sqrt{r}E_z$ は，この波動方程式の解より，$\sqrt{r}E_z = f\left(t - \dfrac{r}{c}\right)$ とおける。

$\therefore\ \sqrt{r}E_z = f\left(t - \dfrac{r}{c}\right)$

題意より，導線の表面から周りの空間に電磁波が伝播していくので，ここでは進行波のみを解とした。

ここで，任意関数 f の 1 例として，$\sqrt{r}E_z$ が振幅 E_0，角周波数 ω の正弦波の進行波：$\sqrt{r}E_z = E_0\sin\omega\left(t - \dfrac{r}{c}\right)$ をもつものとすると，

$E_z = \dfrac{1}{\sqrt{r}}\cdot E_0\sin\omega\left(t - \dfrac{r}{c}\right)$ となる。……………………………………………(答)

電場の振幅が $\dfrac{1}{\sqrt{r}}$ 倍に減衰する。

◆◆ 補充問題 (additional questions) 

補充問題 1	● 勾配，発散，回転の応用公式 ●

空間ベクトル場 $\boldsymbol{f} = [y^2z,\ zx^2,\ xy]$，および空間スカラー場 $g(x,\ y,\ z) = x^2y + yz^2$ について，次の各公式が成り立つことを確認せよ。

(1) $\mathrm{div}(\mathrm{rot}\boldsymbol{f}) = 0$ ……(＊1)　　(2) $\mathrm{rot}(\mathrm{grad}g) = \boldsymbol{0}$ ……(＊2)

(3) $\mathrm{rot}(\mathrm{rot}\boldsymbol{f}) = \mathrm{grad}(\mathrm{div}\boldsymbol{f}) - \Delta\boldsymbol{f}$ ……(＊3)

ヒント！ 勾配ベクトルの公式：$\mathrm{grad}\,g = \left[\frac{\partial g}{\partial x},\ \frac{\partial g}{\partial y},\ \frac{\partial g}{\partial z}\right]$ や，$\boldsymbol{f} = [f_1,\ f_2,\ f_3]$ についての発散の公式：$\mathrm{div}\boldsymbol{f} = \frac{\partial f_1}{\partial x} + \frac{\partial f_2}{\partial y} + \frac{\partial f_3}{\partial z}$ などを用いて，解いていこう。(3) の右辺第 2 項の $\Delta\boldsymbol{f}$ は，$\Delta[f_1,\ f_2,\ f_3] = [\Delta f_1,\ \Delta f_2,\ \Delta f_3]$ として計算すればいい。Δ は，ラプラス演算子(ラプラシアン) $\Delta = \nabla\cdot\nabla = \frac{\partial^2}{\partial x^2} + \frac{\partial^2}{\partial y^2} + \frac{\partial^2}{\partial z^2}$ のことだね。

解答＆解説

(1) $\boldsymbol{f} = [y^2z,\ zx^2,\ xy]$ の回転は，

$$\mathrm{rot}\boldsymbol{f} = \nabla\times\boldsymbol{f}$$
$$= [x - x^2,\ y^2 - y,\ 2zx - 2yz]$$

rot$\boldsymbol{f}$ の計算

$\frac{\partial}{\partial x}$　$\frac{\partial}{\partial y}$　$\frac{\partial}{\partial z}$　$\frac{\partial}{\partial x}$

y^2z　zx^2　xy　y^2z

$2zx - 2yz]\ [\ x - x^2,\ \ y^2 - y,$

よって，この発散は，

$$\mathrm{div}(\mathrm{rot}\boldsymbol{f}) = \left[\frac{\partial}{\partial x},\ \frac{\partial}{\partial y},\ \frac{\partial}{\partial z}\right]\cdot[x - x^2,\ y^2 - y,\ 2zx - 2yz]$$
$$= \frac{\partial}{\partial x}(x - x^2) + \frac{\partial}{\partial y}(y^2 - y) + \frac{\partial}{\partial z}(2zx - 2yz)$$
$$= (x - x^2)_x + (y^2 - y)_y + (2zx - 2yz)_z$$
$$= \cancel{1} - \cancel{2x} + \cancel{2y} - \cancel{1} + \cancel{2x} - \cancel{2y} = 0$$ となる。

よって，(＊1) が成り立つことが確認できた。……………………(終)

(2) $g(x,y,z) = x^2y + yz^2$ の勾配ベクトルは，

$$\mathrm{grad}\,g = \nabla g = \left[\frac{\partial g}{\partial x}, \frac{\partial g}{\partial y}, \frac{\partial g}{\partial z}\right] = [\underbrace{(x^2y + \cancel{yz^2})_x}_{2xy}, \underbrace{(x^2y + yz^2)_y}_{x^2+z^2}, \underbrace{(\cancel{x^2y} + yz^2)_z}_{2yz}]$$

$= [2xy, x^2+z^2, 2yz]$ となる。よって，この回転は，

$$\mathrm{rot}(\mathrm{grad}\,g) = \nabla \times \nabla g$$
$$= [2z - 2z, 0, 2x - 2x]$$
$$= [0, 0, 0] = \mathbf{0} \quad となる。$$

rot(grad$g$) の計算

$$\begin{matrix} \frac{\partial}{\partial x} & \frac{\partial}{\partial y} & \frac{\partial}{\partial z} & \frac{\partial}{\partial x} \\ 2xy & x^2+z^2 & 2yz & 2xy \end{matrix}$$
$$2x - 2x]\ [\ 2z - 2z,\ 0 - 0,$$

よって，(＊2) が成り立つことが確認できた。 ……………………(終)

(3) (i)((＊3)の左辺) $= \mathrm{rot}(\underbrace{\mathrm{rot}\boldsymbol{f}}_{[x-x^2,\ y^2-y,\ 2zx-2yz]\ ((1)での計算結果より)})$

$$= [-2z - 0, 0 - 2z, 0]$$
$$= -[2z, 2z, 0] \cdots\cdots ① \quad である。$$

rot(rot$\boldsymbol{f}$) の計算

$$\begin{matrix} \frac{\partial}{\partial x} & \frac{\partial}{\partial y} & \frac{\partial}{\partial z} & \frac{\partial}{\partial x} \\ x-x^2 & y^2-y & 2zx-2yz & x-x^2 \end{matrix}$$
$$0 - 0\ ][\ -2z - 0\ ,\ 0 - 2z,$$

(ii)((＊3)の右辺) $= \mathrm{grad}(\underbrace{\mathrm{div}\boldsymbol{f}}_{(y^2z)_x+(zx^2)_y+(xy)_z=0+0+0=0}) - \underbrace{\Delta\boldsymbol{f}}_{[\Delta(y^2z),\ \Delta(zx^2),\ \Delta(xy)]}$

$$= \underbrace{\cancel{\mathrm{grad}(0)}}_{0} - [\ \Delta(y^2z)\ ,\ \Delta(zx^2)\ ,\ \Delta(xy)\ ]$$

$\Delta(y^2z) = \underbrace{\cancel{(y^2z)_{xx}}}_{0} + \underbrace{(y^2z)_{yy}}_{(2yz)_y = 2z} + \underbrace{\cancel{(y^2z)_{zz}}}_{(y^2)_z = 0}$

$\Delta(zx^2) = \underbrace{(zx^2)_{xx}}_{(2zx)_x = 2z} + \underbrace{\cancel{(zx^2)_{yy}}}_{0} + \underbrace{\cancel{(zx^2)_{zz}}}_{(x^2)_z = 0}$

$\Delta(xy) = \underbrace{\cancel{(xy)_{xx}}}_{y_x = 0} + \underbrace{\cancel{(xy)_{yy}}}_{x_y = 0} + \underbrace{\cancel{(xy)_{zz}}}_{0}$

$$= -[0 + 2z + 0, 2z + 0 + 0, 0 + 0 + 0]$$
$$= -[2z, 2z, 0] \cdots\cdots ② \quad である。$$

以上 (i)(ii) の①，②は，等しいベクトル値関数である。よって，(＊3) が成り立つことが確認された。 ………………………………………………………(終)

 Term・Index 

あ行

か行

さ行

た行

な行

は行

ま行

や行

ら行

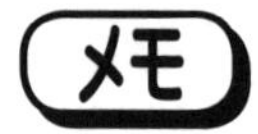
メモ

メモ

スバラシク実力がつくと評判の
演習 電磁気学 キャンパス・ゼミ
改訂 4

マセマ

著　者　高杉 豊　馬場 敬之
発行者　馬場 敬之
発行所　マセマ出版社
〒 332-0023 埼玉県川口市飯塚 3-7-21-502
TEL 048-253-1734　FAX 048-253-1729
Email：info@mathema.jp
https://www.mathema.jp

編　集　七里 啓之
校閲・校正　清代 芳生　秋野 麻里子
制作協力　久池井 茂　満岡 咲枝
野村 直美　真下 久志
五十里 哲　間宮 栄二
町田 朱美
カバーデザイン　馬場 冬之
ロゴデザイン　馬場 利貞
印刷所　株式会社 シナノ

平成 21 年 9 月 17 日　初版発行
平成 28 年 6 月 23 日　改訂 1　4 刷
平成 30 年 11 月 15 日　改訂 2　4 刷
令和 3 年 2 月 22 日　改訂 3　4 刷
令和 4 年 12 月 12 日　改訂 4　初版発行

ISBN978-4-86615-278-3 C3042